АРТУРО
ПЕРЕС-РЕВЕРТЕ

ARTURO PÉREZ-REVERTE

LA TABLA
DE FLANDES

АРТУРО ПЕРЕС-РЕВЕРТЕ

ФЛАМАНДСКАЯ ДОСКА

ЭКСМО

МОСКВА 2003

УДК 860
ББК 84(4 Исп)
П 27

Arturo PÉREZ-REVERTE
LA TABLA DE FLANDES

Перевод с испанского *Натальи Кирилловой*

Макет художника *Андрея Бондаренко*

Оформление обложки *Андрея Рыбакова*

П 27
Перес-Реверте А.
Фламандская доска: Роман / Пер. с исп. Н. Кирилловой. — М.: Изд-во Эксмо, 2003. — 480 с., илл.

ISBN 5-699-02470-0

Артуро Перес-Реверте (р. 1951) — современный испанский писатель, интеллектуал, мастер изящной словесности, завоевавший сердца своих читателей захватывающей интригой, филигранной прозой, блестящим знанием истории и искусства. Он виртуозно сочетает в своих произведениях загадки прошлых веков, таинственные убийства и рассуждения о высоких материях.

«Фламандская доска», как и другие романы Переса-Реверте, написан в жанре интеллектуального детектива. Парадоксальный и многоплановый, завораживающий перемещением действия из одного временного и культурного пласта в другой, с головокружительно закрученным сюжетом, роман открывает для читателя мир антикваров и коллекционеров, в котором старинная картина является ключом к разгадке жестоких преступлений, происходящих в наши дни, а за каждую проигранную фигуру в шахматной партии заплачено человеческой жизнью.

УДК 860
ББК 84(4 Исп)

ISBN 5-699-02470-0

Хулио и Роси, адвокатам дьявола,
и Христиану Санчесу Асеведо

I

Секреты мастера
ван Гюйса

Всевышний направляет руку игрока.
Но кем же движима Всевышнего рука?..

Х. Л. Борхес

Неоткрытый конверт — это загадка, содержащая в себе другие загадки. Этот был большой, объемистый, из плотной бумаги, в левом нижнем углу — печать лаборатории. Протянув руку, Хулия взяла его, ища глазами среди кистей и баночек с лаком и красками нож для разрезания бумаги. В этот момент она и представить себе не могла, до какой степени это движение изменит всю ее жизнь.

В общем-то, она уже знала, что находится в конверте. Точнее, как потом выяснилось, полагала, что знает. И, наверное, поэтому не испытывала никаких особенных чувств, пока, распечатав его, не разложила на столе фотографии и не всмотрелась в них, слегка оторопевшая, затаив дыхание. Именно тогда она поняла, что «Игра в шахматы» окажется чем-то большим, чем просто очередной картиной, попавшей в ее руки. Работа художника-реставратора полна открытиями и находками — нечто совершенно неожиданное может вдруг обнаружиться в картине, предмете домашней обстановки или переплете старинной книги. Хулия занималась этой работой уже шесть лет

и успела приобрести солидный опыт в области мазков, штрихов, подправок, записей и даже фаль-
сификаций. Однако ей еще никогда не приходилось
иметь дело с надписью, скрытой под слоем краски.
А между тем на рентгеновском снимке картины об-
наружились три слова, не видимые глазу.

Хулия нашарила смятую пачку сигарет без фильтра и закурила. Все это она проделала на ощупь, потому
что не могла оторвать взгляда от лежавших перед ней
фотографий. Никаких сомнений быть не могло: вот
она, надпись, — три слова, ясно читающиеся на пози-
тивах рентгеновских снимков размером 30х40. Фигуры и предметы, изображенные на картине — фламандской доске пятнадцатого века, — четко просматривались, призрачно-зеленоватые, во всех подробностях,
так же как прожилки древесины и места соединения
трех дубовых плашек, из которых была склеена доска,
покрытая многочисленными слоями мазков и штрихов, составлявших картину. А под ними, в нижней ее
части, эта загадочная фраза, высвеченная рентгенов-
скими лучами пять веков спустя после того, как чья-то
рука вывела ее безупречными готическими буквами:

QUIS NECA VIT EQUITEM.

Хулия достаточно разбиралась в латыни, чтобы
понять ее без словаря. *Quis* — вопросительное мес-
тоимение, означающее «кто». *Necavit* — от глагола
«песо», означающего «убить». А *equitem* — вини-
тельный падеж от существительного единственного
числа «eques», означающего «рыцарь». То есть фраза
значит «кто убил рыцаря», причем это явно вопрос —
иначе к чему бы здесь слово *quis*, придающее ей некую таинственность.

Итак, «КТО УБИЛ РЫЦАРЯ?».

Как минимум, это озадачивало. Хулия глубоко затянулась сигаретой, потом, отняв ее от губ, свободной рукой передвинула несколько фотографий на столе. Кто-то — возможно, сам художник — зашифровал в этой картине некую загадку, укрыв ее от людских глаз под слоем краски и лака. А может, надпись сделана позже кем-то другим. Но это могло произойти не более чем через полвека после написания картины. Подумав об этом, Хулия улыбнулась про себя. Ей не составит особого труда установить дату с достаточной степенью вероятности. В конце концов, в этом и состоит ее работа.

Она взяла со стола фотографии и встала. Сероватый свет, проникавший в большое потолочное окно ее мансарды, падал прямо на стоявшую на мольберте картину. «Игра в шахматы», масло, дерево, написана в тысяча четыреста семьдесят первом году Питером ван Гюйсом... Встав перед картиной, Хулия долго всматривалась в нее. То была бытовая сценка, выписанная до мельчайших подробностей со скрупулезным, прямо-таки дотошным реализмом, свойственным художникам пятнадцатого века: один из тех интерьеров, при изображении которых, пользуясь новой для тех времен техникой — маслом, великие фламандские мастера заложили основы современной живописи. Главными персонажами картины были двое мужчин среднего возраста и благородной наружности, сидевшие друг против друга за шахматным столом, на котором разыгрывалась партия. На втором плане справа, возле стрельчатого окна, обрамлявшего дальний пейзаж, дама, одетая в черное, читала книгу, лежавшую на коленях. Привлекали внимание тщательно прорисованные детали, столь характерные для фламандской школы и зафиксированные с почти маниакальной точностью: мебель, украшения, белые и черные плиты пола, рисунок ковра, даже едва заметная трещина на стене и тень от крошечного гвоздика на одной из потолочных балок. С той же точностью были изображены шахматная доска и фигуры, черты лица, руки и одежда персонажей. Тонкость работы поражала еще более благодаря живым и ярким краскам, притушить которые не мог даже потемневший от времени слой защитного лака.

Кто убил рыцаря. Хулия взглянула на позитив рентгеновского снимка, который держала в руке, потом на картину. Ни малейших следов спрятанной надписи. Она осмотрела картину более доскональнно, с помощью бинокулярной лупы с семикратным увеличением, но также ничего не обнаружила. Тогда, задернув плотную штору, перекрывшую поток света из окна, она придвинула к мольберту треножник с лампой Вуда, чьи ультрафиолетовые лучи, падая на поверхность картины, вызывают флуоресценцию самых старых материалов, красок и лаков, тогда как более поздние делаются темными или черными, почти невидимыми: таким образом становится возможным выявить подправки, произведенные после окончания картины. Однако под лампой Вуда вся поверхность доски — включая и ту часть, где находилась надпись, — светилась одинаково ровно. Это означало, что надпись закрасил сам художник, либо это было сделано немедленно по завершении работы над картиной.

Хулия выключила лампу, отдернула штору, и сероватый, как отблеск стали, свет осеннего утра снова пролился на мольберт с фламандской доской, наполнив кабинет, тесный от книг, полок с кистями, банками красок, лаков и растворителей, столярными инструментами, старинным резным деревом и бронзой, подрам-

Секреты мастера ван Гюйса

никами всех размеров; на полу, на испачканном красками дорогом ковре, повернутые лицом к стене, стояли картины, а в углу, на комоде эпохи Людовика XV,— стереоустановка, окруженная стопками пластинок: Дом Черри, Моцарт, Майлс Дейвис, Сэйти, Лестер Боуи, Вивальди... Из висевшего на одной из стен венецианского зеркала в позолоченной раме на Хулию глянуло ее собственное отражение: волосы до плеч, чуть заметные круги под большими, темными, еще не накрашенными глазами. Хороша, как модель Леонардо, говорил Сесар всякий раз, когда, как сейчас, зеркало обрамляло золотом ее лицо, _ma pui bella_[1]. И хотя Сесара, пожалуй, следовало считать, скорее, ценителем эфебов, чем мадонн, Хулия знала, что это утверждение целиком и полностью соответствует действительности. Она и сама любила глядеться в зеркало в золоченой раме: ей начинало казаться, что она находится по ту сторону некой волшебной двери, распахнутой сквозь пространство и время, и оттуда, в образе, воплотившем красоту итальянского Возрождения, смотрит на самое себя, находящуюся по эту сторону.

При воспоминании о Сесаре ее губы тронула улыбка. Хулия всегда улыбалась, думая о нем,— всегда, с самого раннего детства. Улыбалась с нежностью, а зачастую — как единомышленник, даже сообщник. Снова положив фотографии на стол, Хулия загасила сигарету в тяжелой бронзовой пепельнице работы Бенльюэра и уселась за пишущую машинку.

«Игра в шахматы»:
Масло, дерево. Фламандская школа. Датировано 1471 годом.

---

1   Но красивее _(ит.)._ — _Здесь и далее примечания переводчика, если это не оговорено особо._

Автор: Питер ван Гюйс (1415— 1481).

Основа: Три дубовые плашки, соединенные встык на полушипах.

Размеры: 60x87 см. (Все три плашки одинаковых размеров: 20x87.) Толщина доски: 4 см.

Состояние основы:

Укрепление не требуется. Повреждений от насекомых не наблюдается.

Состояние красочного слоя:

Сцепление и прилегание слоев хорошие. Изменений цвета нет. Наблюдаются возрастные трещины, однако отслоений нет.

Состояние поверхностной пленки:

Следов выпотевания солей, пятен сырости нет. Наблюдается чрезмерное потемнение лака вследствие окисления; слой необходимо заменить.

Из кухни донесся свист кофеварки. Хулия поднялась и пошла налить себе кофе — большую чашку, без сахара и без молока. Через минуту она вернулась, неся чашку в одной руке, а другую, мокрую, вытирала о свободный мужской свитер, надетый поверх пижамы. Легкое нажатие указательного пальца — и в студии, освещенной серым утренним светом, зазвучали первые ноты концерта для лютни и виолы д'аморе Вивальди. Хулия, отхлебнув глоток крепкого горького кофе, который обжег ей кончик языка, снова села за машинку и, уперевшись босыми ступнями в ковер, продолжила печатать.

Результаты обследования с помощью ультрафиолетовых и рентгеновских лучей:

*Значительных более поздних изменений и под-
правок не выявлено. При просвечивании рентгенов-
скими лучами обнаружена закрашенная надпись той
же эпохи, готическим шрифтом (фотокопии рентгеновских снимков прилагаются). При обычных спо-
собах обследования надпись не обнаруживается. Она
может быть открыта без ущерба для картины путем снятия верхнего красочного слоя в том месте,
где она находится.*

Вынув лист из каретки пишущей машинки, Хулия вло-
жила его в конверт вместе с двумя фотокопиями, затем допила еще горячий кофе и собралась выкурить
еще одну сигарету. Прямо напротив нее, на мольберте, перед дамой у окна, поглощенной чтением, двое
игроков продолжали шахматную партию, длившуюся
уже пять веков. Питер ван Гюйс выписал ее столь мастерски и детально, что фигуры — так же, как и остальные изображенные предметы, — казались объемными
и словно бы выступали из плоскости картины. Ощущение реальности было настолько сильным, что вполне обеспечивало эффект, к которому стремились старые фламандские мастера: вовлечь зрителя в мир картины, убедить его, что пространство, откуда он ее
созерцает, является продолжением пространства
внутри нее — как будто картина есть часть действительности, а действительность есть часть картины.
Этому еще более способствовало окно в правой части композиции, — из него открывался вид на какие-
то дальние дали, представлявшие глубокий задний
план изображенной сцены, — и круглое выпуклое
зеркало на стене слева, отражавшее фигуры играющих и шахматный столик в том ракурсе, в каком их
видел бы зритель, созерцающий картину, то есть на-

ходящийся перед ней. Таким образом создавалось удивительное впечатление: окно, комната и зеркало оказывались в некоем едином пространстве. Как будто сам зритель, подумалось Хулии, находится там, в этой комнате, между играющими.

Поднявшись, она подошла к мольберту и, скрестив руки на груди, снова принялась рассматривать картину. Долго простояла она так, почти неподвижно, лишь время от времени поднося к губам сигарету, чтобы сделать новую затяжку, и щуря глаза от дыма. Игроку, сидевшему слева, можно было дать лет тридцать пять. У него были каштановые волосы, подстриженные, по средневековой моде, на уровне ушей, и тонкий с горбинкой нос. Весь его облик выражал глубокую сосредоточенность. Узкое, довольно длинное одеяние было написано яркой киноварью, удивительно сохранившей сочность и живость цветов, притушить которые не удалось ни прошедшим векам, ни потемневшей от окисления пленке лака. На груди мужчины висела цепь ордена Золотого Руна, на правом плече блестела изящная, филигранной работы застежка, выписанная с такой тщательностью, что глаз улавливал даже искорки и переливы украшавших ее драгоценных камней. Левым локтем мужчина опирался на стол; рядом с шахматной доской покоилась и кисть его правой руки, державшей в приподнятых пальцах, видимо, только что отыгранную фигуру — белого коня. Возле головы игрока виднелась надпись готическими буквами — по всей вероятности, его имя: *FERDINANDUS OST. D.*

Другой мужчина — на вид лет сорока — был худощав и черноволос. На виске, у высокого ясного лба, можно было разглядеть тончайшие, как нити, мазки — точнее, штрихи, нанесенные свинцовыми белилами. Эта седина и сдержанное, даже несколько суровое выражение лица придавали ему вид человека, не по летам умудренного и закаленного тяготами жизни. Спокойный, благородный профиль, в отличие от богатых придворных одежд первого игрока — простой кожаный панцирь, а поверх него — латный воротник из блестящей полированной стали, указывающий на то, что их хозяин — воин. Опершись скрещенными руками на край стола, склонившись над доской ниже, чем его соперник, рыцарь внимательно вглядывался в расположение фигур, казалось, он был поглощен игрой до такой степени, что не замечал ничего вокруг. Легкие вертикальные морщинки на его лбу говорили о глубокой сосредоточенности, словно трудная задача, которую ему предстояло решить, требовала максимального напряжения мысли. Над его головой стояло: *RUTGIER AR. PREUX.*

Дама сидела в отдалении, у окна. Ее фигура вытянутых пропорций располагалась в глубине «картинного» изобразительного пространства. Черный бархат платья, благодаря искусному использованию богатой гаммы серых и серебристых полутонов, казался настолько реальным, а его складки — настолько объемными, что их хотелось потрогать. С не меньшей реалистичностью художник выписал и сложный орнамент ковра, трещинки и глазки потолочных балок и плитки, покрывавшие пол. Наклонившись поближе к картине, чтобы в полной мере оценить тщательность и тонкость письма, Хулия всматривалась в нее, испытывая то особое восхищение, которое чувствует настоящий мастер перед произведением другого мастера. Лишь художник уровня ван Гюйса способен был *так* написать черное платье: лишь немногие осмелились бы так обыграть этот цвет, основа которого отсутствие какого бы то ни было цвета. Он выглядел настолько осязаемым, что, казалось, ухо улавливало легчайший шорох бархата о маленькую скамейку для ног с подушечками из тисненой кожи.

Взгляд Хулии остановился на лице женщины. Оно было красиво и очень бледно, как того требовали вкусы той эпохи; пышные белокурые волосы, гладко зачесанные на висках, спрятаны под легким, почти прозрачным, белым покрывалом. Из широких рукавов платья выглядывали руки, обтянутые светло-серым узорчатым шелком. Длинные тонкие пальцы держали книгу — Часослов. Падающий из окошка свет играл на металлической застежке книги и на единственном украшении этих изящных рук — золотом кольце. Глаза женщины — можно было догадаться, что они голубые, — были опущены, придавая ее лицу выражение скромной и безмятежной добродетели, столь характерное для всех женских портретов того времени. Поток света, льющийся из окна, и другой, отраженный в зеркале, мягко обрисовывали женскую фигуру, словно включая ее в то же самое пространство, в котором находились оба игрока, но одновременно она казалась как будто отстраненной, отдаленной от них: это впечатление создавалось несколько иным, чем у них, ракурсом и более акцентированной игрой теней. Надпись возле головы женщины гласила: *BEATRIX BURG. OST. D.*

Отступив на два шага, Хулия еще раз окинула взглядом всю картину. Да, без сомнения, то был подлинный шедевр. Это подтверждали приложенные к ней документы, заверенные и подписанные экспертами. Что означало: на предстоящем в январе аукционе «Клэймор» она будет оценена достаточно высоко. А из-за таинственной надписи цена наверняка поднимется еще выше — особенно если снабдить фламандскую доску соответствующей исторической документацией. Десять процентов причитается «Клэймору», пять — Менчу Роч, остальное пойдет владельцу. За вычетом одного процента за страхование и гонорара за реставрацию и очистку картины.

Хулия разделась и нырнула в душевую кабину, не закрыв двери, чтобы шум воды не заглушал музыку Вивальди. Реставрация фламандской доски для выставления на продажу сулила ей неплохой заработок. Всего несколько лет назад закончив учебу, Хулия уже обладала солидной профессиональной репутацией и считалась одним из лучших художников-реставраторов; музеи и торговцы антиквариатом охотно и часто прибегали к ее услугам. Сама на досуге успешно занимавшаяся живописью, методичная, дисциплинированная, она пользовалась известностью как специалист, с глубоким уважением относящийся к оригиналу: такова была ее этическая позиция, которую разделяли далеко не все ее коллеги. Между всяким реставратором и произведением искусства, с которым он имеет дело в данный момент, возникает некая духовная связь — зачастую непростые отношения, разыгрывается ожесточенная, хотя и бескровная, битва между стремлением сохранить все как есть и желанием «обновить» свое детище. Хулия обладала редким даром никогда не забывать главного принципа: ни одно произведение искусства не может быть возвращено к своему первоначальному состоянию иначе, как ценою нанесения ему более или менее серьезного ущерба. По мнению Хулии, следы старения, патина, даже некоторые изменения цвета красок и лаков, повреждения, подправки со временем стано-

вились частью данного произведения, не менее важной, чем оно само. Возможно, благодаря этому картины, которые она реставрировала, выходя из ее рук,
поражали не броской яркостью красок, якобы при-
сущей им изначально (Сесар называл «обновленные»
таким образом картины «размалеванными курти-
занками»), а деликатностью, с какой за следами про-
несшихся годов или веков признавалось право на
существование в качестве неотъемлемой части единого целого.

Хулия вышла из душа, завернувшись в халат с ка-
пюшоном, капли воды с мокрых волос стекали ей на
плечи, закурила пятую за это утро сигарету и там же,
перед картиной, начала одеваться: туфли на низком
каблуке, коричневая юбка в складку, кожаная куртка. Потом, удовлетворенно оглядев свое отражение
в венецианском зеркале, снова обернулась к двум суровым шахматистам на картине и задорно подмигнула им — безо всякой, впрочем, реакции с их стороны: лица обоих как были, так и остались серьезными и сосредоточенными. Кто убил рыцаря. Эта
фраза, загадочная и непонятная, продолжала вертеться в голове Хулии, пока она укладывала в сумку
конверт со своей аннотацией к картине и фотографиями и когда, включив систему охранной сигнализации, дважды поворачивала ключ в замке. *Quis
necavit equitem*. Что бы это ни означало, в ней должен быть какой-то смысл. Хулия шепотом повторя-
ла эти три слова, спускаясь по лестнице и скользя
пальцами по обшитым латунью перилам. Ее всерьез
заинтриговали и фламандская доска, и надпись, однако дело было не только в этом. Что-то тревожило ее,
вызывало смутный, необъяснимый страх. Как тогда,
когда, еще маленькой девчушкой, поднявшись на са-

Секреты мастера ван Гюйса

мый верх лестницы своего дома, она собирала всю храбрость, чтобы заглянуть в дверь темного чердака.

— Ну разве он не прелесть? Настоящее кватроченто![1]

Говоря это, Менчу Роч имела в виду вовсе не картину, выставленную в носящей ее имя художественной галерее. Ее светлые, чересчур сильно подведенные глаза были устремлены на широкие плечи Макса, разговаривавшего у стойки кафетерия с каким-то знакомым. Макс — метр восемьдесят пять роста, мускулистая спина спортсмена-пловца под отлично скроенным пиджаком — носил длинные волосы, заплетенные на затылке в косичку, перехваченную темной шелковой ленточкой; движения его были медленны и плавны. Менчу окинула его оценивающим взглядом и, прежде чем коснуться губами края запотевшего бокала с мартини, улыбнулась по-хозяйски удовлетворенно. Макс был ее последним любовником.

— Настоящий Кватроченто,— повторила она, смакуя одновременно и слова, и напиток.— Он похож на эти чудесные итальянские бронзовые скульптуры, ведь правда?

Хулия не слишком охотно кивнула. Они дружили давно, но ее до сих пор не переставала удивлять эта способность Менчу извращать все, что имело хотя бы отдаленное отношение к искусству.

— Любая из этих скульптур — я имею в виду оригиналы — обошлась бы тебе намного дешевле.

Менчу цинично улыбнулась.

---

1 Кватроченто — период наивысшего расцвета искусства итальянского Возрождения, сороковые годы пятнадцатого века.

— Ты хочешь сказать — дешевле, чем Макс? Это уж точно, можешь не сомневаться. — Она драматически вздохнула, прикусывая маслину из мартини. — По крайней мере, Микеланджело изображал их в чем мать родила. Ему не приходилось одевать их при помощи кредитных карточек.

— Тебя никто не заставляет оплачивать его счета.

— В этом-то и весь кайф, золотко. — Менчу томно, театрально взмахнула ресницами. — В том, что никто меня не заставляет. Вот так-то.

И она допила свой бокал, старательно оттопыривая мизинец. Впрочем, она делала это нарочно, напоказ, словно дразнясь. Менчу было уже за сорок (даже более того: ближе к пятидесяти, чем к сорока), однако возраст не охладил ее живейшего интереса ко всему, что касалось секса. Она ощущала его присутствие во всем — даже в самых незначительных деталях произведений искусства. Может быть, поэтому ей удавалось относиться к мужчинам с той же хищной расчетливостью, с какой она оценивала перспективность предлагаемых ей картин. Среди своих друзей и знакомых хозяйка галереи Роч пользовалась репутацией женщины, которая никогда не упускала случая прибрать к рукам заинтересовавшие ее картину, мужчину или дозу кокаина. Она все еще могла считаться достаточно привлекательной, хотя, разумеется, трудно было не заметить того, что, в силу ее возраста, Сесар язвительно именовал «эстетическими анахронизмами». Менчу решительно не желала стареть хотя бы потому, что ей абсолютно не улыбалась подобная перспектива. И в качестве защитной меры, а возможно, и некоего вызова самой себе она намеренно старалась казаться вульгарной — во всем, от макияжа и одежды до выбора любовников. В подтверждение своей идеи о том, что торговцы произведениями искусства и антиквариатом — всего лишь старьевщики более или менее высокой квалификации, она изображала эдакую простецкую, грубоватую дамочку, даже не претендующую на «интеллигентность» (что никак не соответствовало действительности), приводя в недоумение людей, которые сталкивались с ней впервые, и открыто насмехаясь над тем кругом более или менее избранных, где проходила ее профессиональная жизнь. Она разыгрывала эту роль с той же естественностью, с какой утверждала, что самый сильный оргазм в своей жизни испытала, мастурбируя перед репродукцией «Давида» Донателло, напечатанной в таком-то каталоге под таким-то номером. Сесар со свойственной ему утонченной, почти женской, жестокостью отзывался об этом эпизоде как о единственном в жизни Менчу Роч проявлении действительно хорошего вкуса.

— Так что мы будем делать с ван Гюйсом? — спросила Хулия.

Менчу снова взглянула на фотокопии рентгеновских снимков, лежавшие на столике между ее бокалом и чашечкой кофе подруги. Веки Менчу были густо намазаны голубыми тенями того же оттенка, что и чересчур короткое голубое платье. Хулия безо всякого ехидства подумала, что Менчу, наверное, была действительно красива лет двадцать назад. И ей шел именно голубой.

— Пока не знаю,— отозвалась Менчу.— «Клэймор» берется выставить его на аукцион так, как есть... Надо бы выяснить, как повлияет эта надпись на цену.

— Ты как считаешь?

— Я просто в восторге. В любом случае ты, сама того не зная, попала в точку.

— Переговори-ка ты с владельцем.

Менчу сунула снимки обратно в конверт и закинула ногу на ногу. Двое молодых людей, пивших аперитив за соседним столиком, тут же начали украдкой засматриваться на ее бронзовые от загара ляжки. Хулия раздраженно повела плечом. Обычно ее забавляло то, с какой откровенностью Менчу испытывала на мужской части публики свои спецэффекты, но порой ей начинало казаться, что та слишком уж перебарщивает. Неподходящее время — Хулия взглянула на циферблат квадратной «Омеги», которую носила на левом запястье с внутренней стороны, — чтобы выставлять напоказ нижнее белье.

— Да с владельцем-то проблем никаких не будет, — усмехнулась Менчу. — Это чудный, милый старикашка в инвалидной коляске. И если из-за надписи на его доске ему перепадет больше того, на что он рассчитывал, то он будет просто счастлив... Он живет с племянницей и ее мужем. Вот уж настоящие пиявки!

Макс у стойки продолжал беседовать с приятелем, однако, время от времени вспоминая о своих обязанностях, оборачивался к Менчу и Хулии, чтобы послать им ослепительную улыбку. Кстати о пиявках, подумала Хулия, но тем не менее не стала говорить этого вслух. Это вряд ли задело бы Менчу, относившуюся ко всему, что связано с мужчинами, с прямо-таки восхитительным цинизмом, но Хулия обладала верной интуицией в отношении того, что стоит говорить, а чего не стоит, и эта интуиция не позволяла ей заходить слишком далеко.

— До аукциона два месяца, — проговорила она, игнорируя улыбки Макса. — Очень небольшой срок, если считать, что мне придется снять лак, раскрыть надпись и наложить новый слой лака...— Она задумалась. — А еще собрать документацию по картине и персонажам да написать отчет... Времени уйдет много. Нужно бы поскорее получить разрешение от владельца.

Менчу кивнула. Ее легкомыслие не распространялось на профессиональную сферу: уж тут-то она становилась умной и предусмотрительной, как ученая крыса. В данной сделке она выступала в роли посредника, поскольку хозяин ван Гюйса не был знаком с механизмами рынка. Это она вела переговоры об аукционе с мадридским филиалом фирмы «Клэймор».

— Я позвоню ему сегодня же, — сказала Менчу. — Его зовут дон Мануэль, ему семьдесят лет, и ему безумно нравится общаться, как он говорит, с такой красивой женщиной, которая прекрасно разбирается в деловых вопросах.

— Тут есть еще один момент, — снова заговорила Хулия. — Если надпись имеет какое-то отношение к истории персонажей картины, «Клэймор» сыграет на этом — увеличит стартовую цену. Ты можешь раздобыть еще какие-нибудь полезные для дела документы?

— Вряд ли что-нибудь существенное. — Менчу покусала губы, припоминая. — Да, вряд ли. Я ведь тебе все передала вместе с картиной. Так что теперь твоя очередь попотеть, детка моя.

Хулия открыла сумочку и долго копалась в ней — значительно дольше, чем требуется для того, чтобы найти пачку сигарет. Наконец, медленно вытянув сигарету, она подняла глаза на Менчу:

— Мы могли бы проконсультироваться с Альваро.

Менчу вскинула брови.

— Ну, знаешь ли, — пробормотала она, — от таких шуточек можно запросто превратиться в каменный столб, как жена Ноя, или Лота, или как там звали этого идиота, который маялся дурью в Содоме. Или в соляной, а не в каменный? Черт их там разберет... В общем, потом расскажешь. — Она даже охрипла от предвкушения захватывающих и пикантных подробностей. — Потому что ведь вы с Альваро...

Она оборвала фразу на полуслове, придав своему лицу озабоченное, преувеличенно печальное выражение. Это случалось всякий раз, когда речь заходила о чужих проблемах: Менчу доставляло удовольствие считать всех своих ближних без исключения слабыми и беззащитными в сердечных делах. Хулия невозмутимо выдержала ее взгляд, ограничившись замечанием:

— Он лучший специалист по истории искусства из всех, которых мы знаем. И интересует он меня исключительно в этом качестве.

Менчу изобразила на лице серьезное раздумье, затем сделала головой движение сверху вниз. Разумеется, это дело Хулии. Дело сугубо личное, из тех, которые полагается поверять исключительно своему «милому дневнику». Однако на месте Хулии она постаралась бы воздержаться от этой встречи. *In dubio pro reo*[1], как утверждает этот старый пижон Сесар, вечно щеголяющий своей латынью. Или не *in dubio*, а *in pluvio*?

— От Альваро я уже излечилась, даю тебе честное слово, — ответила Хулия.

_____

1 В случае сомнения — в пользу обвиняемого *(лат.)*.

— Есть такие болезни, детка моя, от которых не излечиваешься никогда, — категорически возразила Менчу. — А один год — это, считай, ничего. Помнишь, как в том танго у Гарделя?

Хулия не смогла удержаться от иронической усмешки, адресованной самой себе. Год назад закончился ее более чем двухлетний роман с Альваро, и Менчу была в курсе событий. Более того: именно она, сама того не желая, произнесла когда-то окончательный приговор. В общем-то, она просто попыталась разъяснить Хулии обычную тенденцию развития подобных связей. «В конце концов, детка моя, женатый мужик почти всегда остается со своей благоверной», — сказала она. Может, не совсем такими словами, но сути дела это не меняло. «Исход битвы, видишь ли, решают все-таки годы, заполненные стиркой носков и рождением детей. Просто они все таковы, — закончила Менчу между двумя вдохами кокаина. — В глубине души у каждого из них сидит прямо-таки омерзительная верность своей законной юбке. Апчхи! Сукины дети».

Хулия выдохнула густую струю дыма и, снова взявшись за свою чашечку кофе, принялась медленно допивать ее. Тогда все получилось очень горько и больно: эти последние слова, этот стук закрывающейся двери — и потом минуты, часы, дни, ночи... Такую же горечь и боль причиняли воспоминания. И те три-четыре случайные встречи в музеях или на конференциях, которые имели место за прошедший после расставания год. Оба вели себя безупречно: «Ты прекрасно выглядишь, надеюсь, все в порядке...» Ну и прочая чушь в этом роде. В конце концов, оба они — люди цивилизованные, объединенные не только не слишком долгим периодом общего прошлого, но и общим делом — искусством, составляющим предмет их профессиональной деятельности, пусть даже они и занимаются им с разных сторон. Люди с определенным жизненным опытом. Одним словом, взрослые.

От Хулии не ускользнуло, что Менчу наблюдает за ней с жадным интересом, чуть ли не облизываясь в предвкушении новых любовных коллизий, сулящих ей роль советницы по тактическим вопросам. Менчу всегда сетовала на то, что после разрыва с Альваро у ее подруги бывали лишь эпизодические, кратковременные сентиментальные истории, едва ли достойные даже воспоминаний. «Ты стала настоящей пуританкой, детка моя, — не уставала повторять она, — а это ведь так скучно! Тебе нужно что-нибудь новое, захватывающее, эдакий водоворот страсти...» С этой точки зрения, даже одно-единственное упоминание имени Альваро обещало интересные перспективы.

Хулия прекрасно понимала все это, однако раздражения не испытывала. Менчу — это Менчу, и такой она была всегда. Ведь не мы выбираем себе друзей: это они нас выбирают. Или порви с ними, или уж принимай такими, как есть. Это она тоже усвоила от Сесара.

Сигарета дотлевала, и Хулия затушила ее о дно пепельницы. Потом, заставив себя улыбнуться, взглянула на Менчу:

— Альваро меня мало волнует. Кто волнует — так это ван Гюйс. — Она мгновение помолчала, подбирая слова, чтобы поточнее выразить свою мысль. — В этой картине есть что-то необычное.

Менчу слегка пожала плечами. Казалось, ее занимали совсем другие мысли.

— Не бери в голову, детка моя. Картина — это просто холст или дерево, краски и лак... Важно лишь то, сколько ты получаешь, когда она переходит из рук в руки. — Она бросила взгляд на широкие плечи Макса и зажмурилась от удовольствия. — Остальное все — чепуха.

Во время своего романа с Альваро — всех дней вместе и каждого в отдельности — Хулия считала, что Альваро классическое воплощение представителя своей профессии. Это относилось буквально ко всему, начиная от внешности и кончая манерой одеваться: интересный, приятный в общении, не юноша, но и не старик — около сорока, носит джинсовые куртки английского производства и трикотажные галстуки. К тому же он курил трубку, и все это вместе производило такое впечатление, что, впервые увидев его входящим в аудиторию — в тот раз он читал лекцию на тему «Искусство и человек», — Хулия лишь через добрые четверть часа начала улавливать смысл того, что он говорил: ей все никак не верилось, что этот человек с внешностью молодого профессора и на самом деле профессор. Позже, когда Альваро простился со студентами до следующей недели и все вышли в коридор, она подошла к нему — просто и естественно, прекрасно осознавая, что должно было произойти. А произойти должно было очередное повторение извечной и давно уже не оригинальной истории: классическая комбинация «учитель и ученица». Хулия поняла и приняла это еще до того, как Альваро, уже выходивший из аудитории, обернулся — нет, всем корпусом повернулся — к ней, чтобы впервые ответить на ее улыбку. Во всем этом было — или, по крайней мере, так показалось девушке, когда она взвешивала все «за» и «против», — нечто неизбежное, нечто восхитительно-роковое, несущее в себе дыхание *фатума*, предначертание Судьбы: взгляд на вещи, полюбившийся ей с тех самых пор, как она, еще учась в колледже, занималась переводом истории семейных передряг этого гениального грека — Софокла. Лишь значительно позже она решилась рассказать обо всем Сесару, и антиквар, который с незапамятных времен — еще с тех пор, когда Хулия ходила с косами и в белых носочках, — был ее наперсником и советчиком в сердечных делах, ограничился тем, что пожал плечами и рассчитанно-непринужденным тоном высказал замечание относительно банальности этой сладенькой историйки, ибо, дорогая моя, на эту тему уже написано как минимум три сотни романов и снято как минимум столько же фильмов, особенно — презрительная гримаса — французских и американских. «А это, ты согласишься со мной, принцесса, придает данной теме поистине кошмарный характер...» Но... и только-то. Со стороны Сесара не последовало ни серьезных упреков, ни отеческих увещеваний, каковые — это было отлично известно обоим — всегда являются не более чем пустой тратой времени. Своих детей у Сесара не было и не предвиделось, но он обладал неким особым даром, проявляющимся в подобных ситуациях. В какой-то момент антиквар обрел абсолютную уверенность в том, что на свете нет людей, способных учиться на чужих ошибках, и следовательно, единственно достойная и возможная линия поведения для наставника — а именно такова, по сути дела, была его роль — это сесть рядом с предметом твоих забот, взять за руку и бесконечно доброжелательно выслушивать отчет об эволюционном развитии его любовных радостей и горестей, в то время как мудрая природа продолжает неуклонно и неизбежно идти своим путем.

— В сердечных делах, принцесса, — всегда говорил Сесар, — никогда нельзя предлагать советов или решений... Только чистый носовой платок — в надлежащий момент.

Именно это он и сделал, когда все кончилось, в тот вечер, когда Хулия появилась — с еще влажными волосами, двигаясь как лунатик, — и уснула у него на коленях. Но все это случилось позже, намного позже той первой встречи в институтском коридоре, которая протекала без особых отклонений от заранее известного сценария. История развивалась по традиционному, проторенному и вполне предсказуемому, однако неожиданно приятному пути. У Хулии прежде было несколько романов, но ни разу до того вечера, когда она и Альваро впервые оказались вместе на узкой гостиничной койке, она не испытывала потребности произнести «я люблю тебя» — с болью, с надрывом, в счастливом изумлении слыша, как с губ ее слетают слова, которых она никогда не говорила раньше, а сейчас вот сказала — каким-то незнакомым, словно бы чужим голосом, очень похожим на стон или рыдание. А утром, проснувшись и поняв, что ее голова покоится на груди Альваро, она осторожно, чтобы не разбудить, отвела с его лба взлохмаченные волосы и долго, ощущая щекой спокойное биение сердца, смотрела на него, пока, открыв глаза, он не улыбнулся в ответ на ее взгляд. В этот момент Хулия окончательно поняла, что любит его, и поняла также, что у нее появятся и другие любовники, но никогда ни к кому из них она не будет испытывать тех чувств, какие испытывает к Альваро. А через двадцать восемь месяцев, бесконечно долгих и кратких, наступило время очнуться от этой любви, с кровью оторвать ее от себя и попросить Сесара извлечь из кармана его знаменитый платок. «Этот ужасный платок, — как всегда, театрально, полушутливо, но прозорливо, как Кассандра, заметил тогда антиквар, — которым мы машем, прощаясь навсегда...» Вот, собственно, и вся история.

Одного года хватило, чтобы залечить раны, но этого слишком мало, чтобы изгладились воспоминания. А с другой стороны, и сама Хулия вовсе не собиралась отказываться от этих воспоминаний. К ней уже успели прийти житейская мудрость и зрелость, и — разумеется, под влиянием Сесара — она смотрела на жизнь как на некое подобие дорогого ресторана, где в конце концов тебе обязательно предъявляют счет, однако это вовсе не значит, что тебе необходимо отказаться от полученного удовольствия. Сейчас Хулия размышляла обо всем этом, наблюдая за Альваро, который листал разложенные на столе книги и делал выписки на белых картонных карточках. Внешне он почти не изменился, хотя в волосах его кое-где уже начала пробиваться седина. Все те же спокойные умные глаза... Когда-то она любила эти глаза... и эти тонкие, изящные руки с длинными пальцами и круглыми отполированными ногтями... Глядя на эти пальцы, перелистывавшие страницы книг или сжимавшие авторучку, Хулия, к своему неудовольствию, ощутила в душе далекий отзвук грусти, который, после короткого размышления, все же решила счесть вполне оправданным. Эти руки уже не вызывали в ней прежних чувств, однако некогда они ласкали ее тело. Она кожей помнила их прикосновения, их тепло — ощущения, следы которых так и не сумели стереть другие руки.

Хулия постаралась сдержать всколыхнувшиеся в ней чувства. Ни за что на свете она не собиралась поддаваться соблазну воспоминаний. И потом, воспоминания — дело второстепенное; она пришла к

Альваро не для того, чтобы воскресить свою былую
тоску, так что ей надлежало сосредоточить внимание
не на бывшем возлюбленном, а на том, что он говорил ей. После первых пяти неловких минут во взгляде Альваро отразилось раздумье: он пытался сообра-
зить, насколько важным может быть дело, заставив-
шее ее вновь прийти к нему через столько времени.
Он улыбался ей тепло, как старый друг или товарищ
по учебе; в нем не ощущалось напряжения, он был
внимателен, готов помочь и тут же принялся за работу — как всегда, спокойно и деловито. Время от времени — как это было знакомо Хулии! — он тихонько
рассуждал о чем-то с самим собой, затем снова погружался в молчание. После первого момента удивления
при виде нее его взгляд только раз выразил недоумение: когда она заговорила о фламандской доске. Хулия рассказала обо всем, кроме таинственной надписи: ее существование они с Менчу решили держать в
тайне. Альваро подтвердил, что знаком с творчеством
этого художника и историческим периодом, в который тот жил, хотя он и не знал, что картина будет
выставлена на аукцион и что Хулия занимается ее
реставрацией. Ей не пришлось даже показывать ему
принесенные с собой цветные фотографии: похоже,
Альваро хорошо знал и ту эпоху, и даже изображенных на картине людей. В данный момент он был занят поисками какой-то даты: он водил указательным
пальцем по строчкам старого тома истории средних
веков, весь поглощенный делом и, казалось, абсолютно чуждый тому, что так и витало в воздухе, словно
призрак былой близости. Хулия так и чувствовала его
присутствие. Но, может быть, подумала она, и Альваро испытывает то же самое. Возможно, она тоже кажется ему сейчас далекой и равнодушной.

— Ну вот, — произнес в этот момент Альваро, и Хулия ухватилась за звук его голоса, как потерпевший кораблекрушение хватается за любой кусок дерева. Она знала (и от этой мысли ей стало легче), что не сможет делать одновременно две вещи: вспоминать и слушать. Она мысленно спросила себя: правда ли, что все прошло? И без всякой боли ответила утвердительно. По-видимому, это выразилось столь явно, что Альваро бросил на нее удивленный взгляд. После чего вновь посмотрел в книгу, которую держал в руках. Хулия разглядела название на обложке: «Швейцария, Бургундияи Нидерланды в XIV— XV веках».

— Вот, посмотри-ка. — Альваро указал пальцем на имя в тексте, потом на фотографию, лежавшую перед ней на столе. — *FERDINANDUS OST. D.*: так обозначен игрок, сидящий слева, — тот, что в красном. Ван Гюйс написал «Игру в шахматы» в тысяча четыреста семьдесят первом году, так что никаких сомнений быть не может. Речь идет о Фердинанде Альтенхоффене, герцоге Остенбургском, Ostenburguensis Dux. Родился в тысяча четыреста тридцать пятом, умер... Да, точно: в тысяча четыреста семьдесят четвертом. Когда он позировал художнику, ему было лет тридцать пять.

Хулия, взяв со стола картонную карточку, записывала.

— Где находится этот Остенбург? Где-нибудь в Германии?

Отрицательно качнув головой, Альваро открыл исторический атлас и ткнул пальцем в одну из карт.

— Остенбург — это герцогство, примерно соответствовавшее Родовингии Карла Великого... Оно находилось вот здесь, на стыке французских и немецких земель, между Люксембургом и Фландрией. В течение пятнадцатого и шестнадцатого веков ос-

Секреты мастера ван Гюйса

тенбургские герцоги старались сохранить свою независимость, и им это удавалось, но кончилось тем, что Остенбург поглотила сперва Бургундия, а позже — Максимилиан Австрийский. Династия Альтенхоффенов прекратила свое существование со смертью Фердинанда, последнего герцога Остенбургского, — того самого, что на картине играет в шахматы... Если хочешь, я тебе сделаю фотокопии.

— Я буду очень благодарна.

— Не стоит, это пустяки. — Альваро откинулся на спинку кресла, достал из ящика письменного стола жестяную коробку с табаком и принялся набивать свою трубку. — Рассуждая логически, дама, сидящая у окна и обозначенная надписью *BEATRIX BURG. OST. D.,*— не кто иная, как Беатриса Бургундская, супруга герцога Фердинанда. Видишь?.. Беатриса вышла за последнего из Альтенхоффенов в тысяча четыреста шестьдесят четвертом, в возрасте двадцати трех лет.

— По любви? — спросила Хулия, взглянув на фотографию с улыбкой, значение которой было трудно определить.

Альваро так же коротко, несколько натянуто улыбнулся:

— Ты же знаешь, браки такого рода редко заключались по любви... Этот был устроен дядей Беатрисы — Филиппом Добрым, герцогом Бургундским, ради укрепления союза с Остенбургом перед лицом Франции, которая стремилась проглотить оба герцогства. — Он тоже бросил взгляд на фотографию и сунул в зубы трубку. — Фердинанду Остенбургскому крупно повезло: он получил в жены красавицу. По крайней мере, так утверждает Никола Флавен, виднейший летописец той эпохи, в своих «Бургундских анналах». Судя по всему, твой ван Гюйс разделял это мнение. По-видимому, Беатрису рисовали и раньше, поскольку, как указывается в одном документе, который цитирует Пижоан, ван Гюйс некоторое время был в Остенбурге придворным живописцем... Фердинанд Альтенхоффен в тысяча четыреста шестьдесят третьем году назначил ему содержание — сто фунтов в год, из коих половину надлежало ему выплачивать в день Святого Иоанна, а вторую половину — на Рождество. В том же документе упоминается о поручении написать портрет Беатрисы — с натуры. Она тогда еще была невестой герцога.

— А есть какие-нибудь другие упоминания о ван Гюйсе?

— Да сколько угодно. Он ведь стал очень известным художником. — Альваро извлек откуда-то папку. — Жан Лемэр в своей *«Couronne Margaridique»*, написанной в честь Маргариты Австрийской, правительницы Нидерландов, ставит имена Питера из Брюгге (ван Гюйса), Гуго из Гента (ван дер Гуса) и Дирка из Лувена (Дирка Боутса) рядом с именем того, кого он называет королем фламандских живописцев — Яна (ван Эйка). В поэме сказано, дословно: *«Pierre de Brugge, qui tant eut les traits utez»*, то есть «коего штрихи столь чисты»... Когда писались эти строки, ван Гюйса уже четверть века не было в живых. — Альваро внимательно перебирал карточки. — Вот еще более ранние упоминания. Например, это: в описях имущества Валенсийского королевства указывается, что Альфонс V Великодушный имел произведения ван Гюйса, ван Эйка и других западных мастеров, но что все они исчезли... Упоминает ван Гюйса в тысяча четыреста пятьдесят четвертом году Бартоломео Фацио, близкий родственник Альфонса V, в своей книге *«De viribus illustris»*[1], именуя его *«Pietrus Husyus, insignis pictor»*[2]. Другие авторы, особенно итальянские, называют его *«Magistro Piero Van Hus, pictori in Bruggia»*[3]. Вот здесь есть цитата тысяча четыреста семидесятого года, в которой Гуидо Разофалько отзывается об одной из его картин, «Распятии», также не дошедшей до нас, в следующих словах: *«Opera buona di mano di un chiamato Piero di Juys, pictor famoso in Fiandra»*[4]. А другой итальянский автор, имя которого нам неизвестно, пишет о другой картине ван Гюйса, «Рыцарь и дьявол» (она сохранилась), отмечая: *«A magistro Pietrus Juisus magno et famoso flandesco fuit depictum»*[5]... Можешь добавить, что в шестнадцатом веке о нем упоминают Гуиччардини и ван Мандер, а в девятнадцатом — Джеймс Уил в своих книгах о великих фламандских художниках. — Альваро собрал карточки, осторожно вложил их в папку и положил ее на место. Потом, откинувшись на спинку кресла, с улыбкой взглянул на Хулию. — Ты довольна?

— Более чем... — Девушка записала все, что он говорил, и теперь что-то прикидывала, глядя в свои записи. Через мгновение она подняла голову, откинула волосы с лица и с любопытством посмотрела на Альваро. — У меня просто нет слов. Ты словно заранее подготовил эту лекцию. Я потрясена.

Улыбка профессора несколько потускнела, но он отвел глаза, чтобы не встретиться взглядом с Хулией.

---

1   «О мужах достославных» *(лат.)*.
2   Пьетрус Гусиус, знаменитый живописец *(лат.)*.
3   Мастер Пьеро ван Гус, живописец из Брюгге *(лат.)*.
4   «Славный труд руки именующего себя Пьеро ди Юйсом, знаменитого живописца во Фландрии» *(ит.)*.
5   «Мастером Пьетрусом Юисусом, великим и славным фламанцем, была написана» *(лат.)*.

Взяв одну из лежавших на столе карточек, он стал пристально изучать ее, как будто написанное на ней внезапно привлекло его внимание.

— Это моя работа, — проговорил он. И Хулия не поняла, почему он произнес это таким странным тоном: то ли его мысли были заняты содержанием карточки, то ли он стремился увести разговор в сторону от этой темы.

— Но ты в своей работе, как всегда, на высоте... — Она несколько секунд с любопытством смотрела на него, затем снова перевела взгляд на записи. — У нас набралось немало данных об авторе и персонажах картины... — Склонившись над репродукцией фламандской доски, она ткнула кончиком пальца в фигуру второго игрока. — Но об этом — пока ничего.

Занятый разжиганием трубки, Альваро ответил не сразу. Лоб его был нахмурен.

— Его личность точно установить трудно, — ответил он, выпуская клуб дыма. — Надпись не слишком-то ясна, хотя и дает основания для выдвижения определенной гипотезы. *RUTGIER AR. PREUX...* — Он сделал паузу и устремил взгляд на чашечку трубки с таким видом, будто надеялся отыскать в ней подтверждение своей идеи. — *Rutgier* может означать «Роже», «Рохелио», «Руджеро» — все, что угодно. Существует по меньшей мере десяток вариантов этого имени, оно было широко распространено в ту эпоху... *Preux* — может быть клановой фамилией, однако в этом случае мы окажемся в тупике, потому что в хрониках нет упоминаний ни о ком, кто носил бы подобную фамилию. Но в эпоху Позднего Средневековья слово *preux* употреблялось в значении «храбрый», «рыцарственный». Ну вот тебе пара известных примеров: этим словом сопровождаются имена

Ланселота и Роланда... В Англии и Франции, посвящая кого-либо в рыцари, ему говорили: *soyez preux*, то есть: будь верным, отважным. То был своеобразный титул, которым было принято отличать избранных, цвет и красу рыцарства.

По профессиональной привычке, сам того не замечая, Альваро впал в лекторский, почти наставительный тон: это происходило — раньше или позже — всякий раз, когда речь заходила о темах, имеющих отношение к его специальности. Хулия ощутила некоторое душевное смятение: все это бередило старые воспоминания, раздувало уже успевшие покрыться пеплом забвения угольки нежности, занимавшей некогда определенное место в пространстве и во времени и игравшей немалую роль в формировании ее нынешнего характера. То были останки иной жизни и чувств, которые она методично и целеустремленно заталкивала в самый дальний угол своей души: так засовывают на самую высокую полку книгу, которую не собираются перечитывать, и она там покрывается слоем пыли, но... она там, никуда не делась.

Когда человек испытывает то, что испытывала в эти минуты Хулия, необходимо срочно подавить это любыми доступными средствами. Занять мозг мыслями о самых ближайших делах. Говорить, расспрашивать о подробностях, даже если они тебе вовсе не нужны. Наклоняться над столом, делая вид, что целиком поглощена своими записями. Думать о том, что перед ней совсем другой Альваро, не тот, что раньше, — а, вне всякого сомнения, так оно и было. Убедить себя, что все остальное произошло в некую отдаленную эпоху, в стародавние времена и бог знает где. Держаться и чувствовать так, словно воспоминания принадлежат не ей и Альваро, а каким-то совсем иным людям, о которых им просто приходилось когда-то слышать и судьба которых их никоим образом не волнует.

Одним из возможных решений проблемы было закурить, Хулия так и сделала. Дым сигареты, проникая в ее легкие, примирял ее с самой собой, как бы впрыскивая ей маленькими порциями безразличие и спокойствие. Хулия неторопливо достала из сумочки сигареты, вынула одну из пачки, зажгла, затянулась, старательно выполняя привычный ритуал. Это немного успокоило ее, и она смогла снова взглянуть в лицо Альваро, давая понять, что готова слушать дальше.

— И какова же твоя гипотеза? — Она прислушалась к собственному голосу и нашла, что он звучит вполне удовлетворительно. Что ж, отлично. — Насколько я понимаю, если слово *PREUX* не является фамилией, ключ к разгадке тайны, возможно, следует искать в аббревиатуре *AR*.

Альваро согласился с ней. Щуря глаза от дыма трубки, он взял другую книгу, раскрыл ее и принялся листать. Найдя то, что искал, он протянул книгу Хулии.

— Посмотри сюда. Роже Аррасский, родился в тысяча четыреста тридцать первом году — том самом, когда англичане сожгли в Руане Жанну д'Арк. Его семья была связана родственными узами с французским королевским домом Валуа. Роже Аррасский родился в замке Бельсанг, по соседству с герцогством Остенбургским.

— Ты думаешь, это он изображен на картине?

— Очень возможно. Вполне вероятно, что *AR* является сокращенным от «Аррас». А Роже Аррас-

ский — об этом говорится во всех хрониках той
эпохи — принимал участие в Столетней войне в качестве ближайшего соратника Карла VII, короля
Франции. Видишь?.. Участвовал в отвоевании Нормандии и Гиени у англичан, в тысяча четыреста пя-
тидесятом году — в битве при Форминьи, три года
спустя — в битве при Кастийоне. Взгляни-ка на эту
гравюру. Может, среди этих людей изображен и он:
например, вот этот рыцарь в шлеме с опущенным
забралом, который в самый разгар сражения отдает
королю Франции своего коня взамен убитого под
ним, а сам продолжает биться пешим...

Ты меня удивляешь, профессор. — Она смотрела
на него, не скрывая своего изумления. — Какая ро-
мантическая история... Не ты ли повторял, что воображение есть злейший враг исторической точности.
Альваро расхохотался от души:

— Считай, что это маленькая вольность, допу-
щенная мной в твою честь во внелекционное время. Разве могу я забыть твою нелюбовь к сухим
и голым фактам? Вот, помню, когда мы с тобой...

Он замолчал на полуслове, потому что увидел, как
тень легла на лицо Хулии. Воспоминания в этот день
были неуместны; почувствовав это, Альваро не стал
продолжать.

— Мне жаль, что так вышло, — тихо проговаро-
рил он.

— Да ладно, проехали. — Хулия резким движением
ткнула сигарету в пепельницу, чтобы загасить, и обо-
жгла себе пальцы. — Если смотреть в корень, в общем-
то, виновата была я. — Уже более спокойно она подняла глаза на Альваро. — Так что там с нашим рыцарем?

С явным облегчением Альваро углубился в разъяснения. Роже Аррасский, сказал он, был не только воином: в нем слилось воедино множество качеств и талантов. Он был зерцалом рыцарства. Образцом средневекового дворянина. Поэтом и музыкантом — в свободное время. Его весьма высоко ценили при дворе его кузенов Валуа. Так что титул *Preux* подходил ему как нельзя лучше.

— Он играл в шахматы?

— Это нигде не зафиксировано.

Хулия, увлеченная рассказом, торопливо записывала. Вдруг она перестала писать и взглянула на Альваро:

— Я только не понимаю... — Она прикусила конец шариковой ручки. — Что, в таком случае, делает этот Роже Аррасский на картине ван Гюйса и с какой стати он играет в шахматы с герцогом Остенбургским...

Альваро в явном затруднении поерзал в кресле, как будто его внезапно одолели сомнения, затем уперся взглядом в стену за спиной Хулии и погрузился в молчание, нарушаемое лишь покусыванием трубки. Вид у него был такой, словно в его мозгу разыгрывалась некая внутренняя битва. Наконец он осторожно улыбнулся уголком рта.

— Что он там делает, кроме того, что играет в шахматы, я не имею понятия. — И он развел руками, давая понять, что на этом его познания кончаются. Однако Хулия отчетливо почувствовала, что он смотрит на нее с некоторой опаской, будто не решаясь высказать мысль, вертящуюся у него в голове. — Единственное, что мне известно,— помолчав, продолжал он, — это что Роже Аррасский умер не во Франции, а в Остенбурге.— И после секундного колебания указал на фотографию фламандской доски. — Ты обратила внимание, когда написана эта картина?

— В тысяча четыреста семьдесят первом. — Хулия была заинтригована. — А что?

Альваро медленно выдохнул дым, затем издал странный сухой звук, похожий на короткий смешок. Теперь он смотрел на Хулию так, словно надеялся прочесть в ее глазах ответ на вопрос, который он не решался сформулировать.

— Тут какая-то неувязка, — произнес он наконец. — Либо дата, указанная на картине, неверна, либо хроники той эпохи врут, либо этот рыцарь — не Роже Аррасский... — Он взял еще одну книгу — репринтное издание «Хроники герцогов Остенбургских», полистал ее и положил перед Хулией. — Эта книга написана в конце пятнадцатого века Гишаром д' Эйно — он француз, современник тех событий, о которых повествует, и основывается на информации, полученной от непосредственных свидетелей... Так вот, Эйно пишет, что наш рыцарь приказал долго жить в тысяча четыреста шестьдесят девятом, накануне Богоявления. То есть за два года до того, как Питер ван Гюйс написал свою «Игру в шахматы». Понимаешь, Хулия?.. Роже Аррасский никак не мог позировать для этой картины, потому что к моменту ее создания его давно уже не было в живых.

Он проводил ее до автомобильной стоянки факультета и передал папку с фотокопиями. Там почти все, сказал он. Исторические справки, список произведений ван Гюйса, включенных в каталоги, библиография... Он обещал, как только выдастся свободная минутка, составить и прислать ей на дом хронологическую справку и еще кое-что. Потом он замолчал и стоял так, с трубкой во рту, засунув руки в карманы куртки, как будто ему нужно было сказать ей еще что-то, но он сомневался, следует ли это делать.

— Надеюсь, — прибавил он после минутного колебания, — что был тебе полезен.

Хулия, все еще взбудораженная, кивнула. Подробности истории, о которой она только что узнала, так и бурлили у нее в голове. И еще кое-что.

— Я просто потрясена, профессор... Меньше чем за час ты реконструировал жизнь персонажей картины, с которой никогда прежде не имел дела.

Альваро, на мгновение отведя взгляд, поблуждал им по окружающим их зданиям и аллеям университетского городка, потом слегка пожал плечами.

— Ну, нельзя сказать, что мне уж совсем была неизвестна эта картина. — Хулия уловила в его голосе нотку сомнения, и это насторожило ее, хотя она сама вряд ли сумела бы объяснить почему. Она внимательно вслушалась в то, что говорил Альваро. — Между прочим, в одном из каталогов музея Прадо за тысяча девятьсот семнадцатый год имеется ее репродукция... «Игра в шахматы» находилась там на хранении в течение двух десятков лет — точнее, с самого начала века по двадцать третий год, когда ее забрали наследники.

— Я этого не знала.

— Ну, так теперь знаешь. — И Альваро сосредоточил свое внимание на трубке, которая, похоже, почти погасла. Хулия искоса смотрела на него. Она знала этого человека — пусть даже когда-то в прошлом — слишком хорошо, чтобы не почувствовать, что он чем-то обеспокоен. Чем-то важным, о чем не решается заговорить вслух.

— А о чем ты умолчал, Альваро?

Он ответил не сразу. Некоторое время он стоял неподвижно, с отсутствующим взглядом, посасывая свою трубку. Потом медленно повернулся к Хулии:

Секреты мастера ван Гюйса

— Не понимаю, что ты имеешь в виду.

— Я имею в виду, что мне важно знать все, что имеет хоть какое-нибудь отношение к этой карти- не.— Она серьезно взглянула ему в глаза.— Я слиш- ком многое поставила на нее.

Она заметила, как Альваро, словно в нерешитель- ности, прикусил мундштук трубки и сделал какой-то неопределенный жест.

— Ты просто вынуждаешь меня... Похоже, твой ван Гюйс в последнее время начал входить в моду.

— Входить в моду? — Хулия разом напряглась, как будто ощутив колебание земли под ногами. — Ты хочешь сказать, что кто-то уже обращался к тебе по этому поводу?

Альваро неловко усмехнулся, словно сожалея о том, что сказал слишком много.

— Возможно, что так.

— Кто это был?

— Вот в этом-то и вся загвоздка. Я не имею права говорить тебе это.

— Не пори чуши!

— Я не порю. Это правда. — Его взгляд молил о прощении.

Хулия вздохнула глубоко, как могла, чтобы запол- нить странную пустоту, которую вдруг ощутила в же- лудке; где-то внутри у нее включился сигнал тревоги. Но Альваро снова заговорил, и она постаралась слу- шать внимательно: вдруг где-нибудь промелькнет хоть обрывок информации, способной вывести ее на верный путь. Альваро хотел бы взглянуть на фламанд- скую доску. Разумеется, если Хулия не против. Ну и, конечно, повидаться с ней еще раз.

— Я все смогу объяснить тебе, — закончил он, — когда наступит момент.

Возможно, желание увидеть картину — всего лишь предлог, пришло в голову девушке. Он вполне способен разыграть этот спектакль, ради того чтобы повидаться с ней. Чтобы скрыть волнение, она закусила нижнюю губу. В душе ее боролись ван Гюйс и воспоминания, ничего общего не имевшие с причиной ее прихода к Альваро.

— Как поживает ваша супруга? — не в силах противостоять соблазну спросила она самым что ни на есть непринужденным тоном. Затем чуть подняла лукавый взгляд на Альваро, разом выпрямившегося и напрягшегося.

— Спасибо, хорошо, — сухо ответил он, прилежно, как нечто новое и незнакомое, рассматривая зажатую в пальцах трубку. — Она сейчас в Нью-Йорке, готовит одну выставку.

В памяти Хулии мелькнул образ миловидной светловолосой женщины в коричневом английском костюме, выходящей из автомобиля. Она тогда видела ее мельком — едва ли в течение пятнадцати секунд, но это видение разом, словно одним разрезом скальпеля, отсекло ее молодость от всей остальной жизни. Хулия смутно помнила, что жена Альваро работает по линии департамента культуры, — что-то связанное с выставками и частыми разъездами по служебным делам. В течение довольно долгого времени это обстоятельство значительно упрощало дело. Альваро никогда не говорил о жене, Хулия тоже не задавала вопросов; однако оба постоянно ощущали ее невидимое присутствие: она стояла между ними, подобно призраку. И этот призрак — пятнадцатисекундное видение женского лица — в конце концов одержал верх.

— Надеюсь, у вас все в порядке.

— Да, в общем, все нормально. Даже, я бы сказал, хорошо.

— Ясно.

Пару минут они шли молча, не глядя друг на друга. Наконец Хулия прищелкнула языком и склонила голову к плечу, улыбаясь в пространство.

— Ладно, раз уж теперь все это не имеет особого значения... — Она остановилась перед Альваро, уперев руки в бока. Губы ее дерзко улыбались, в глазах плясали чертики. — Что ты думаешь обо мне — теперь?

Прищурившись, он оглядел ее с головы до ног, помолчал, словно в раздумье.

— Ты прекрасно выглядишь... Честное слово.

— А ты — как ты себя чувствуешь?

— Скажем так — не слишком уверенно. — В его улыбке сквозила грусть. — И частенько задаю себе вопрос: правильное ли решение я принял год назад?

— Ну, теперь ты уже никогда этого не узнаешь.

— Кто знает...

Он все еще очень привлекателен, подумала Хулия, чувствуя укол прежней тоски и одновременно недовольства собой. Она посмотрела ему в глаза, перевела взгляд на его руки, отдавая себе отчет в том, что ступает на лезвие бритвы, по обеим сторонам которого две бездны: одна притягивает, другая отталкивает.

— Картина у меня дома, — ответила она осторожно, уклоняясь даже от намека на какие бы то ни было обещания; а сама в этот момент силилась привести в порядок свои мысли, желая убедиться в том, что с такой болью обретенная, в прямом смысле слова выстраданная, твердость не изменила ей. Необходимо быть настороже: слишком уж рискованно предаваться чувствам и воспоминаниям. Ван Гюйс — прежде всего.

Это соображение помогло ей собраться с мыслями. Хулия пожала протянутую ей руку, ощутив в ответном пожатии неуверенность и напряжение. Это воодушевило ее, вызвав в душе тайную недобрую радость. И тогда — словно бы поддавшись внезапному порыву, но все же вполне преднамеренно — она быстро поцеловала Альваро в губы: так сказать, авансом, чтобы подбодрить. Затем, открыв дверцу своего маленького белого «фиата», скользнула внутрь.

— Если захочешь увидеть картину, заходи ко мне, — как ни в чем не бывало бросила она, включая зажигание. — Завтра, во второй половине дня. И спасибо за все.

Ему этого хватит за глаза. Она увидела в зеркальце его удаляющуюся фигуру с поднятой для прощального приветствия рукой, здания университетского городка, красный кирпичный корпус факультета. Усмехнувшись про себя, Хулия лихо проскочила на красный свет. «Ты клюнешь на эту наживку, профессор, — злорадно думала она. — Уж не знаю почему, но кто-то где-то явно собирается сыграть какую-то нехорошую шутку. И ты скажешь мне, кто это, или я буду не я».

Пепельница на столике возле дивана была битком набита окурками. До поздней ночи, лежа на диване, Хулия читала при свете маленькой лампочки. И мало-помалу история картины, самого художника и его героев оживала, становилась все более осязаемой. Хулия читала жадно, напряженно, впитывая в себя информацию, ловя малейшие подробности, способные указать путь к разгадке тайны этой странной шах-

Секреты мастера ван Гюйса

матной партии, разыгрывавшейся на стоящем напротив мольберте, едва видимом в полумраке студии.

«...Освободившись в 1453 году от вассальной зависимости от Франции, герцоги Остенбургские пытались удержать зыбкое равновесие, балансируя между Францией, Германией и Бургундией. Политика, проводимая Остенбургом, вызвала опасения у Карла VII, короля Франции, боявшегося, что герцогство окажется поглощенным Бургундией, которая к тому времени усилилась настолько, что стремилась образовать независимое королевство. Над этой небольшой частью Европы бушевал целый смерч дворцовых интриг, политических альянсов и заключавшихся в глубокой тайне пактов. Опасениям Франции еще более способствовал заключенный в 1464 году брак между сыном и наследником герцога Вильгельма Остенбургского, Фердинандом, и Беатрисой Бургундской, племянницей Филиппа Доброго и двоюродной сестрой будущего герцога Бургундии Карла Отважного.

Таким образом, в те решающие для будущего Европы годы остенбургский двор стал ареной борьбы двух непримиримо враждовавших между собой партий: бургундской, ратовавшей за слияние с соседним герцогством, и французской, выступавшей за воссоединение с Францией. Непрерывной борьбой между этими двумя силами и характеризовался весьма бурный период правления Фердинанда Остенбургского вплоть до самой его смерти, последовавшей в 1474 году...»

Хулия опустила папку на пол и села на диване, обхватив колени руками. Некоторое время в студии царила абсолютная тишина. Хулия сидела неподвижно, пытаясь осмыслить только что узнанное. Затем встала, подошла к картине. *Quis Necavit Equitem.* Вытянув указательный палец, Хулия осторожно, не прикасаясь, провела им там, где находилась загадочная надпись, спрятанная ван Гюйсом под несколькими слоями зеленой краски, которой он изобразил покрывавшее стол сукно. Кто убил рыцаря. Теперь, после знакомства с материалами, раздобытыми у Альваро, эта фраза, скрытая в недрах едва освещенной маленькой лампочкой картины, приобрела для Хулии зловеще конкретный смысл. Наклонившись к фламандской доске так близко, что едва не коснулась ее лицом, девушка до боли в глазах всмотрелась в фигуру, обозначенную словами *RUTGIER AR. PREUX.* Был ли это действительно Роже Аррасский или кто-то другой, Хулия вдруг ощутила абсолютную уверенность в том, что скрытая надпись относится именно к нему. Несомненно, тут нечто вроде загадки; однако непонятно, какую роль во всем этом играют шахматы. Играют. А может, это и правда всего лишь игра?

Хулия почувствовала внезапное раздражение — как тогда, когда ей приходилось брать в руки скальпель, чтобы справиться с не желающим отделяться лаком. Она заложила сплетенные руки за голову, прикрыла глаза. Открыв их через несколько минут, она вновь увидела перед собой профиль неизвестного рыцаря, поглощенного игрой, сосредоточенно нахмурившего лоб. А он красив, подумала Хулия, без сомнения, он был весьма привлекательный мужчина. Весь его облик дышал достоинством и благородством, и ван Гюйс явно намеренно подчеркнул это целым рядом деталей. А кроме того, голова рыцаря находилась точно на пересечении линий, составляющих в живописи так называемое золотое сечение: все классики, еще со времен Витрувия, пользовались этим законом живописной композиции, чтобы уравновесить расположение фигур на картине...

Это открытие поразило Хулию. Если бы ван Гюйс, создавая эту картину, задался целью выделить фигуру герцога Фердинанда Остенбургского — которому, вне всякого сомнения, подобная честь должна была бы принадлежать в силу его более высокого положения, — ему следовало бы, согласно правилам, поместить ее в точке золотого сечения, а не в левой части композиции. То же самое относилось и к Беатрисе Бургундской, изображенной художником в правой части картины, у окна, да еще на втором плане. Исходя из всех этих соображений напрашивался вывод: главная фигура на фламандской доске — не герцог, не герцогиня, а *RUTGIER AR. PREUX* — возможно, РожеАррасский. Но Роже Аррасского к тому времени уже не было в живых.

Направляясь к одному из набитых книгами шкафов, Хулия не отводила взгляда от картины — продолжала смотреть на нее через плечо, словно боясь, что, отвернись она хоть на мгновение, кто-то из изображенных на ней людей шевельнется. Черт бы побрал этого Питера ван Гюйса! Хулия произнесла это почти вслух. Напридумывал всяких загадок, которые спустя полтысячи лет лишают ее сна. Вытащив том «Истории искусства» Ампаро Ибаньес, посвященный фламандской живописи, Хулия снова уселась с ногами на диван, закурила которую уже по счету сигарету и раскрыла книгу... Ван Гюйс, Питер. Брюгге, 1415 — Гент, 1481...

«...Отдавая, как придворный живописец, должное вышивкам, драгоценностям и мрамору, ван Гюйс тем не менее является художником буржуазного склада: это явственно сказывается в семейной, бытовой атмосфере изображаемых им сцен, в деловитом, практичном взгляде на вещи, подмечающем мельчайшие детали. В нем сильно влияние Яна ван Эйка, а еще более — его учителя, Робера Кампена. Ван Гюйс взирает на окружающий мир спокойным, невозмутимым, аналитическим взглядом фламандца. Вместе с тем, будучи неизменным приверженцем символического искусства, он закладывает в изображаемые им образы и предметы второй, глубинный смысл (закупоренный стеклянный сосуд или дверь в стене как намеки на непорочность Марии в «Деве молящейся», игра света и теней вокруг очага в «Семействе Лукаса Бремера» и т.п.). Мастерство ван Гюйса воплощено в четких и чистых контурах фигур и предметов, в виртуозном решении наиболее сложных для той эпохи проблем живописи — таких, как пластическая организация поверхности, нигде не прерываемый контраст между полумраком помещения и дневным светом или тень, меняющаяся в зависимости от формы и фактуры того, на что она падает.

Сохранившиеся произведения: «Портрет ювелира Вильгельма Вальгууса» (1448), музей Метрополитен, Нью-Йорк. «Семейство Лукаса Бремера» (1452), галерея Уффици, Флоренция. «Дева молящаяся» (ок. 1455), музей Прадо, Мадрид. «Ловенский меняла» (1457), частная коллекция, Нью-Йорк. «Портрет купца Матиаса Кончини и его супруги» (1458), частная коллекция, Цюрих. «Антверпенский складень» (ок. 1461), Венская художественная галерея. «Рыцарь и дьявол» (1462), Рийкс-музеум, Амстердам. «Игра в шахматы» (1471), частная коллекция, Мадрид. «Снятие с креста» (ок. 1478), собор Св. Бавона, Гент».

В четыре часа утра, когда во рту начало нестерпимо горчить от выкуренных сигарет и выпитого кофе, Хулия закончила читать. Теперь история художника, картины и ее персонажей обрела для нее плоть и кровь. Эти люди были уже не просто фигурами, написанными маслом на дубовой доске, а реальными существами, некогда заполнявшими собой определенное время и пространство между жизнью и смертью. Питер ван Гюйс, художник. Фердинанд Альтенхоффен и его супруга Беатриса Бургундская. И Роже Аррасский. Теперь уже точно он, потому что Хулия нашла-таки доказательство того, что изображенный на картине рыцарь, игрок, изучающий расположение шахматных фигур так серьезно и сосредоточенно, словно от этого зависит его жизнь, действительно был Роже Аррасским, родившимся в тысяча четыреста тридцать первом году и умершим в тысяча четыреста шестьдесят девятом, в Остенбурге. У Хулии не оставалось ни малейшего сомнения в этом. Как и в том, что таинственным связующим звеном между ним, другими персонажами и художником является эта картина, написанная через два года после его гибели. Подробное описание которой сейчас лежало у нее на коленях в виде фотокопии одной из страниц «хроники» Гишара д'Эйно.

«...Итак, в самый канун Богоявления года тысяча четыреста шестьдесят девятого от Рождества Христова, когда мессир Рогир д'Аррас прогуливался, как он имел обыкновение вечерами, по заходе солнца, вблизи рва, называемого рвом восточных ворот, некто, сокрытый тьмою, выстрелил в него из арбалета и пронзил ему грудь стрелою навылет. Сеньор д'Аррас пал на месте, громким голосом взывая и прося исповеди, но, когда прибежали к нему на помощь, душа его уже покинула тело, отлетев чрез отверстую рану. Кончина мессира Рогира, по справедливости именовавшегося зерцалом рыцарства и доблестнейшим из дворян, причинила немалое огорчение тем, кои в Остенбурге держали руку Франции, каковых приверженцем слыл и мессир Рогир. По сем печальном деле поднялись голоса, возлагавшие вину за оное на стоявших за Бургундский дом. Иные же полагали, что причиною его явились дела любовные, к коим немало пристрастен был злосчастный сеньор д'Аррас. Иные склонялись даже к тому, что сам герцог Фердинанд тайно направил руку убийцы в грудь мессира Рогира, будто бы осмелившегося взглянуть глазами любви на герцогиню Беатрису. И подозрение сопровождало герцога до самой его кончины. Так завершилось сие печальное дело, и убийц не открыли никогда, а люди, толкуя меж собою на папертях и рыночных площадях, говорили, будто некая могущественная рука споспешествовала их сокрытию. И так надлежащая кара осталась препорученной руце Божией. А был мессир Рогир мужем достославным, прекрасным ликом и телом, хоть и довелось ему во многих войнах сражаться, служа французской короне, прежде того как прибыл он в Остенбург, дабы служить герцогу Фердинанду, с коим некогда делил детство и отрочество. И был горестно оплакан он многими дамами. А имел он от роду тридцать восемь лет и пребывал во всем цвете их, когда рука убийцы сразила его...»

Хулия выключила лампу и некоторое время сидела в темноте, откинувшись головой на спинку дивана и глядя на единственную яркую точку — тлеющий кончик сигареты, которую держала в руке. Сейчас она не могла видеть стоявшую перед ней картину, да ей и не нужно было. Фламандская доска уже успела так крепко запечатлеться на сетчатке ее глаз и в ее мозгу, что даже так, в полном мраке, Хулия отчетливо видела ее — вплоть до мельчайших подробностей.

Она зевнула, потерла ладонями лицо. Она испытывала сложное, смешанное ощущение — усталости и одновременно эйфорического подъема, ощущение одержанной победы — неполной, но волнующей и возбуждающей: так человека, находящегося на середине долгого и утомительного пути, вдруг посещает предчувствие, что он сумеет дойти до конца. Пока что ей удалось приподнять лишь самый краешек завесы тайны, окутывавшей фламандскую доску; еще многое предстояло выяснить и узнать. Но кое-что уже было ясно как божий день: в этой картине нет ничего случайного или малозначащего. Все подчинялось определенному плану, определенной цели, а цель эта выражалась в вопросе «Кто убил рыцаря?», который кто-то вполне преднамеренно, из страха или каких-нибудь только ему известных соображений, закрасил или приказал закрасить. И Хулия собиралась выяснить, что скрывается за всем этим, — что бы это ни было. В эту минуту, сидя в темноте, докуривая энную сигарету, слегка ошалев от бессонной ночи и усталости, с головой, едва не лопающейся от средневековых образов и свиста стрел, выпущенных ночью в спину, девушка думала уже не о реставрации картины, а о том, как раскрыть ее тайну. Это будет даже забавно, подумала она за секунду до того, как погрузилась в сон: участников этой истории уже давным-давно нет на свете, и даже их скелеты в могилах, наверное, успели рассыпаться в пыль, а она, Хулия, вдруг возьмет да и найдет ответ на вопрос, заданный художником-фламандцем по имени Питер ван Гюйс полтысячи лет назад. Ответ на вопрос... загадку... вызов, брошенный и долетевший сквозь пятивековое молчание...

II

Лусинда, Октавио, Скарамучча

— По-моему, Зазеркалье
страшно похоже на шахматную доску, —
сказала наконец Алиса.
Л. Кэрролл

Дверной колокольчик антикварного магазина приветствовал Хулию звонким «динь-дилинь». Всего несколько шагов — и она почувствовала, как ее буквально обволакивает такое знакомое ощущение покоя и домашнего уюта. Она всякий раз испытывала его, приходя сюда. Все ее воспоминания, начиная с самых ранних, были пронизаны этим мягким золотистым светом, в котором безмолвно грезили о прошлом бархатные и шелковые кресла, резные консоли в стиле барокко, тяжелые ореховые бюро, ковры, фигурки из слоновой кости, фарфоровые статуэтки и потемневшие от времени картины; изображенные на них люди в черных, будто траурных, одеждах строго и сурово взирали из своих рам на ее детские игры. За годы, минувшие с тех пор, многие вещи исчезли, уступив место другим, однако общее впечатление, бережно хранимое душой Хулии, оставалось неизменным: ряд комнат, озаренных мягким светом, словно бы обнимающим расставленные и разбросанные в гармоничном беспорядке вещи и предметы самых разных эпох и стилей. А среди них — три изящные фарфоровые, расписанные вручную фигурки работы Бустелли: Лусинда, Октавио и Скарамучча, персонажи комедии дель-арте. Они были гордостью Сесара, а также любимыми игрушками Хулии в ее детские годы. Возможно, именно поэтому антиквар так и не пожелал расстаться с ними и продолжал держать их, как и прежде, в особой небольшой витрине, расположенной в глубине магазина, возле витража в свинцовом переплете, обрамлявшего выход во внутренний дворик: там Сесар обычно сидел и читал — Стендаля, Манна, Сабатини, Дюма, Конрада, — пока колокольчик не извещал о приходе очередного клиента.

— Здравствуй, Сесар.

— Здравствуй, принцесса.

Сесару было, наверное, за пятьдесят (Хулии ни разу не удалось вырвать у него чистосердечное признание относительно его возраста). В его голубых глазах всегда играла насмешливая улыбка, как у мальчишки-шалуна, для которого самое большое удовольствие на свете — это поступать наперекор миру, в котором его заставляют жить. Всегда тщательно уложенные волнистые волосы Сесара были снежно-белы (Хулия подозревала, что он уже не первый год добивался этого эффекта химическими средствами), и он все еще сохранял отличную фигуру — может, лишь чуть раздавшуюся в бедрах, — которую весьма умело облачал в костюмы безупречно-изысканного покроя; пожалуй, единственным маленьким «но» являлась некоторая их смелость, если учитывать возраст владельца. Сесар никогда, даже в самом избранном светском обществе, не носил галстуков, заменяя их великолепными итальянскими шейными платками, которые завязывал изящным узлом, оставляя

Лусинда, Октавио, Скарамучча

незастегнутым ворот рубашки; а рубашки у него были исключительно шелковые, помеченные его инициалами, вышитыми в виде белого или голубого вензеля чуть пониже сердца. Вот таким был Сесар. А кроме того, человеком высочайшей, рафинированной культуры: подобных ему Хулия среди своих знакомых могла пересчитать по пальцам. А еще в Сесаре, как ни в ком другом, воплощалась идея, что в людях высшего общества безукоризненная учтивость является выражением крайнего презрения к остальным. Из всего окружения антиквара (под каковым, возможно, следовало подразумевать все человечество) Хулия была единственной, кто, оказываясь предметом этой учтивости, мог воспринимать ее спокойно, зная, что презрение к ее персоне никак не относится. Ибо всегда — с тех пор, как она помнила себя, — Сесар был для нее своеобразным гибридом отца, наперсника, друга и духовного наставника, хотя не являлся в полном смысле слова ни тем, ни другим, ни третьим, ни четвертым.

— У меня проблема, Сесар.

— Прошу прощения. В таком случае, у нас проблема. Так что рассказывай все.

И Хулия рассказала ему все, не опустив ни одной подробности. Поведала и о таинственной надписи; на это сообщение антиквар отреагировал только легким движением бровей. Они сидели у витража в свинцовом переплете, и Сесар слушал, чуть наклонившись к ней: нога на ногу — правая на левой, рука, украшенная золотым перстнем с дорогим топазом, небрежно покоится на запястье другой, точнее, на часах «Патек Филипп». Вот эта изысканная небрежность, отнюдь не наигранная (а возможно, уже давно переставшая быть наигранной), так неотразимо действовала на беспокойные юные головы, стремящиеся к утонченным ощущениям: на разных свеже-испеченных художников, скульпторов и представителей иных искусств. Сесар брал их под свое крыло и опекал с преданностью и постоянством, на которые — следовало отдать ему должное — никоим образом не влияло прекращение их романтических отношений: эти периоды никогда не бывали у него слишком долгими.

— Жизнь коротка, а красота эфемерна, принцесса. — Сесар произносил это вкрадчиво, доверительно, почти шепотом, а на губах его играла меланхолическая и одновременно насмешливая улыбка. — Было бы просто несправедливо обладать ею вечно... Самое прекрасное — это научить летать юного воробышка, ибо его свобода заключает в себе твое самоотречение... Ты улавливаешь всю тонкость этой параболы?

Хулия (как она сама признала однажды вслух, когда Сесар, посмеиваясь, но явно чувствуя себя польщенным, обвинил ее в том, что она устраивает ему сцену ревности) испытывала по отношению к этим «воробышкам», вечно порхавшим вокруг антиквара, необъяснимое раздражение, выражать которое ей не давала лишь привязанность к Сесару да старательно доказываемая самой себе мысль, что он, в конце концов, имеет полное право жить своей собственной жизнью. Как — по своему обыкновению, бестактно — не раз говорила Менчу: «У тебя, детка моя, просто комплекс Электры, переодевшейся Эдипом. Или наоборот... » В отличие от парабол Сесара, всегда несших глубокий скрытый смысл, параболы Менчу били не в бровь, а в глаз без всякого камуфляжа, и притом наотмашь.

Когда Хулия закончила свой рассказ, антиквар некоторое время молчал, обдумывая и взвешивая

Лусинда, Октавио, Скарамучча

услышанное. Потом чуть наклонил голову в знак согласия. История фламандской доски, похоже, не произвела на него особого впечатления — в делах, связанных с искусством, да с учетом его возраста и опыта, не много осталось вещей, способных сильно впечатлить его, — однако в его обычно насмешливо поблескивающих глазах промелькнула искорка интереса.

— Прелестно, — негромко произнес он, и Хулия поняла, что может рассчитывать на него. Сколько она себя помнила, это слово в устах Сесара всегда означало приглашение к сообщничеству, к приключению, к разведыванию какой-нибудь тайны: была ли то тайна пиратского сокровища, спрятанного в одном из ящиков резного елизаветинского комода (который Сесар в конце концов продал какому-то музею), или воображаемая история дамы в кружевном платье с портрета, приписываемого Энгру, возлюбленный которой, гусарский офицер, якобы пал в битве при Ватерлоо, во время кавалерийской атаки, крича навстречу ветру имя владычицы своего сердца... Так, ведомая за руку Сесаром, Хулия прожила добрую сотню жизней, наполненных сотнями приключений; и каждое из них, устами Сесара, учило ее ценить красоту, самоотверженность, нежность, находить тончайшее, живейшее наслаждение в созерцании произведения искусства, прозрачной белизны фарфора или даже просто скромного отражения солнечного луча на стене, радужно преломленного хрусталем.

— Прежде всего, — говорил тем временем Сесар, — мне нужно хорошенько ознакомиться с этой картиной. Я мог бы заехать к тебе завтра, поближе к вечеру, скажем, в половине восьмого.

— Хорошо. Только... — Хулия чуть замялась. — Возможно, Альваро тоже приедет.

— Очаровательно. Я уже давненько не встречался с этим подонком, так что мне будет крайне приятно забросать его отравленными стрелами, замаскированными под изящные перифразы.

— Пожалуйста, Сесар!..

— Не беспокойся, дорогая. Я буду держаться вполне доброжелательно, раз уж таковы обстоятельства... Моя рука, разумеется, нанесет ему рану, но не единой капли крови не прольется на твой персидский ковер. Который, кстати, давно следовало бы почистить.

Хулия устремила на него взгляд, исполненный нежности, и обеими руками взяла его за руки.

— Я люблю тебя, Сесар.

— Я знаю. Это вполне нормально. Это происходит почти со всеми.

— За что ты так ненавидишь Альваро?

То был дурацкий вопрос, и Сесар взглянул на нее с мягким укором.

— Он заставил тебя страдать. — Голос антиквара звучал серьезно и торжественно. — Если бы ты позволила мне, я вполне был бы способен вырвать ему глаза и кинуть их собакам, бродящим по пыльным дорогам Фив. Все в соответствии с классикой. А ты могла бы изображать хор: представляю, как ты была бы хороша в пеплуме, с обнаженными руками, воздетыми к Олимпу. А боги там, наверху, храпели бы после очередного обильного возлияния.

— Возьми меня замуж, Сесар. Вот прямо сейчас.

Сесар взял ее руку и поцеловал, едва коснувшись губами.

— Когда ты вырастешь, принцесса.

— Я уже выросла.

— Нет еще. Но, когда ты действительно вырастешь, я осмелюсь сказать Твоему Высочеству, что я любил

Лусинда, Октавио, Скарамучча

тебя. И что боги, проснувшись, отняли у меня не все. Только мое королевство. — Он чуть поколебался, точно раздумывая. — Впрочем, если хорошенько поразмыслить, это мелочь, не имеющая ровно никакого значения.

Всю жизнь, всю их дружбу шел между ними этот понятный лишь им двоим диалог, исполненный нежности и воспоминаний. После слов Сесара воцарилась тишина, нарушаемая только тиканьем старинных часов, в ожидании покупателя отмеривающих, как звонкие капли времени, секунду за секундой.

— В общем, — проговорил наконец Сесар, — если я все правильно понял, речь идет о расследовании убийства.

Хулия удивленно взглянула на него.

— Любопытно, что ты воспринял это именно так.

— А как же иначе? Ведь речь идет именно об убийстве. Какая разница, что произошло оно в пятнадцатом веке...

— Да, конечно. Но это слово — «убийство» — придает всему более мрачную окраску. — Хулия усмехнулась чуть нервно. — Может, вчера я слишком устала, чтобы взглянуть на дело под таким углом, но до сих пор я видела в нем нечто вроде игры — просто игры. Знаешь, как эти ребусы, которые приходится расшифровывать... Вопрос моей профессиональной компетентности и моего самолюбия.

— Ну и?..

— Ну а теперь ты эдак запросто заявляешь мне, что речь идет о расследовании настоящего убийства! И вот только что, минуту назад, до меня дошло, что это действительно так... — Она на мгновение замолкла с раскрытым ртом, словно заглянув в бездонную пропасть. — Ты понимаешь? Кто-то убил или приказал убить Роже Аррасского в канун Богоявления тысяча четыреста шестьдесят девятого года. И картина рассказывает, кто это сделал. — От волнения Хулия даже привстала со стула. — В нашей власти разгадать загадку, которой уже пять веков... Может, именно это событие изменило ход кусочка истории Европы... Ты представляешь, как может подняться цена «Игры в шахматы» на аукционе, если нам удастся доказать все это?

Не в силах усидеть на месте, Хулия вскочила и закончила этот монолог уже стоя, наклонившись к Сесару и опираясь руками о розовую мраморную доску стоявшего рядом круглого столика. Антиквар смотрел на нее вначале с удивлением, затем с восхищением.

— Да, дело может дойти до нескольких миллионов, — согласился он, кивая. — Даже до многих миллионов, — добавил он убежденно после секундного размышления. — Если хорошо организовать рекламу, «Клэймор» может утроить или даже учетверить стартовую цену... Эта твоя картина и правда настоящее сокровище.

— Нам нужно повидаться с Менчу. Прямо сейчас.

Сесар покачал головой, придав своему лицу выражение оскорбленного достоинства.

— Ну, это уж нет, дорогая. Даже не напоминай мне об этой кукле. Не желаю иметь с ней ничего общего... Я полностью к твоим услугам, но только на соответствующем расстоянии от нее.

— Не капризничай, Сесар. Ты мне нужен.

— И я в твоем абсолютном распоряжении, принцесса. Но избавь меня от необходимости общаться с этой отреставрированной Нефертити и ее очередными альфонсами, а проще говоря — сутенерами. От этой твоей приятельницы у меня всегда разыгрыва-

Лусинда, Октавио, Скарамучча

ется мигрень. — Он указал пальцем на висок. — Вот здесь, здесь, видишь?

— Сесар...

— Ладно, сдаюсь. *Vae victis*[1]. Так и быть, я встречусь с твоей Менчу.

Хулия звонко расцеловала его в безупречно выбритые щеки, ощутив при этом исходивший от него запах мирры. Одеколон Сесар покупал в Париже, а шейные платки — в Риме.

— Я люблю тебя, антиквар. Просто обожаю.

— Лесть. Бесстыдная лесть. И от кого? От тебя — мне, в мои-то годы.

Менчу тоже покупала духи в Париже, но более крепкие, чем у Сесара. Когда она быстрым шагом — одна, без Макса — вошла в вестибюль отеля «Палас», о ее приближении возвестила, подобно герольду, целая волна ароматов «Румбы» от Баленсиаги.

— У меня есть новости. — Прежде чем сесть, она потрогала пальцем нос и несколько раз резко и коротко вздохнула. Она успела сделать техническую остановку в туалете, и на ее верхней губе еще виднелось несколько крохотных частичек белого порошка; Хулии была хорошо известна причина ее приподнятого настроения. — Дон Мануэль ждет нас у себя дома, чтобы поговорить о деле.

— Дон Мануэль?

— Да, детка моя. Владелец фламандской доски. Что-то ты стала плохо соображать. Мой очаровательный старикашка.

Они заказали по некрепкому коктейлю, и Хулия посвятила подругу в результаты своих исследований.

---

1 Горе побежденным *(лат.)*.

Менчу мысленно прикидывала возможные проценты, и глаза ее открывались все шире и шире.

— Это здорово меняет дело. — Она взялась подсчитывать, черти кроваво-красным ногтем указательного пальца по льняной скатерти. — Тут уж моих пяти процентов маловато. Так что я поставлю перед ребятами из «Клэймора» вопрос ребром: из пятнадцати процентов комиссионных от суммы, за которую будет продана картина, семь с половиной им, семь с половиной — мне.

— Они не согласятся. Это же выходит намного меньше того, что они получают обычно.

Менчу рассмеялась, прикусив зубами край бокала.

— Им придется согласиться, — сказала она. — Кроме «Клэймора», существуют еще «Сотби» и «Кристи», до их офисов отсюда рукой подать, и они просто взвоют от восторга от одного намека на перспективу заполучить ван Гюйса. Тут уж «Клэймору» придется решать: либо синица в руке, либо журавль в небе.

— А владелец? А вдруг твой очаровательный старикашка возьмет да и скажет свое слово? Например, захочет сам, напрямую, вести дела с «Клэймором». Или с другими.

Менчу хитро усмехнулась.

— Ни черта подобного. Он подписал мне бумажку. И потом, — она указала на свою юбку, более чем щедро открывавшую взорам обтянутые темными чулками ноги, — как видишь, я оделась по-боевому. Мой дон Мануэль рассиропится как миленький, или я уйду в монастырь. — Она закинула ногу на ногу, затем поменяла их местами (демонстрация, рассчитанная на сидевших за соседними столиками мужчин) и, видимо довольная произведенным эффектом, снова занялась своим коктейлем. — Что же касается тебя...

— Я хочу полтора процента от твоих семи с половиной.

Менчу чуть не хватил удар.

— Это же целая куча деньжищ! — возмущенно завопила она. — Втрое или вчетверо больше, чем мы договаривались за реставрацию.

Хулия спокойно пережидала бурю, достав из сумочки пачку «Честерфилда» и закурив. Когда Менчу на миг умолкла, чтобы глотнуть воздуха, она пояснила:

— Ты меня не поняла. Гонорар за мою работу отчисляется от той суммы, которую получит твой дон Мануэль после продажи картины. — Она выдохнула длинную струю дыма. — Я говорила о других процентах — от того, что получишь ты. Если фламандская доска будет продана за сто миллионов, семь с половиной из них пойдет «Клэймору», шесть — тебе, полтора — мне.

— Ничего себе! — Менчу недоверчиво покачала головой. — Кто бы мог подумать: ты, такая тихоня, вечно со своими кисточками и баночками... А тебе, оказывается, палец в рот не клади.

— Что же делать, жизнь такая. Дружба дружбой, но кушать ведь тоже хочется.

— У меня от тебя просто волосы дыбом, честное слово. Я пригрела змею на своей левой груди. Как Аида. Или кто это был — Клеопатра?.. Я и не знала, что ты так хорошо умеешь высчитывать проценты.

— Поставь себя на мое место. В конце концов, ведь это я вытащила на свет Божий всю эту историю. — Хулия помахала пальцами перед лицом подруги. — Вот этими самыми ручками.

— Ты пользуешься тем, что у меня чересчур доброе сердце. Ты, невинный цыпленочек с когтями.

— Ну, куда моим когтям до твоих...

Менчу испустила мелодраматический вздох. У ее драгоценного Макса выдирали изо рта кусок хлеба, но, в конце концов, договориться всегда можно. Дружба, между прочим, тоже кое-чего стоит. В этот момент она взглянула в сторону двери бара, и лицо ее приняло загадочное выражение. Ну конечно, подумала Хулия. О дерьме подумаешь, оно и...

— Макс?

— Пожалуйста, не делай такой кислой гримасы. Макс — просто прелесть. — Менчу повела глазами в сторону двери и чуть прищурилась, как бы приглашая Хулию понаблюдать исподтишка за кем-то, только что вошедшим. — Тут Пако Монтегрифо. Из «Клэймора». И он нас заметил.

Монтегрифо был директором мадридского филиала «Клэймора». Высокий интересный мужчина около сорока, он одевался со строгой элегантностью итальянского князя. Его пробор был так же безупречен, как его галстуки, а улыбка открывала великолепный ряд зубов, слишком безукоризненно ровных, чтобы быть настоящими.

— Добрый день, сеньоры. Какая приятная неожиданность.

Он стоял, пока Менчу знакомила его с Хулией.

— Я видел некоторые из ваших работ, — сказал он, узнав, что это она занимается ван Гюйсом. — Могу сказать только одно: изумительно.

— Благодарю вас.

— Не за что: это не комплимент. Не сомневаюсь, что и «Игра в шахматы» будет сделана на том же уровне. — Он снова обнажил в профессиональной улыбке белый ряд зубов. — Мы возлагаем большие надежды на эту доску.

Лусинда, Октавио, Скарамучча

— Мы тоже, — отозвалась Менчу. — Такие большие, что вы и представить себе не можете.

Монтегрифо, видимо, уловил что-то необычное в тоне, каким были произнесены эти слова, потому что в его карих глазах появилось выражение настороженного внимания. А он совсем не дурак, подумала Хулия. Монтегрифо тем временем вопросительно кивнул в сторону свободного стула.

— Меня, правда, ждут, — сказал он, — но несколькими минутами я располагаю. Вы позволите?

Он сделал отрицательный знак подошедшему было официанту и сел напротив Менчу. Он по-прежнему излучал приветливость, но теперь в ней ощущалось некое осторожное ожидание: так прислушиваются, не повторится ли раздавшийся вдали неясный звук.

— Что, какие-нибудь проблемы? — спокойно спросил он.

Менчу покачала головой. Абсолютно никаких проблем. Никаких причин для беспокойства. Но Монтегрифо и не выглядел обеспокоенным: лицо его выражало просто вежливый интерес.

— Возможно... — Менчу слегка поколебалась, — возможно, нам придется пересмотреть условия нашего договора.

Воцарилось неловкое молчание. Монтегрифо глядел на Менчу с тем выражением, с каким смотрят на клиента, не способного вести себя надлежащим образом.

— Уважаемая сеньора, — произнес он наконец, — «Клэймор» — фирма весьма серьезная.

— Нисколько в этом не сомневаюсь, — хладнокровно парировала Менчу. — Но при работе над ван Гюйсом обнаружены важные детали, которые значительно увеличивают ценность картины.

— Наши эксперты не усмотрели таких деталей.

— Исследование картины было проведено уже после вашей экспертизы. Эти находки... — тут Менчу снова на секунду словно бы засомневалась, нужно ли продолжать, и это не прошло незамеченным, — они не на виду.

Монтегрифо повернулся к Хулии. Лицо его отражало энергичную работу мысли, взгляд стал ледяным.

— Что вы обнаружили? — спросил он мягко, как исповедник, побуждающий к признанию.

Хулия в нерешительности смотрела на Менчу.

— Мы не уполномочены, — вмешалась Менчу. — Во всяком случае, на сегодняшний день. Сначала мы должны получить соответствующие инструкции от моего клиента.

Монтегрифо едва заметно пожал плечами, затем светски неторопливо поднялся.

— Мне пора. Прошу извинить.

Казалось, он собирался еще что-то добавить, но ограничился тем, что с любопытством посмотрел на Хулию. Он вроде бы даже и не беспокоился ни о чем. Только, прощаясь, выразил надежду — глядя на Хулию, но явно адресуясь к Менчу — что находка, или открытие, или что бы то ни было, не повлияет на достигнутую договоренность. После чего, уверив дам в своем совершеннейшем к ним почтении, отошел от столика и, пройдя через весь зал, подсел к другому, занятому какой-то парой, — по-видимому, иностранцами.

Менчу сокрушенно разглядывала свой бокал.

— Я здорово сваляла дурака.

— Почему? Рано или поздно он все равно узнал бы.

— Да, да. Но ты не знаешь Пако Монтегрифо. — Она отпила глоток и, приподняв бокал, взглянула

Лусинда, Октавио, Скарамучча

сквозь него на аукциониста. — Вот ты думаешь: он весь такой светский, такой воспитанный, а он со всей своей светскостью, если бы только был знаком с доном Мануэлем, сию же минуту понесся бы к нему, чтобы разузнать, в чем там дело, и выкинуть нас за борт.

— Ты так думаешь?

Менчу саркастически хмыкнула. Уж она-то хорошо знала Пако Монтегрифо.

— У него бульдожья хватка, отлично подвешен язык, никаких проблем с совестью, а запах возможной сделки он чует за сорок километров. — Она с восхищением прищелкнула языком. — А еще говорят, что он занимается нелегальным вывозом произведений искусства и что никто так, как он, не умеет подмазываться к сельским священникам.

— Тем не менее он производит приятное впечатление.

— Да он просто этим живет: тем, что производит приятное впечатление.

— Я только не понимаю: если ты знаешь о нем такие вещи, почему ты не обратилась к кому-нибудь другому...

Менчу пожала плечами. Да, ей много чего известно о Пако Монтегрифо, но какое это имеет значение? У «Клэймора» ведь репутация безупречная.

— Ты что, спала с ним?

— С кем — с Монтегрифо? — Менчу расхохоталась. — Нет, детка. Он совершенно не в моем вкусе.

— А по-моему, он вполне, вполне.

— Просто у тебя сейчас такой возраст, голубушка. Лично я предпочитаю негодяев без полировки — таких, как Макс: у них всегда такой вид, что они вот-вот залепят тебе пару пощечин... В постели они лучше, а если смотреть в перспективе, то и обходятся намного дешевле.

— Вы, разумеется, еще слишком молоды.

Они пили кофе за китайским лакированным столиком, возле большого эркерного окна, густо увитого зеленью. Из старого фонографа лились звуки «Музыкального приношения» Баха. Временами дон Мануэль Бельмонте прерывал сам себя, как будто тот или другой такт вдруг привлек его внимание, несколько мгновений прислушивался, потом принимался слегка отбивать пальцами по никелированной ручке своего инвалидного кресла. Его лоб и тыльная сторона ладони были усыпаны темными пятнышками — знаками глубокой старости, на запястьях и шее узловато переплетались толстые голубые вены.

— Это случилось, думаю, году в сороковом... или в сороковых... — На сухих, потрескавшихся губах старика мелькнула грустная улыбка. — То были тяжелые времена, и мы продали почти все свои картины. Особенно мне помнится одна — Муньоса Деграйна, и еще одна, Мурильо. Моя бедная Ана, да будет ей земля пухом, так никогда и не оправилась от потери этого Мурильо. То был образ Пресвятой Девы — изумительный, такой маленький, очень похожий на те, что висят в Прадо... — Он прикрыл глаза, словно пытаясь мысленным взором разглядеть эту картину в ряду других воспоминаний. — Его купил один военный, он потом стал министром... Кажется, его звали Гарсиа Понтехос. Он прекрасно сумел воспользоваться нашим положением. Этот бессовестный негодяй заплатил нам всего четыре сотни.

— Могу себе представить, как тяжело было вам расставаться со всем этим... — Тон Менчу, сидевшей напротив Бельмонте, был преисполнен надлежаще-

Лусинда, Октавио, Скарамучча

го сочувствия, а ее ноги выставлены напоказ в наиболее выгодном ракурсе. Инвалид покивал в знак согласия; лицо его выражало уже давно ставшую привычной покорность судьбе. Такое выражение приобретается только ценой утраты иллюзий.

— У нас не было иного выхода. Друзья и родня — даже семья моей жены — как-то разом отошли от нас после войны, когда меня уволили с работы: я был дирижером Мадридского оркестра... Время было такое — кто не с нами, тот против нас... А я не был с ними.

Он умолк: казалось, его внимание отвлекла музыка, звучавшая из угла, где стоял проигрыватель; вокруг него возвышались стопки старых пластинок, а над ними, в одинаковых рамках, гравированные портреты Шуберта, Верди, Бетховена и Моцарта. Через несколько секунд, снова переведя взгляд на Хулию и Менчу, дон Мануэль удивленно заморгал, он будто вернулся откуда-то издалека и не ожидал, что они все еще здесь.

— Потом у меня начался тромбоз, — продолжал он, видимо вспомнив, что к чему, — и все еще больше осложнилось. К счастью, у нас оставалось наследство моей жены, которое никто не мог у нее отобрать. Вот таким образом нам удалось сохранить этот дом, кое-что из мебели и две-три хорошие картины, среди них и «Игру в шахматы»... — Он грустно взглянул на противоположную стену, на торчавший из нее опустевший гвоздь, на темный прямоугольник невыцветших обоев и погладил кончиками пальцев подбородок, на котором виднелось несколько седых волосков, как-то уклонившихся от встречи с бритвой. — Эту картину я всегда особенно любил.

— От кого вы ее унаследовали?

— От одной из боковых ветвей — Монкада. От брата деда моей жены. Мать Аны была урожденная

Монкада. Один из ее предков, Луис Монкада, служил интендантом герцога Александра Фарнезского — веке в шестнадцатом... Похоже, этот дон Луис был большим любителем искусства.

Хулия заглянула в бумаги, лежавшие на столе среди кофейных приборов.

— «Приобретена в тысяча пятьсот восемьдесят пятом году... Возможно, в Антверпене, во время капитуляции Фландрии и Брабанта...»

Старик кивнул и чуть сдвинул брови, будто припоминая лично виденные события.

— Да. Возможно, она находилась в числе трофеев, добытых при разграблении города. Легионеры, имуществом которых заведовал предок моей жены, были не из тех, кто вежливо стучит в дверь и выписывает квитанции за реквизированное добро.

Хулия перелистывала документы.

— Раньше этого года никаких упоминаний о картине нет, — заметила она. — Может, вы помните какую-нибудь семейную историю, связанную с ней? Легенду, предание или что-нибудь в этом роде. Любая ниточка пригодилась бы нам.

Бельмонте покачал головой:

— Нет, я ничего такого не знаю. В семье моей жены «Игру в шахматы» всегда именовали «Фламандской доской» или «Фарнезской доской» — наверняка чтобы сохранить память о ее происхождении... Более того: под этим названием она почти двадцать лет хранилась в музее Прадо, пока в двадцать третьем году отцу моей жены не удалось получить ее назад благодаря помощи Примо де Риверы[1], который был

---

1 Примо де Ривера Мигель (1870—1930) — генерал, после государственного переворота 1923 г. глава правительства и фактический диктатор Испании.

Лусинда, Октавио, Скарамучча

другом семьи... Мой тесть всегда весьма ценил этого ван Гюйса, поскольку сам любил шахматы. Поэтому когда картина перешла к его дочери — моей жене, я никогда не хотел продавать ее.

— А теперь? — спросила Менчу.

Старик некоторое время молчал, разглядывая свою чашку, словно бы не расслышав вопроса.

— Теперь все изменилось, — наконец произнес он, медленно переведя взгляд сначала на Менчу, потом на Хулию; казалось, он посмеивается над самим собой. — Я превратился в старую рухлядь — это видно за километр. — И он похлопал ладонями по своим неподвижным ногам. — Моя племянница Лола и ее муж заботятся обо мне, и я должен как-то отблагодарить их за это. Не так ли?

Менчу пробормотала извинение. Конечно, это дела семейные, и она вовсе не собиралась совать в них нос.

— Ничего, ничего, не беспокойтесь. — Бельмонте поднял правую руку с вытянутыми двумя пальцами, словно отпуская ей все грехи. — Ваш интерес вполне естествен. Картина стоит денег, а здесь, дома, она просто висит без всякой пользы. Лола и ее муж говорят, что лишние деньги пришлись бы очень кстати. Лола получает пенсию за своего отца, но вот ее муж, Альфонсо... — Он взглянул на Менчу с выражением, долженствующим означать: вы же меня понимаете. — Вы же знаете его: он никогда в жизни не работал. Что касается меня... — На губах старика вновь промелькнула насмешливая улыбка. — Если я скажу вам, сколько налогов мне приходится платить каждый год как владельцу этого дома, у вас просто волосы встанут дыбом.

— Что ж, район у вас хороший, — заметила Хулия, — и дом тоже.

— Да, но моя пенсия — это просто смех сквозь слезы. Поэтому мне и приходится время от времени продавать кое-что из вещей, которые я храню как память... Эта картина даст нам некоторую передышку.

Он замолчал, задумался, медленно покачивая головой; однако он не казался особенно подавленным — скорее, происходящее забавляло его, словно во всем этом имелись какие-то юмористические моменты, которые он один был способен оценить по достоинству. Хулия поняла это, когда, доставая из пачки сигарету, перехватила его лукавый взгляд. Возможно, то, что на первый взгляд казалось банальным ощипыванием больного старика бессовестными племянниками, для него самого являлось любопытным лабораторным экспериментом на тему «Алчность в лоне семьи». «Ах, дядя, ох, дядя, мы тут пашем на тебя, как невольники, а твоей пенсии едва хватает на покрытие расходов; тебе было бы гораздо лучше в доме для престарелых, среди твоих ровесников... А эти картины болтаются тут безо всякой пользы... » Сейчас, поманив их такой наживкой, как ван Гюйс, Бельмонте мог чувствовать себя в безопасности. Он даже снова, после стольких лет унижений, захватил в свои руки инициативу. Благодаря картине он теперь мог надлежащим образом свести счеты с племянниками.

Хулия протянула ему пачку сигарет. Лицо старика озарилось благодарной улыбкой, но он заколебался.

— Вообще-то мне не следовало бы... Лола позволяет мне в день только одну чашечку кофе и одну сигарету.

— К черту вашу Лолу! — Эти слова сорвались с губ девушки неожиданно даже для нее самой. Менчу

Лусинда, Октавио, Скарамучча

метнула на нее испуганный взгляд; однако старик, похоже, ничуть не обиделся. Напротив, Хулии показалось, что она уловила в его глазах, обращенных на нее, озорную искорку, впрочем тут же погасшую. Старик протянул свои костлявые пальцы и взял сигарету.

— Что касается картины, — сказала Хулия, наклоняясь через стол, чтобы предложить огня дону Мануэлю, — там возникло одно непредвиденное обстоятельство...

Старик с откровенным наслаждением затянулся, до отказа наполнил легкие дымом и, прищурившись, взглянул на нее.

— Хорошее или плохое?

— Хорошее. Оказалось, что под слоем краски скрыта надпись, сделанная, по-видимому, самим художником. Если ее раскрыть, цена картины намного возрастет. — Она откинулась на стуле, улыбаясь. — Решать, разумеется, вам.

— Бельмонте посмотрел на Менчу, потом на Хулию, как будто мысленно сравнивая что-то или взвешивая какие-то одному ему известные обстоятельства. Наконец он, по-видимому, принял решение, потому что, еще раз глубоко затянувшись, удовлетворенно опустил ладони на колени.

— Вы не только красивы, но, как вижу, еще и умны, — сказал он Хулии. — Я даже уверен, что вам нравится Бах.

— Я его очень люблю.

— Объясните мне, пожалуйста, о чем там идет речь.

И Хулия объяснила.

— Бывает же такое! — произнес наконец Бельмонте, покачивая головой, после долгого недоверчивого молчания. — Я столько лет, день за днем, смотрел на эту картину — вон там она висела, и мне никогда даже в голову не приходило... — Он бросил взгляд на темное прямоугольное пятно на обоях — след от фламандской доски — и прикрыл глаза, довольно улыбаясь. — Так, значит, этот художник любил загадывать загадки...

— Похоже на то, — отозвалась Хулия.

Бельмонте жестом указал на продолжавший играть проигрыватель.

— И он не единственный, кто этим занимался. В прежние времена произведения искусства, прямо-таки битком набитые разными хитрыми шутками и загадками, были делом вполне обыкновенным. Вот, возьмите, например, Баха. Десять канонов «Приношения» — это самое совершенное из всего, что он сочинил, однако ни один из них не дописан до конца... Бах сделал это преднамеренно, как будто речь шла о загадках, которые он предлагал Фридриху Прусскому... Музыкальная уловка, довольно частая в ту эпоху. А заключалась она в том, чтобы, написав тему, сопроводить ее лишь несколькими более или менее загадочными указаниями и предоставить раскрыть основанный на этой теме канон другому музыканту или исполнителю. То есть другому игроку, поскольку, в общем-то, это была игра.

— Весьма интересно, — отозвалась Менчу.

— О да! Вы даже не представляете себе, до какой степени. Бах, как и многие другие люди искусства, обожал расставлять ловушки. Он постоянно прибегал к каким-либо трюкам, чтобы обмануть слушателей: знаете, разные там уловки с нотами и буквами, хитроумные вариации, необычные фуги, а главное — огромное чувство юмора... Например, в одно из своих сочинений для шести голосов он втихаря вставил собственное имя, разделив его между двумя наиболее высокими голосами. Но такие вещи случались не только в музыке: Льюис Кэрролл, который был математиком и писателем, а кроме того, большим любителем шахмат, имел обыкновение вставлять в свои стихотворные произведения акростихи... Существуют весьма остроумные способы, как скрыть то, что вы желаете скрыть: и в музыке, и в стихах, и в живописи.

— Что да, то да, — согласилась Хулия. — Символы и тайные шифры часто встречаются в искусстве. Даже в современном... Проблема в том, что мы не всегда располагаем ключами, при помощи которых можно было бы расшифровать эти послания. Особенно старинные. — Теперь она задумчиво посмотрела на темный прямоугольник на стене. — Но в случае с «Игрой в шахматы» у нас есть несколько отправных пунктов. Так что мы можем попробовать.

Бельмонте откинулся в своем инвалидном кресле и кивнул, устремив на Хулию лукавый взгляд.

— Держите меня в курсе, — сказал он. — Даю вам слово, что ничто не может доставить мне большего удовольствия.

Они прощались в холле, когда появились племянники. Лола оказалась высокой тощей женщиной далеко за тридцать, с рыжеватыми волосами и маленькими хищными глазками. Ее правая рука, окутанная рукавом мехового пальто, крепко обвилась вокруг левой руки ее мужа, смуглого худого мужчины, на вид несколько моложе нее, чья рано поредевшая шевелюра казалась еще реже на фоне сильно загоревшей лысины. Даже не знай Хулия из намеков дона Мануэля, что его родственник никогда в жизни не работал, она догадалась бы, что перед ней выдающийся экземпляр любителя беззаботного существования. В чертах его лица, в глазах, с уже обозначившимися под ними мешками, читались хитрость и коварство, граничащие с цинизмом, а крупный выразительный рот, напоминающий лисью пасть, еще более усиливал это впечатление. Муж Лолы был облачен в синий блейзер с золотыми пуговицами, без галстука, и весь его вид недвусмысленно говорил о том, что у этого человека масса свободного времени, которое он делит между роскошными кафе (в час, когда пора пить аперитив) и модными ночными барами, а также что для него нет секретов в карточной игре и рулетке.

— Мои племянники Лола и Альфонсо, — сказал Бельмонте, и они поздоровались — безо всякого энтузиазма со стороны племянницы, но зато с явным интересом со стороны ее супруга, который задержал руку Хулии в своей несколько дольше, чем требовалось, и успел за это время окинуть ее с ног до головы опытным, оценивающим взглядом. Потом, повернувшись к Менчу, поздоровался и с ней, назвав по имени. Похоже, они были давно знакомы.

— Они пришли насчет картины, — пояснил Бельмонте.

Племянник прищелкнул языком:

— Ну конечно, насчет картины. Насчет твоей знаменитой картины.

Их ввели в курс последних новостей. Альфонсо — руки в карманах — слушал, улыбаясь Хулии.

— Если речь идет об увеличении стоимости картины, с чем бы оно ни было связано, — проговорил он, — то, по-моему, эта новость — лучше некуда. Если у вас будут еще какие-нибудь сюрпризы в таком роде, заходите в любое время. Мы обожаем сюрпризы.

II

Лусинда, Октавио, Скарамучча

Однако племянница не разделяла радости своего спутника жизни.

— Мы должны обсудить это, — сердито возразила она. — Кто гарантирует, что вы там не испортите нашу картину?

— Это было бы непростительно, — вмешался Альфонсо, по-прежнему не сводя глаз с Хулии. — Но я полагаю, что эта девушка не способна сыграть с нами такую злую шутку.

Лола Бельмонте метнула на мужа нетерпеливый взгляд.

— А ты вообще не вмешивайся. Это мое дело.

— Ошибаешься, дорогая. — Улыбка Альфонсо стала еще шире. — По брачному контракту у нас с тобой все имущество пополам.

— А я тебе говорю — не вмешивайся.

Альфонсо медленно повернулся к ней. Выражение его лица стало жестким, придав ему еще большее сходство с лисьей мордой. Теперь его улыбка была остра, как лезвие бритвы, и, глядя на эту перемену, Хулия поняла, что этот племянничек, пожалуй, не столь уж безобиден, как ей показалось вначале. Наверное, подумала она, не слишком приятно вести дела с человеком, способным так улыбаться.

— Тебе не стоило бы ставить себя в смешное положение... дорогая.

В этом «дорогая» было все, что угодно, кроме нежности, и, похоже, Лола Бельмонте знала это лучше, чем кто бы то ни было. Ценой заметного усилия она заставила себя сдержать злость и возмущение только что пережитым унижением. Менчу шагнула вперед, готовая ринуться в бой.

— Мы уже все обговорили с доном Мануэлем, — заявила она. — И он согласен.

А вот это другая сторона дела, подумала Хулия, чье удивление возрастало с каждой минутой. Потому что инвалид наблюдал за разыгравшейся сценой, преспокойно сидя в каталке и сложив руки на коленях. Демонстративно не причастный к спору, он с насмешливым интересом стороннего наблюдателя выжидал, чем же все это кончится.

Любопытный народ, подумала Хулия. Любопытная семейка.

— Да, — подтвердил старик, ни к кому конкретно не обращаясь. — Я согласен. В принципе.

Племянница нервно сжимала руки, отчего украшавшие их браслеты беспрестанно звякали. Она, похоже, была сильно расстроена. Или взбешена. Или то и другое вместе.

— Но послушай, дядя, это надо как следует обсудить. Я не сомневаюсь в добрых намерениях этих сеньор...

— Сеньорит, — поправил ее муж, не переставая улыбаться Хулии.

— Ну, сеньорит — какая разница! — Лола Бельмонте была так зла, что даже говорила с трудом. — Но в любом случае им следовало переговорить также и с нами.

— Я, со своей стороны, просто благословляю их на это дело, — ответил муж.

Менчу в упор, не скрываясь, смотрела на Альфонсо; она собиралась что-то сказать, но в конце концов предпочла промолчать и перевела взгляд на племянницу.

— Вы слышали, что сказал ваш супруг.

— А мне плевать! Я наследница, а не он.

Сидевший в своем кресле Бельмонте иронически воздел к небу высохшие руки, будто прося слова.

— Между прочим, я еще жив, Лолита... Ты уна-

Лусинда, Октавио, Скарамучча

следуешь то, что тебе причитается, когда придет время.

— Аминь, — вставил Альфонсо.

Острый подбородок племянницы нацелился на Менчу с выражением такой ярости, что на мгновение Хулия почти испугалась: а ну как эта дам.. сейчас возьмет да и набросится на них! Она и правда выглядела устрашающе — длинные ногти, хищное лицо, лихорадочный блеск в глазах — и вполне могла нанести некоторые телесные повреждения. Хулия находилась не Бог весть в какой форме; правда, в детстве Сесар обучил ее нескольким крутым приемам, весьма полезным в схватках с пиратами. Но, к счастью, племянница не пошла дальше испепеляющих взглядов и, резко повернувшись, прошла в дом.

— Мы еще встретимся, — бросила она через плечо, и яростный стук каблуков удалился по коридору.

Альфонсо, так и не вынув рук из карманов, благодушно улыбался.

— Не обращайте внимания. — Он повернулся к Бельмонте. — Ведь правда, дядя?.. Лолита у нас — чистое золото... Добрейшая душа.

Инвалид рассеянно кивнул, мысли его явно были заняты другим. Его внимание, казалось, притягивал к себе опустевший прямоугольник на стене, словно испещренный некими таинственными знаками, понятными только его усталым глазам.

— Значит, с племянничком ты уже знакома, — сказала Хулия, как только они оказались на улице.

Менчу, уже впившаяся глазами в какую-то витрину, ответила утвердительным кивком.

— И давно. — Она наклонилась, чтобы получше разглядеть ценник, стоящий возле пары туфель. — Года три, а то и четыре.

— Теперь мне понятно, откуда выплыла эта картина... Тебе ее предложил не старик, а этот тип.

Менчу раздраженно усмехнулась:

— Что ж, ты угадала, детка. В свое время у нас с ним было кое-что — приключение, как выразилась бы ты: ты ведь у нас известная скромница... Это было давным-давно. Но вот теперь, когда ему стукнуло в голову насчет ван Гюйса, он вдруг вспомнил обо мне.

— А почему же он не взялся за это сам?

— Да потому, что с ним никто не желает иметь дела. Даже дон Мануэль ему не верит! — Она рассмеялась. — Альфонсито Лапенья, Альфонсито Рулетка... Под этим прозвищем он больше известен. Он должен всему свету — даже чистильщику ботинок. А несколько месяцев назад просто чудом не оказался за решеткой. Какое-то дело с какими-то чеками, которые ничем не были обеспечены.

— А на что же он живет?

— Жена кормит. Потом, время от времени ему удается подцепить на удочку какого-нибудь простака. А вообще, знаешь ли, нахальство — второе счастье.

— Значит, теперь он возлагает свои надежды на ван Гюйса?

— Да. Ему просто не терпится превратить его в большую кучу жетонов для рулетки.

— Хорош гусь!

— Это уж точно. Но такие гуси — моя слабость, поэтому и Альфонсо мне нравится. — Она задумалась на пару секунд. — Хотя, насколько мне помнится, его технические данные тоже не столь уж выдающиеся. Он... как бы тебе это объяснить? — Она подыскивала слово поточнее. — У него плоховато с воображением, понимаешь? Тут уж он Максу и в подметки не годится. С ним все как-то очень уж прямолинейно —

Лусинда, Октавио, Скарамучча

привет и пока. Но зато весело: как начнет сыпать анекдотами, так просто до колик доведет.

— А его супруга в курсе?

— Думаю, догадывается, потому что дурой ее уж никак не назовешь. Потому так и сверкала на нас глазами. Мегера.

———————

III

Шахматная задача

Благородная сия игра имеет свои бездны,
в коих сгинула не одна благородная душа.
Из старинной немецкой рукописи

— Я полагаю, — произнес антиквар, — что речь идет о шахматной задаче.

Уже более получаса они разглядывали фламандскую доску, обмениваясь впечатлениями. Сесар стоял, прислонившись к стене, с изящно зажатым между большим и указательным пальцами стаканом джина с лимоном. Менчу томно полулежала на диване. Хулия покусывала ноготь, сидя на ковре по-турецки, с пепельницей между колен. Все трое вперились в картину так, словно перед ними стоял телевизор, по которому шел захватывающий фильм. Краски ван Гюйса постепенно тускнели у них на глазах по мере того, как гас вечерний свет, проникавший в комнату через потолочное окно.

— Может быть, кто-нибудь что-нибудь зажжет? — подала идею Менчу. — А то мне кажется, что я потихоньку слепну.

Сесар нажал на кнопку выключателя у себя за спиной, и свет, льющийся из скрытых светильников и отражающийся от стен, вернул жизнь и краски Роже Аррасскому и чете герцогов Остенбургских. Почти

Шахматная задача

одновременно с этим настенные часы с длинным маятником из позолоченной латуни начали медленно, в такт его ритмичному раскачиванию, бить восемь. Хулия подняла голову прислушиваясь: ей послышался с лестницы звук шагов.

— Альваро задерживается, — сказала она, убедившись, что они лишь почудились ей, и заметила, как Сесар презрительно поморщился.

— На сколько бы ни опоздал этот филистер, — пробормотал антиквар, — все равно он явится слишком рано.

Хулия бросила на него укоризненный взгляд:

— Ты же обещал вести корректно. Не забывай об этом.

— Я не забываю, принцесса. Я подавлю свои кровожадные порывы исключительно во имя моей преданности тебе.

— Я буду тебе вечно благодарна.

— Надеюсь, что да. — Антиквар взглянул на свои наручные часы, словно не доверяя точности стенных, которые сам же когда-то подарил Хулии. — Однако этот свинтус не отличается пунктуальностью.

— Сесар...

— Ладно, принцесса. Я умолкаю.

— Нет уж, не умолкай. — Хулия указала на картину. — Ты говорил, что мы имеем дело с шахматной задачей...

Сесар кивнул. Он сделал театральную паузу, чтобы чуть пригубить из своего стакана и затем промокнуть губы вынутым из кармана белоснежным платком.

— Видишь ли... — Он взглянул на Менчу и слегка вздохнул. — Видите ли... В скрытой надписи есть нечто, о чем мы — по крайней мере, я — до сих пор не задумывались. Действительно, фразу *«Quis necavit equitem»* можно перевести как вопрос: *«Кто убил рыцаря?»*. Исходя из данных, которыми мы располагаем, ее можно истолковать как загадку, касающуюся смерти — или убийства — Роже Аррасского... Однако, — Сесар сделал жест фокусника, вынимающего из своего цилиндра сногсшибательный сюрприз, — эту фразу можно перевести и с несколько иным смыслом. Насколько мне известно, шахматная фигура, которую мы теперь называем конем, в средние века именовалась *рыцарем*... И до сих пор во многих европейских странах она называется именно так. Например, в английском языке — *knight*, то есть рыцарь. — Он задумчиво посмотрел на картину, словно еще раз взвешивая правомерность своих умозаключений. — А это значит, что вопрос формулируется не «кто убил рыцаря?», а «кто убил коня?»... Или, пользуясь шахматной терминологией, *«кто съел коня?»*.

Некоторое время они молчали, размышляя. Потом заговорила Менчу:

— Что ж, очень жаль. — Она была явно и жестоко разочарована. — Значит, мы заварили всю эту кашу на пустом месте...

Хулия, пристально смотревшая на антиквара, покачала головой.

— Ничего подобного: тайна-то существует! Ведь правда, Сесар?.. Роже Аррасский был убит *до того*, как была написана картина. — Приподнявшись, она указала на угол доски. — Видите? Вон дата создания картины: *Petrus Van Huys fecit me, anno MCDLXXI*[1]... Это значит, что через два года после убийства Роже Аррасского ван Гюйс, воспользовавшись хитроумной игрой слов, написал картину, на которой фигурировали жерт-

---

1   Питер ван Гюйс создал меня, год 1471 *(лат.)*.

Шахматная задача

ва и убийца... — Она секунду поколебалась, осененная новой идеей. — А также, возможно, и первопричина этого преступления — Беатриса Бургундская.

Менчу мало что поняла, но разволновалась донельзя. Сев на диване, она широко раскрытыми глазами смотрела на фламандскую доску так, будто видела ее впервые.

— Объясни-ка, детка моя. Я просто сгораю от нетерпения.

— Насколько нам известно, причин убийства Роже Аррасского могло быть несколько, и одна из них — предполагаемый роман между ним и герцогиней Беатрисой... Этой женщиной в черном, читающей у окна.

— Ты хочешь сказать, что герцог убил его из ревности?

Хулия сделала неопределенный жест:

— Я ничего не хочу сказать. Я только высказываю предположение, что это могло произойти. — Она кивком указала на гору книг, документов и фотокопий, вздымающуюся на столе. — Возможно, художник хотел привлечь внимание людей к этому преступлению... Может быть, именно поэтому он решил написать картину. А может быть, ее кто-то ему заказал. — Она пожала плечами. — Мы никогда этого точно не узнаем. Но одно ясно: эта картина содержит ключ к разгадке убийства Роже Аррасского. Это доказывает надпись.

— *Закрашенная надпись*, — подчеркнул Сесар.

— Тем более.

— Предположим, художник побоялся, что высказался уж слишком открыто, — предположила Менчу. — В пятнадцатом веке, знаете ли, тоже нельзя было вот просто так взять и обвинить человека.

Хулия взглянула на картину.

— Может быть, ван Гюйс и правда испугался, что намек получился чересчур уж прозрачным.

— Или кто-нибудь замазал фразу позже, — полувопросительно-полуутвердительно проговорила Менчу.

— Нет. Сначала я тоже подумала об этом. Но посмотрела под лампой Вуда, сделала стратиграфический анализ — сняла скальпелем образец и проверила его под микроскопом... — Она взяла со стола лист бумаги. — Вот тут все описано, слой за слоем: основа — дубовое дерево; очень тонкий слой грунтовки — карбонат кальция, костяной клей, свинцовые белила и растительное масло; далее три слоя — свинцовые белила, киноварь и жженая кость, свинцовые белила и резинат меди, лак и так далее. Везде все одинаковое: те же самые составы, те же самые краски. Следовательно, сам ван Гюйс закрасил эту надпись вскоре после того, как сделал ее. Тут никаких сомнений быть не может.

— Значит?

— Принимая во внимание то, что мы балансируем на плохо натянутом канате, которому уже пятьсот лет, я согласна с Сесаром. Очень возможно, что ключом является эта шахматная партия. Но насчет съеденного коня — мне это и в голову не приходило... — Она взглянула на антиквара. — А ты что скажешь?

Сесар отошел от стены, присел на другой конец дивана, рядом с Менчу, и, отхлебнув маленький глоток из своего стакана, закинул ногу на ногу.

То же самое, что и ты, дорогая. Думаю, что, переключая наше внимание с рыцаря на коня, художник старался указать нам главное направление поисков... — Он аккуратно допил свой стакан и, звякнув

Шахматная задача

кубиками льда, поставил его на соседний столик. — Задавая вопрос, кто съел коня, он вынуждает нас заняться изучением партии... Этот заумный ван Гюйс — начинаю подозревать, что он обладал весьма своеобразным чувством юмора, — приглашает нас сыграть в шахматы. У Хулии загорелись глаза.

— Ну так сыграем! — воскликнула она, поворачиваясь к картине. Эти слова исторгли еще один вздох из груди антиквара.

— Хорошо бы... Но это находится за пределами моих возможностей.

— Да что ты, Сесар! Ты наверняка умеешь играть в шахматы.

— Абсолютно безосновательное предположение, дорогая... Ты хоть раз видела меня за шахматной доской?

— Ни разу. Но ведь все хоть немножко играют в шахматы.

— В данном случае требуется нечто большее, чем просто представление о том, как передвигать фигуры... Ты обратила внимание на то, что позиция там весьма сложна? — Он театрально-сокрушенно откинулся на спинку дивана. — Даже мои возможности, как это ни досадно, небезграничны. Никто в этом мире не совершенен, дорогая.

В этот момент раздался звонок в дверь.

— Альваро! — воскликнула Хулия и побежала открывать.

Но это был не Альваро. Хулия вернулась с конвертом, доставленным курьером. В конверте оказалось несколько фотокопий и текст, напечатанный на машинке.

— Смотрите! Видимо, он решил сам не приходить, но прислать нам вот это.

— Воспитанием он, как всегда, не блещет, — презрительно пробормотал Сесар. — Мог хотя бы позвонить и извиниться, мерзавец... — Он пожал плечами. — Хотя в глубине души я рад, что он не явился... Так что же нам прислал этот подонок?

— Перестань, — одернула антиквара Хулия. — Ему пришлось здорово поработать, чтобы составить это.

И она начала читать вслух.

ПИТЕР ВАН ГЮЙС И ПЕРСОНАЖИ, ИЗОБРАЖЕННЫЕ НА КАРТИНЕ «ИГРА В ШАХМАТЫ». БИОГРАФИЧЕСКАЯ ХРОНОЛОГИЯ

1415: Питер ван Гюйс родился в Брюгге (Фландрия). В настоящее время — Бельгия.

1431: Родился Роже Аррасский в замке Бельсанг, в Остенбурге. Его отец, Фульк Аррасский, являлся вассалом короля Франции и родственником Валуа — правившей в ней династии. Имя матери не дошло до наших дней, но известно, что она принадлежала к семье остенбургских герцогов — Альтенхоффен.

1435: Бургундия и Остенбург освобождаются от вассальной зависимости от Франции. Родился Фердинанд Альтенхоффен, будущий герцог Остенбургский.

1437: Роже Аррасский воспитывается при остенбургском дворе как товарищ детских игр будущего герцога Фердинанда. Вместе они и учатся. Когда Роже исполняется шестнадцать лет, он вместе со своим отцом, Фульком Аррасским, отправляется на войну, которую ведет король Франции Карл VII против Англии.

1441: Родилась Беатриса, племянница Филиппа Доброго, герцога Бургундии.

III

Шахматная задача

1442: Принято считать, что именно в это время Питер ван Гюйс создает свои первые картины — после того как прошел обучение у братьев ван Эйк в Брюгге и у Робера Кампена в Турне. Ни одной его работы этого периода не сохранилось.

1448: Ван Гюйс пишет первое дошедшее до нас произведение: «Портрет ювелира Вильгельма Вальгууса».

1449: Роже Аррасский отличается при завоевании Нормандии и Гиени у англичан.

1450: Роже Аррасский сражается в битве при Форминьи.

1452: Ван Гюйс пишет «Семейство Лукаса Бремера» (лучшую из известных нам картин).

1453: Роже Аррасский участвует в сражении при Кастильоне. В том же году в Нюрнберге выходит из печати его «Поэма о розе и рыцаре» (один экземпляр ее хранится в Парижской национальной библиотеке).

1455: Ван Гюйс пишет «Деву молящуюся» (картина не датирована, но эксперты относят ее к этому периоду).

1457: Умирает Вильгельм Альтенхоффен, герцог Остенбургский. Его преемником становится сын Фердинанд, которому только что исполнилось двадцать два года. По-видимому, сразу же он призывает к себе Роже Аррасского, находящегося, предположительно, при дворе Карла VII, короля Франции, к службе которому его обязывает принесенная клятва верности.

1457: Ван Гюйс пишет картину «Ловенский меняла».

1458: Ван Гюйс создает «Портрет купца Матиаса Концини и его супруги».

1461: Смерть короля Карла VII. Можно предположить, что, освобожденный от клятвы верности французскому монарху, Роже Аррасский возвращается в Остенбург. Примерно к этому же времени Питер ван Гюйс заканчивает работу над «Антверпенским складнем» и прибывает к остенбургскому двору.

1462: Ван Гюйс создает «Рыцаря и дьявола». Фотографии оригинала (находящегося в амстердамском Рийкс-музеуме) позволяют выдвинуть предположение, что прототипом этого рыцаря мог послужить Роже Аррасский, хотя сходство между этим персонажем и персонажем «Игры в шахматы» не является абсолютным.

1463: Официальная помолвка Фердинанда Остенбургского с Беатрисой Бургундской. В состав посольства, направленного к бургундскому двору, входят Роже Аррасский и Питер ван Гюйс, посланный, чтобы написать портрет Беатрисы, который он и создает в этом же году. (Портрет, упоминаемый в летописной записи о бракосочетании и в описи имущества, сделанной в 1474 году, до наших дней не сохранился.)

1464: Бракосочетание Фердинанда Альтенхоффена и Беатрисы Бургундской. Роже Аррасский возглавляет свиту, доставившую невесту из Бургундии в Остенбург.

1467: Умирает Филипп Добрый, и правителем Бургундии становится его сын Карл Отважный, двоюродный брат Беатрисы. Давление со стороны как Франции, так и Бургундии разжигает страсти при остенбургском дворе. Фердинанду Альтенхоффену с трудом удается поддерживать неустойчивое равновесие. Опорой профранцузской партии явля-

Шахматная задача

ется Роже Аррасский, имеющий большое влияние на герцога Фердинанда. Пробургундская партия держится благодаря влиянию герцогини Беатрисы.

1469: Роже Аррасский убит. В его гибели обвиняют бургундскую партию. Ходят также слухи, что всему виною любовная связь между Роже Аррасским и Беатрисой Бургундской. Причастность к убийству Фердинанда Остенбургского не доказана.

1471: Два года спустя после убийства Роже Аррасского ван Гюйс пишет «Игру в шахматы». Неизвестно, продолжает ли все еще художник жить в Остенбурге.

1474: Фердинанд Альтенхоффен умирает, не оставив наследников. Король Франции Людовик XI заявляет о своих старинных династических правах на это герцогство, что ухудшает и без того напряженные отношения между Францией и Бургундией. Кузен вдовствующей герцогини Карл Смелый вторгается в герцогство, разбив французов в битве при Ловене. Происходит аннексия Остенбурга Бургундией.

1477: Карл Смелый погибает в сражении при Нанси. Максимилиан I Австрийский присваивает бургундское наследство, которое впоследствии переходит в руки его внука Карла (будущего императора Карла V) и в конце концов входит в состав испанской монархии Габсбургов.

1481: Питер ван Гюйс умирает в Генте во время работы над триптихом «Снятие с креста», предназначенным для собора Св. Бавона.

1485: Умирает Беатриса Бургундская, пребывавшая в заключении в одном из льежских монастырей.

Долгое время никто не осмеливался открыть рта. Их взгляды встречались, затем опять устремлялись на картину. Молчание, казалось, длилось целую вечность. Наконец Сесар тихонько произнес, покачивая головой:

— Должен признаться, я просто потрясен.

— Мы все потрясены, — прибавила Менчу.

Хулия положила документы на стол и оперлась на него обеими руками.

— Ван Гюйс хорошо знал Роже Аррасского. — Она кивком указала на бумаги. — Возможно, они даже были друзьями.

— И, создавая эту картину, он свел счеты с его убийцей, — задумчиво проговорил Сесар. — Все детали сходятся.

Хулия подошла к книжным полкам, сплошь занимавшим две стены и прогибавшимся под тяжестью стоящих и лежащих на них томов. Постояв перед ними минутку с упертыми в бока руками, она извлекла откуда-то толстый иллюстрированный фолиант, быстро перелистала страницы и, найдя то, что искала, уселась на диван между Менчу и Сесаром, раскрыв книгу на коленях. То был альбом «Амстердамский Рийкс-музеум». Найденная Хулией репродукция была невелика, однако позволяла отчетливо разглядеть рыцаря, облаченного в доспехи, но с непокрытой головой, едущего на коне вдоль подножия холма, на вершине которого виднелся город, окруженный крепостной стеной. Бок о бок с рыцарем, дружески беседуя с ним, ехал дьявол — всадник на черной, тощей, с выпирающими ребрами кляче. Его вытянутая вперед и вверх правая рука указывала на город, к которому, похоже, они и направлялись.

— Вполне возможно, что это он и есть, — заметила Менчу, всматриваясь попеременно то в лицо рыцаря, то в лицо персонажа фламандской доски.

III

Шахматная задача

— А может, и нет, — возразил Сесар. — Хотя действительно между ними есть известное сходство. — Он повернулся к Хулии. — Когда написана эта картина?

— В тысяча четыреста шестьдесят втором. Антиквар быстро подсчитал в уме:

— Это значит — за девять лет до «Игры в шахматы». Это могло бы послужить объяснением. Всадник, сопровождаемый дьяволом, моложе, чем тот, другой, рыцарь.

Хулия, не отвечая, внимательно изучала репродукцию в книге. Сесар с беспокойством взглянул на нее:

— Что-нибудь не так?

Она медленно покачала головой — медленно и осторожно, будто опасаясь, что резкое движение может спугнуть неких таинственных, не слишком-то склонных к общению духов, которых ей с трудом удалось созвать к себе на помощь.

— Да, — произнесла она тоном человека, которому не остается иного выхода, кроме как признать очевидное. — Все совпадает... даже чересчур.

И указала пальцем на фотографию.

— Я не вижу ничего особенного, — сказала Менчу.

— Не видишь? — Хулия усмехнулась, словно бы самой себе. — Посмотри на щит рыцаря... В средние века каждый дворянин украшал щит своей эмблемой... Скажи, Сесар: что ты думаешь? Что нарисовано на этом щите?

Антиквар вздохнул, провел рукой по лбу. Он был потрясен не меньше Хулии.

— Клетки, — ответил он не колеблясь. — Клетки — белые и черные. — Он поднял глаза на фламандскую доску, и голос его, казалось, дрогнул. — Как на шахматной доске.

Хулия встала, оставив книгу раскрытой на диване.

— Тут и речи не может быть ни о какой случайности. — Она подошла к картине, по дороге подхватив с одной из полок сильную лупу. — Если рыцарь, написанный ван Гюйсом в компании дьявола в тысяча четыреста шестьдесят втором, — Роже Аррасский, это значит, что через девять лет художник использовал тему его герба в качестве главного ключа картины, которая, как мы предполагаем, раскрывает тайну его гибели... Даже пол комнаты, в которую он поместил своих персонажей, расчерчен черными и белыми клетками. Это, в дополнение к символическому характеру картины, подтверждает, что главным ее действующим лицом является именно Роже Аррасский, помещенный ван Гюйсом, заметьте, в самом центре... В общем, все завязано вокруг шахмат. Опустившись на колени перед картиной, она долго, по очереди, разглядывала в лупу все шахматные фигуры, находившиеся на доске и на столе возле нее. Затем некоторое время пристально изучала круглое выпуклое зеркало, расположенное в левом верхнем углу картины, на стене, и отражавшее искаженные перспективой стол и фигуры играющих.

— Сесар...

— Что, дорогая?

— Сколько обычно бывает шахматных фигур?

— Гм... Восемь умножить на два, итого по шестнадцать каждого цвета. Значит, всего тридцать две, если не ошибаюсь.

Хулия пересчитала фигуры на картине, указывая пальцем на каждую.

— Точно — тридцать две. И все очень отчетливо видны: пешки, короли, кони... Большинство стоит на доске, а некоторые — рядом на столе.

— Те, что на столе, уже съедены. — Сесар, встав на

Шахматная задача

колени, указал на одну из фигур, уже выведенную из игры: на ту, что повисла в воздухе, зажатая в пальцах Фердинанда Остенбургского. — Среди них один конь — только один. Белый. Остальные три — второй белый и два черных — все еще находятся в игре. Так что *Quis necavit equitem* относится именно к нему.

— И кто же его съел? Антиквар пожал плечами.

— В этом вопросе и заключается суть всей проблемы, дорогая.— Он улыбнулся ей, как улыбался много лет назад, когда она, еще маленькая девчушка, сидела у него на коленях. — Нам уже удалось выяснить довольно много: кто ощипал цыпленка, кто его сварил... Но пока что нам неизвестно, какой мерзавец съел его.

— Ты не ответил на мой вопрос.

— Не всегда же у меня находятся под рукой блестящие ответы.

— А раньше всегда находились.

— Раньше я мог лгать. — Он взглянул на нее с нежностью. — А теперь ты уже большая, и мне не так легко обмануть тебя.

Хулия положила ему руку на плечо, как пятнадцать лет назад, когда просила, чтобы он придумал для нее историю какой-нибудь картины или фарфоровой статуэтки. И в голосе ее прозвучали все те же детски-умоляющие нотки:

— Мне очень нужно знать это, Сесар.

— Аукцион через два месяца, — напомнила сзади Менчу. — Времени остается мало.

— К черту аукцион, — отозвалась Хулия. Она продолжала смотреть на Сесара так, словно решение загадки находилось у него в руках. Антиквар еще раз вздохнул и, проведя рукой по ковру, будто смахивая пыль, уселся на него, сложив руки на коленях. Нахмурившись, он в задумчивости покусывал кончик узкого розового языка.

— В общем, так, — произнес он через некоторое время.— Для начала у нас есть несколько ключей. Но просто иметь их — мало: важно знать, как мы можем ими воспользоваться. — Он взглянул на выпуклое зеркало в левом верхнем углу картины, отражавшее игроков и стол. — Мы привыкли считать, что любой предмет и его зеркальное изображение во всем идентичны. Однако это не так.— Он указал пальцем на нарисованное зеркало.— Видите? С первого взгляда мы можем убедиться, что изображение является обратным. А поскольку на доске ход партии *перевернут*, следовательно, и в зеркале происходит то же самое.

— У меня уже голова раскалывается от всей этой премудрости, — со стоном произнесла Менчу. — Это слишком сложно для моей плоской энцефалограммы, так что мне нужно выпить... — И, подойдя к бару, она щедрой рукой плеснула себе в стакан водки из запасов Хулии. Однако, прежде чем взять стакан, она извлекла из сумочки плоский отполированный камень оникс, серебряную канюлю, маленькую коробочку и приготовила себе порцию кокаина, выложив его на камень в виде узенькой полоски. — Аптека открыта, — объявила она. — Кто-нибудь интересуется?

Ей никто не ответил. Сесар, казалось, был абсолютно поглощен изучением картины, так что посторонние звуки не доходили до его сознания, а Хулия только укоризненно нахмурилась. Пожав плечами, Менчу наклонилась и вдохнула кокаин через нос — умело и уверенно, в два приема. Когда она снова подняла голову, на губах ее играла улыбка, а голубизна глаз казалась ярче обычной, несмотря на несколько отсутствующее выражение.

III

Шахматная задача

Пока Менчу заправлялась, Сесар, будто намекая Хулии на то, что на эту даму она вполне может не обращать внимания, взял ее за локоть и подвел поближе к ван Гюйсу.

— Простая мысль о том, — заговорил он, точно кроме них в комнате никого не было, — что одни вещи в картине могут быть реальными, а другие — нет, уже сама по себе заманивает нас в ловушку. Персонажи и шахматная доска изображены на картине дважды, и каким-то пока непонятным образом одно из изображений является *менее реальным*, чем другое. Понимаешь?.. Принимая это как факт, мы вынуждены перенестись в эту нарисованную комнату, то есть стереть границу между реальностью и тем, что изображено на картине... Единственный способ избежать этого — отойти от нее на такое расстояние, чтобы мы различали только цветовые пятна и шахматные фигуры. Но тут столько разных перевертышей...

Хулия взглянула на картину, потом, повернувшись, указала на венецианское зеркало, висевшее на противоположной стене.

— Ничего, — сказала она. — Если мы посмотрим на картину с помощью другого зеркала, может быть, нам удастся восстановить изначальное изображение.

Сесар долго молча смотрел на нее, обдумывая то, что услышал.

— Это верно, — проговорил он наконец, и в его улыбке Хулия прочла одобрение и поддержку. — Но боюсь, принцесса, что миры, создаваемые картинами и зеркалами, слишком непрочны, неуловимы, и если разглядывать их снаружи до известной степени забавно, то двигаться внутри них чрезвычайно неудобно. Для этого требуется специалист — человек, способный увидеть картину не так, как видим ее мы... И, кажется, я знаю, где можно найти такого человека.

На следующее утро Хулия позвонила Альваро, но к телефону никто не подошел. Она позвонила ему домой, но тоже безрезультатно. Тогда, поставив на проигрыватель пластинку Лестера Боуи, а на конфорку плиты — кофеварку, она забралась в душ и долго стояла под струями воды. Потом выкурила пару сигарет, выпила кофе и, как была — с мокрыми волосами и в старом свитере, натянутом на голое тело, — взялась за работу.

Первый этап реставрации состоял в том, чтобы снять лак со всей поверхности картины. Несомненно, стремясь защитить свое творение от сырости холодных северных зим, художник использовал жирный лак, разведенный на льняном масле. Лак был приготовлен по всем правилам, но в пятнадцатом веке никому — даже такому мастеру, как ван Гюйс, — было не под силу сделать так, чтобы он за полтысячи лет не пожелтел, приглушая первоначальную яркость красок.

Сначала Хулия попробовала на уголке доски несколько разных растворителей, затем приготовила смесь из ацетона, спирта, нашатырного спирта и воды и с помощью пропитанных ею ватных тампонов, которые она брала пинцетом, принялась размягчать лак. Работала она с предельной осторожностью, начав с тех участков поверхности, где слой лака был наиболее толстым, и оставив на потом те, где его было меньше. Каждую минуту она останавливалась, чтобы внимательно осмотреть тампоны и убедиться, что вместе с лаком не начала растворяться и лежащая под ним краска. Хулия проработала без отдыха все

утро (в пепельнице работы Бенльюэра скопилась
целая куча окурков), отрываясь от дела лишь на несколько секунд, чтобы, прищурив глаза, окинуть
взглядом результаты. Мало-помалу, по мере исчезновения состарившегося лака, фламандская доска начала вновь обретать магию своих изначальных красок,
теперь представших взору такими, какими их заду-
мал и смешал на своей палитре старый фламандец:
сиена, медная зелень, свинцовые белила, ультрама-
рин. Чудо возрождалось под пальцами Хулии, и она
созерцала этот процесс с почтительным уважением,
как будто на ее глазах постепенно открывалась самая
сокровенная тайна искусства и жизни.

В полдень ей позвонил Сесар, и они договорились
встретиться во второй половине дня. Хулия воспользовалась этим перерывом, чтобы подогреть себе еду,
и перекусила, запив все кофе, прямо там же, на диване перед мольбертом. Жуя, она внимательно разглядывала трещинки, успевшие за пятьсот лет покрыть кра-
сочный слой: тут и старение, и воздействие света, и
естественная деформация дерева... Трещинки особенно выделялись на лицах и руках персонажей и на таких цветах, как белый, тогда как на темных и на черном почти не были заметны. Особенно на платье Беатрисы Бургундской: его складки выглядели такими
живыми, что, казалось, коснись их пальцами — и ощу-
тишь мягкость бархата.

Любопытно, подумала Хулия: картины, написан-
ные недавно, покрываются трещинами вскоре после завершения, потому что при их создании исполь-
зуются современные материалы и искусственные
способы сушки, а вот творения старых мастеров, буквально одержимых в своем стремлении делать все
старыми дедовскими способами, с достоинством не-

сут через века свою красоту. В этот момент Хулия испытывала живейшую симпатию к старому Питеру ван Гюйсу, представляя его себе в средневековой мастерской, тщательно и скрупулезно подбирающим компоненты для своего лака, чтобы придать краскам картины должную мягкость и послать свое детище сквозь время в вечность, туда, где не будет уже ни его самого, ни тех, чьи образы запечатлела его кисть на простой дубовой доске.

Перекусив, Хулия снова погрузилась в работу. Теперь она занималась нижней частью картины, где находилась скрытая надпись. Здесь она работала особенно осторожно, чтобы не попортить слой медной зелени, смешанной с камедью во избежание потемнения от времени: ван Гюйс написал ею сукно, покрывающее стол, а потом, с помощью той же краски, сделал его складки более широкими, чтобы скрыть латинскую надпись. Все это, как отлично было известно Хулии, помимо обычных технических трудностей, создавало еще и этическую проблему... Позволительно ли, уважая дух картины, раскрывать надпись, закрасить которую решил сам автор?.. До какой степени может реставратор позволить себе пойти вопреки желанию художника, воплощенному в его произведении не менее явственно, чем если бы речь шла о завещании?.. И, даже если думать только об оценке картины, что выгоднее — раскрыть надпись или же оставить все как есть, подтвердив ее существование фотокопиями рентгеновских снимков?

К счастью, мысленно заключила Хулия, она во всем этом деле не имеет решающего голоса. Она только делает свою работу, за которую ей платят. А решать будут владелец картины, Менчу и этот тип из «Клэймора» — Пако Монтегрифо; она, Хулия, лишь выполнит их решение. Хотя, по зрелом размышлении, если бы это зависело от нее, она оставила бы все, как есть. Надпись существует, текст ей известен, и нет никакой необходимости вытаскивать ее на свет божий. В конце концов, слой краски, покрывавший ее в течение пяти столетий, тоже составляет часть истории фламандской доски.

В студии продолжал звучать саксофон, и его звуки отгораживали Хулию от всего остального мира. Она осторожно провела пропитанным растворителем тампоном по фигуре Роже Аррасского, по его лицу, обращенному к зрителю почти в профиль, и снова, уже в который раз, задумалась, вглядываясь в него. Опущенные веки, тонкие штрихи морщинок у глаз, сосредоточенный взгляд, устремленный на доску... В своем воображении девушка улавливала отголоски мыслей несчастного рыцаря: в них переплетались любовь и смерть, подобно шагам Судьбы в таинственном балете, разыгрываемом белыми и черными фигурами на клетках шахматной доски, на его собственном, украшенном гербом щите, пробитом стрелой арбалета. И мерцала в полумраке слеза женщины, казалось, поглощенной чтением Часослова — или то была «Поэма о розе и рыцаре»? Безмолвная тень у окна, погруженная в воспоминания о днях юности, наполненных светом, о блеске металла, мягкости ковров, звуке твердых шагов по плитам бургундского двора, о шлеме на руке, о высоком, гордом челе воина, находящегося в расцвете сил и в зените славы, надменного посланника того, другого, с которым ей надлежало пойти под венец из государственных соображений. И о шепоте дам, и о суровых, важных лицах придворных, и о румянце, залившем ее лицо под спокойным взглядом этих глаз, при звуке этого голоса, звенящего, как разящая в битве сталь, и уверенного, каким может быть лишь голос человека, которому хоть раз в жизни довелось во весь опор скакать на врага, выкрикивая имя Всевышнего, своего короля или своей дамы. И о тайне сердца, хранимой долгие годы. И о Молчаливой подруге, о Последней спутнице, терпеливо точащей свою косу, натягивающей тетиву арбалета близ рва восточных ворот.

Краски, картина, студия, вибрирующие в воздухе звуки саксофона — все сливалось и кружилось вокруг Хулии. В какой-то момент, оглушенная, она опустила пинцет и, закрыв глаза, приказала себе дышать глубоко и размеренно, чтобы избавиться от внезапно охватившего ее страха: ей вдруг показалось, что она находится *внутри* картины, что стол вместе с игроками неожиданно оказался слева от нее, а она сама стремительно ринулась вперед, через всю нарисованную комнату, к раскрытому окну, возле которого читала Беатриса Бургундская. Как будто ей стоило только наклониться, перегнуться через подоконник, и она увидела бы то, что находится внизу, у подножия стены: ров восточных ворот, у которого пал Роже Аррасский, пронзенный пущенной в спину стрелой.

Хулии не удавалось успокоиться до тех пор, пока, сунув в рот сигарету, она не чиркнула спичкой. Поднести огонек к концу сигареты оказалось сложной задачей: у нее дрожала рука — так, словно она только что прикоснулась к лику Смерти.

— Это просто шахматный клуб, — сказал Сесар, когда они поднимались по лестнице. — Клуб имени Капабланки.

— Капабланки? — Хулия опасливо заглянула в распахнутую дверь. В зале стояло множество столов, за

III
Шахматная задача

ними — склоненные мужские фигуры, вокруг толпились кучки зрителей.

— Хосе Рауля Капабланки, — пояснил антиквар, беря под мышку трость и снимая шляпу и перчатки. — Он считается лучшим шахматистом всех времен... В мире полным-полно клубов его имени, а турниры — чуть ли не каждый второй называется «Памяти Капабланки».

Они вошли в клуб. Помещение было разделено на три больших зала; в них стояло с дюжину столов, и почти на всех шла игра. В воздухе слышался какой-то особый, характерный гул: он не был шумом, но его нельзя было назвать и тишиной. Он напоминал тот легкий, сдержанный, чуть торжественный шепот, который обычно витает в церкви, наполненной людьми. Кое-кто из игроков и зрителей воззрился на Хулию с удивлением и даже откровенной неприязнью: публика в клубе была исключительно мужская. Пахло табачным дымом и старым деревом.

— А что, разве женщины не играют в шахматы? — поинтересовалась Хулия.

Сесар, который, прежде чем войти в зал, предложил ей свою руку, помедлил пару секунд, будто обдумывая заданный вопрос, потом ответил:

— По правде говоря, я никогда над этим не задумывался. Но здесь, по всей видимости, женщины не играют. Может быть, дома, в перерывах между готовкой и стиркой...

— И ты туда же!

— Это просто так говорится, дорогая. Ты же знаешь, я отношусь к прекрасному полу более чем уважительно.

Навстречу им двинулся немолодой мужчина с обширной лысиной и аккуратно подстриженными усами: сеньор Сифуэнтес, директор Общества любителей шахмат «Хосе Рауль Капабланка». Сесар представил его Хулии. Сеньор Сифуэнтес оказался человеком общительным и разговорчивым.

— У нас числится пятьсот членов, — с гордостью рассказывал он, показывая гостям награды, дипломы и фотографии, украшавшие стены. — Мы также организуем турнир на общенациональном уровне... — Он остановился перед витриной, где было выставлено несколько комплектов шахмат — скорее, старых, чем старинных. — Красивые, правда?.. Разумеется, здесь мы пользуемся исключительно моделью «Стаунтон».

Говоря это, он повернулся к Сесару, как будто ожидая его одобрения, и антиквару не оставалось ничего другого, кроме как придать соответствующее выражение своему лицу.

— Конечно, — кивнул он, и Сифуэнтес ответил улыбкой, преисполненной симпатии.

— Только дерево, — удовлетворенно подчеркнул он. — Никакой там пластмассы.

— Ну еще бы!

Сифуэнтес, довольный, повернулся к Хулии:

— Вам бы следовало зайти сюда как-нибудь в субботу, поближе к вечеру. — Он гордо огляделся вокруг, как мать-наседка, делающая ревизию своему подросшему потомству. — Сегодня-то у нас обычный день: любители, после работы заглянувшие поиграть до ужина, пенсионеры, которые сидят за доской с утра до вечера. Обстановка, как видите, весьма приятная. Весьма...

— Положительная, — подсказала Хулия, несколько неожиданно даже для самой себя. Однако Сифуэнтесу это явно пришлось по душе.

— Вот-вот, положительная. И, как вы можете убе-

Шахматная задача

диться, к нам приходит много молодежи... Вон тот, видите? Это просто какой-то феномен: ему всего девятнадцать, а он уже написал работу на сто страниц, посвященную анализу одного из сложных вариантов дебюта Нимцоиндия[1].

— Да что вы говорите! Это же надо: Нимцоиндия... Это звучит... — Хулия отчаянно искала подходящее слово, — это звучит... капитально.

— Ну, не то чтобы капитально, — скромно признал Сифуэнтес, — но это и правда достаточно важный раздел шахматной теории.

Взгляд Хулии, брошенный на Сесара, молил о помощи, но антиквар только поднял бровь с выражением вежливого интереса к их диалогу. Он стоял, заложив за спину руки с тростью и шляпой, и слушал, чуть наклонясь в сторону Сифуэнтеса. Похоже, происходящее забавляло его необычайно.

— Да и я сам, — продолжал Сифуэнтес, ткнув пальцем себе в грудь на уровне первой пуговицы жилета, — несколько лет назад тоже внес свою скромную лепту...

— Что вы говорите! — вставил Сесар, и Хулия взглянула на него с беспокойством.

— Да, да. — Директор шахматного общества привычно изобразил на лице скромную улыбку. — Субвариант системы двух коней в защите Каро-Канн... *Вариант Сифуэнтеса.* — Он с надеждой посмотрел на Сесара. — Может, вам приходилось слышать...

— Безусловно, — с полным самообладанием ответил антиквар.

Сифуэнтес благодарно улыбнулся ему.

---

1 В России дебют известен под названием «Защита Нимцовича». — *Прим. ред.*

— Поверьте, я отнюдь не преувеличиваю, говоря, что в нашем клубе — или обществе любителей шахмат, как я предпочитаю называть его, — встречаются сильнейшие шахматисты Мадрида, а может быть, и всей Испании... — Он прервал сам себя, словно вдруг вспомнив о чем-то. — Я нашел человека, который вам нужен. — Он огляделся по сторонам, и лицо его просветлело. — Да, вот он. Пойдемте со мной, господа.

Хулия и Сесар последовали за ним в глубь одного из залов, к самым задним столам.

— Это оказалось не слишком-то легкой задачей, — говорил на ходу Сифуэнтес, — так что мне пришлось как следует пошевелить мозгами... Ведь вы, — он полуобернулся к Сесару, — просили, чтобы я порекомендовал вам лучшего из лучших.

Они остановились вблизи одного из столов, за которым играли двое мужчин в окружении дюжины зрителей. Один из игроков легонько постукивал пальцами по столу, рядом с доской, склонившись над ней с выражением глубокой сосредоточенности, — именно это выражение видела Хулия на лицах персонажей фламандской доски. Его партнер, которого, казалось, нимало не беспокоило это ритмичное постукивание, сидел неподвижно, слегка откинувшись на спинку деревянного стула; руки его были засунуты в карманы, подбородок уткнулся в узел галстука. Невозможно было понять, изучают ли его устремленные на доску глаза позиции фигур или же этому отрешенному взгляду представляется нечто иное, не имеющее никакого отношения к разыгрываемой партии.

Зрители хранили почтительное молчание, как будто на этой доске решался вопрос жизни и смерти. Фигур на ней уже осталось немного, и они были так

Шахматная задача

перемешаны, что вновь прибывшим не удавалось даже понять, кто играет белыми, а кто черными. Прошло несколько минут. Тот из игроков, кто барабанил по столу, той же самой рукой взялся за белого слона и двинул его вперед, так что он оказался между белым королем и черной ладьей. Сделав ход, игрок бросил короткий взгляд на своего соперника и снова принялся тихонько выбивать пальцами дробь на столе.

Ход белого слона вызвал продолжительное шушуканье среди наблюдателей. Подойдя ближе к столу, Хулия могла видеть, что второй шахматист, который даже не пошевелился, когда его противник сделал ход, теперь сфокусировал свое внимание на выдвинутом вперед слоне. Какое-то время он сидел, пристально глядя на него, затем медленным движением — таким медленным, что до последней секунды было невозможно понять, какую фигуру сейчас подхватят его пальцы, — передвинул черного коня.

— Шах, — произнес он и снова застыл неподвижно на своем стуле, не обращая внимания на поднявшееся вокруг одобрительное перешептывание.

Никто ничего не объяснял Хулии, но в этот момент она поняла, что это тот самый человек, о знакомстве с которым просил Сесар директора шахматного клуба и которого им рекомендовал Сифуэнтес. Не первой молодости — с виду за сорок, среднего роста, очень худой. Волосы зачесаны назад, без пробора, на висках большие залысины. Крупные уши, нос слегка крючковат, темные, глубоко посаженные глаза, словно бы с недоверием взирающие на мир. Ничто в его внешности не говорило о большом уме (качество, по мнению Хулии, непременное для любого шахматиста), а лицо, утомленное и апатичное, не выражало ни малейшего интереса к тому, что происходило вокруг. Хулия разочарованно подумала: он выглядит как человек, умеющий правильно передвигать шахматные фигуры, но и только-то; ничего из ряда вон выходящего он и сам от себя не ждет.

Однако — а может, именно из-за этого выражения бесконечной скуки, написанной на его лице, — когда его соперник передвинул своего короля на одну клетку назад, а он медленно протянул правую руку к фигурам, в этом уголке зала воцарилась гробовая тишина. Хулия — возможно, потому, что она и сама была здесь чужой, — интуитивно почувствовала, к своему удивлению, что зрители относятся к этому человеку без всякой симпатии. Она видела, что эти люди скрепя сердце признают его превосходство в шахматных делах, поскольку как любители они не могли не понимать, как четко, медленно и неумолимо он развивает на доске свое наступление. Но в глубине души — Хулия внезапно отчетливо ощутила это, хотя и сама затруднилась бы объяснить почему, — все они надеялись стать свидетелями какой-нибудь его ошибки и последующего поражения.

— Шах, — повторил игрок. Он сделал всего лишь один, кажущийся весьма простым, ход — передвинул пешку на соседнее поле. Однако его соперник перестал барабанить пальцами по столу и прижал их к виску, словно желая угомонить биение беспокойной жилки. Затем шагнул белым королем также на одну клетку: на сей раз назад, по диагонали. Он имел в своем распоряжении три возможных убежища, но по какой-то непонятной для Хулии причине выбрал именно это. Шепот восхищения, поднявшийся вокруг, вроде бы говорил о чрезвычайном остроумии этого хода, но первый игрок остался невозмутим.

— Так был бы мат, — проговорил он, и в тоне его

Шахматная задача

не прозвучало даже малейшего намека на торжество: он просто констатировал объективный факт. Однако не прозвучало в нем и сочувствия. Первый игрок произнес эти слова до того, как сделать свой ход, будто не желая сопровождать их практической демонстрацией. И лишь потом, как бы нехотя, с полным равнодушием к недоверчивым взглядам своего противника и большинства зрителей, он провел, словно из дальнего далека, своего слона по белой диагонали из конца в конец и поставил его в непосредственной близости от вражеского короля, однако не прямо угрожая ему. Вокруг стола снова вспыхнул шепот комментариев. Хулия, сбитая с толку, взглянула на доску: она мало что понимала в шахматах, но уж, во всяком случае, знала, что шах и мат означают прямую угрозу королю. А этот белый король, похоже, находился в безопасности. Хулия перевела вопросительный взгляд на Сесара, потом на Сифуэнтеса. Директор добродушно улыбался, с восхищением покачивая головой.

— Действительно, тут был бы мат в три хода, — сообщил он Хулии. — Что бы ни сделал дальше белый король, он был обречен.

— Тогда я вообще ничего не понимаю! — воскликнула Хулия. — Что там произошло?

Сифуэнтес тихонько рассмеялся:

— Именно этот белый слон мог нанести решающий удар. Хотя до последнего хода никому из нас не удавалось разглядеть такую возможность... Но дело в том, что этот кабальеро, отлично зная, какой ход ему надлежит сделать, не собирается делать его. Вот сейчас он двинул своего слона только для того, чтобы продемонстрировать нам этот ход. Видите, он поставил его не на то поле, а в таком положении слон абсолютно безобиден.

— Тем более не понимаю, — пожала плечами Хулия. — Он что — не хочет выигрывать?

Директор клуба имени Капабланки тоже пожал плечами в ответ:

— В том-то и вся загвоздка... Он ходит сюда уже пять лет, и он лучший шахматист из всех, кого я знаю, но я ни разу не видел, чтобы он выиграл хоть одну партию.

В этот момент странный игрок поднял голову и встретился глазами с Хулией. И в одно мгновение вся его невозмутимая уверенность улетучилась, как будто, закончив партию и снова обратив свои взоры на окружающий мир, он вдруг лишился всего, что обеспечивало ему зависть и уважение других. Лишь теперь Хулии бросились в глаза его не отличавшийся особым вкусом галстук, коричневый пиджак с поперечными замятинами на спине и пузырями на локтях, плохо выбритый подбородок, синеватый от уже успевшей пробиться щетины: он явно брился в пять или шесть утра — прежде чем торопливо выскочить из дому и ринуться к метро или автобусной остановке, чтобы вовремя поспеть на работу. Даже взгляд его изменился — погас, стал тусклым и невыразительным.

— Разрешите представить вам, — произнес Сифуэнтес, — это сеньор Муньос, шахматист.

———————

IV

Третий игрок

> — Задумайтесь вот над чем, Ватсон, —
> проговорил Холмс. —
> Разве не любопытно убедиться в том,
> что иногда для того, чтобы разобраться в прошлом,
> оказывается необходимо знать будущее?
> *Р. Смаллиэн[1]*

— Это вполне реальная партия, — сказал Муньос. — Немного странная, но абсолютно логичная. Последний ход был сделан черными.

— Это точно? — спросила Хулия.

— Точно.

— Откуда вы знаете?

— Знаю.

Разговор этот происходил в студии Хулии, перед фламандской доской, освещенной всеми лампами, какие только были в комнате. Сесар сидел на диване, Хулия присела на столе, Муньос стоял перед картиной, все еще немного растерянный.

— Хотите рюмочку?

— Нет.

— Сигарету?

— Тоже нет. Я не курю.

В атмосфере студии явственно ощущалась нелов-

---

1   Смаллиэн Раймонд — американский профессор логики, автор ряда книг, в том числе: «Шахматные приключения Шерлока Холмса» и «Шахматные приключения арабского рыцаря». — *Прим. ред.*

кость. Шахматист, похоже, чувствовал себя неуютно: он так и не снял своего мятого, наглухо застегнутого плаща, как будто оставляя за собой право в любой момент проститься и уйти без всяких объяснений. Смотрел он угрюмо и недоверчиво; Сесару и Хулии стоило большого труда уговорить его поехать с ними. Вначале, когда они объяснили, с чем пришли к нему, Муньос сделал такое лицо, что комментариев не требовалось: он явно принимал их за пару ненормальных. Потом он насторожился, занял оборонительную позицию. Он просит прощения, если говорит что-то неприятное, но вся эта история с убийствами, совершенными в эпоху Средневековья, и с шахматной партией, нарисованной на доске, выглядит слишком уж странной. И, даже если то, что ему рассказали, правда, он не очень понимает, какое отношение ко всему этому имеет он, Муньос. В конце концов — он повторил это так, словно хотел таким образом внести полную ясность и установить соответствующую дистанцию, — он всего-навсего бухгалтер. Простой служащий.

— Но вы играете в шахматы, — возразил Сесар с нежнейшей улыбкой, на какую только был способен.

Выйдя из клуба, они перешли улицу и уселись в баре напротив, рядом с музыкальным автоматом, из которого лилась монотонная мелодия.

— Да, играю. И что из этого? — В голосе Муньоса не было вызова: только безразличие. — Многие играют в шахматы. И я не понимаю, почему именно я должен...

— Говорят, что вы лучший шахматист клуба.

Муньос взглянул на Сесара с каким-то неопределенным выражением. Хулии показалось, что она чи-

Третий игрок

тает в этом взгляде: может быть, я и правда лучший, но это не имеет никакого отношения к делу. Быть лучшим ровным счетом ничего не значит. Это все равно что быть блондином или иметь плоскостопие, но не обязательно же выставлять это напоказ.

— Если бы было так, как вы говорите, — произнес он после секундной паузы, — я бы выступал на турнирах и других подобных соревнованиях. А я этого не делаю.

— Почему?

Муньос скользнул взглядом по своей пустой чашке из-под кофе и пожал плечами.

— Просто не выступаю, и все. Чтобы выступать, надо иметь желание. Я имею в виду — желание выигрывать... — Он посмотрел на своих собеседников так, точно был не слишком уверен, что они понимают его слова. — А мне все равно.

— А-а, вы теоретик, — отозвался Сесар, и в его серьезности Хулия уловила скрытую иронию.

Муньос некоторое время задумчиво смотрел на Сесара, словно ему было трудно найти подходящий ответ.

— Может быть, — проговорил он наконец. — Потому-то я и не думаю, что сумею оказаться вам полезным.

Он уже собрался было подняться, но передумал, когда Хулия протянула руку и коснулась его локтя. Это краткое прикосновение было исполнено мольбы, и позже, наедине с Хулией, Сесар, подняв бровь, квалифицировал его как «весьма удачное проявление женственности, дорогая, жест дамы, просящей о помощи, не прибегая к словам и не давая птичке улететь». Даже сам он, Сесар, не сумел бы проделать это лучше; в крайнем случае, у него вырвалось бы какое-нибудь восклицание, абсолютно не подходящее при данных обстоятельствах. Как бы то ни было, Муньос мельком взглянул вниз, на руку Хулии, которую она уже убирала, и остался сидеть, а глаза его скользили по поверхности стола, пока не остановились на его собственных руках с не слишком-то чистыми ногтями, неподвижно лежавших по сторонам чашки.

— Нам необходима ваша помощь, — тихо сказала Хулия. — Дело очень важное, уверяю вас. Важное для меня и для моей работы.

Чуть склонив набок голову, шахматист посмотрел на нее, но не прямо в глаза, а куда-то ниже, на уровне подбородка; он словно опасался, что взгляд в глаза установит между ними некую связь, обяжет его к ответственности, брать которую на себя он не собирался.

— Не думаю, что оно окажется интересным для меня, — ответил он наконец.

Хулия перегнулась к нему через стол:

— А вы попытайтесь представить себе, что речь идет о шахматной партии — абсолютно отличной от всех, какие вам приходилось играть до сих пор. О партии, которую стоило бы выиграть.

— Я не вижу, почему эта партия не такая, как все. Все партии по сути своей всегда одинаковы.

Сесар начал терять терпение.

— Уверяю вас, мой дорогой друг, — нарастающее раздражение антиквара прорывалось в движениях тонких пальцев, которыми он вертел на правой руке перстень с топазом, — что, сколько я ни пытаюсь уяснить себе причину вашей странной партии, мне никак не удается угадать ее... Тогда почему вы вообще играете в шахматы?

IV
Третий игрок

Шахматист чуть задумался. Потом его взгляд снова заскользил по столу, затем вверх, но на сей раз уперся не в подбородок Сесара, а прямо ему в глаза.

— Пожалуй, — спокойно ответил Муньос, — по той же самой причине, по какой вы являетесь гомосексуалистом.

Словно порыв ледяного ветра пронесся над столом. Хулия торопливо достала и закурила сигарету. Ее привела в ужас бестактность шахматиста. Однако в его словах она не уловила ни издевки, ни агрессивности. Что же касается Муньоса, он смотрел на антиквара с выражением учтивого внимания, как будто между ними происходил какой-то обыденный разговор и он просто ждал ответа почтенного собеседника на свою реплику. В этом взгляде Хулия не прочла ни малейшего намерения оскорбить или унизить — скорее, напротив, некую безмятежность, исполненную невинности: так мог бы смотреть турист, который, сам о том не подозревая, нарушил неизвестные ему порядки и обычаи чужой страны.

Сесар же только чуть наклонился поближе к Муньосу: он казался даже заинтересованным, а на тонких бледных губах его играла легкая улыбка человека, находящего сложившуюся ситуацию забавной.

— Мой дорогой друг, — мягко произнес он, — судя по вашему тону и по выражению лица, вы ничего не имеете против того, кем я, тем или иным образом, являюсь... Точно так же, как мне представляется, вы ничего не имели против того белого короля или того партнера, с которым только что сражались там, в клубе. Не так ли?

— Более или менее.

Антиквар повернулся к Хулии:

— Ты понимаешь, принцесса? Все в порядке, нет ни малейшего повода для беспокойства... Этот учтивый кабальеро хотел сказать только, что он играет в шахматы по одной-единственной причине: потому что игра просто заложена в самой его природе. — Улыбка Сесара стала еще шире и снисходительнее. — Потому что он просто *не может существовать* безо всех этих задач, комбинаций, обдумывания решений... Что может значить в сравнении со всем этим какой-то прозаический шах или мат? — Он откинулся на спинку стула, глядя Муньосу прямо в глаза, взгляд которых оставался все таким же невозмутимым. — Так вот, я скажу тебе, что это значит. Ровным счетом ничего! — Сесар поднял руки ладонями вверх, точно приглашая Хулию и шахматиста убедиться в правдивости его слов. — Не так ли, друг мой?.. Это всего лишь малоприятная точка в конце игры, вынужденное возвращение к действительности. — Он презрительно сморщил нос. — К реальному существованию, к ежедневной и ежечасной рутине.

Когда Сесар закончил свой монолог, Муньос довольно долго молчал.

— А это забавно, — наконец проговорил он, чуть сузив глаза в некоем подобии улыбки, которая, однако, так и не отразилась на губах. — Пожалуй, вы точно все выразили — точнее некуда. Но мне никогда не приходилось слышать, чтобы кто-нибудь произносил это вслух.

— Что ж, я рад, если оказался первым. — Сесар сопроводил свои слова легким смешком, за который Хулия наградила его неодобрительным взглядом.

Шахматист, казалось, утратил некоторую часть своей уверенности и даже немного растерялся.

IV

Третий игрок

— Что, вы тоже играете в шахматы?

Сесар коротко рассмеялся. Сегодня он невыносимо театрален, подумала Хулия, как, впрочем, всегда, когда находится подходящая публика.

— Я знаю, как ходит та или иная фигура, но и только-то. А это известно практически всем.

Однако дело в том, что у меня эта игра не вызывает никаких эмоций... — Его взгляд, устремленный на Муньоса, стал неожиданно серьезным. — Я, мой многоуважаемый друг, играю в другую игру. Она называется «ежедневная борьба за то, чтобы уклониться от шахов и матов, которые жизнь устраивает нам на каждом шагу». А это уже немало. — Он сделал неторопливый, изящный жест рукой, словно охватывающий их обоих. — И так же, как и вам, дорогой мой, да и всем другим, мне приходится прибегать кое к каким небольшим трюкам, которые помогают мне выжить.

Муньос, все еще в нерешительности, взглянул на входную дверь. В неярко освещенном баре он выглядел усталым, от залегших под глазами теней они казались еще более запавшими. Со своими большими ушами, торчащим над воротником худым костистым лицом с крупным носом Муньос походил на неухоженного тощего дворового пса.

— Хорошо, — сказал он. — Пойдемте посмотрим эту картину.

И вот они сидели в студии Хулии, ожидая приговора Муньоса. Вначале шахматист держался скованно и неловко в чужом доме, в обществе красивой молодой женщины, антиквара со странными сексуальными наклонностями и не менее странной картины, стоявшей перед ним на мольберте. Однако, по мере того как нарисованная шахматная партия все больше овладевала его вниманием, скованность и неловкость исчезали. Первые несколько минут он рассматривал фламандскую доску молча, неподвижно, заложив руки за спину: точно так же, вспомнила Хулия, как любопытные, наблюдавшие в клубе имени Капабланки за чужой игрой. Он занят тем же самым, подумала она, и это была правда. Через некоторое время, в течение которого никто из присутствующих не произнес ни слова, Муньос попросил карандаш и лист бумаги и, снова немного поразмыслив, склонился над столом. Он набрасывал схему партии, время от времени поднимая глаза, чтобы взглянуть на расположение фигур.

— Какого века эта картина? — спросил он, не отрываясь от дела. Он уже успел начертить квадрат и провести несколько горизонталей и вертикалей, разделивших его на шестьдесят четыре клетки.

— Конец пятнадцатого, — ответила Хулия.

Муньос сдвинул брови.

— Датировка очень важна. В то время правила игры в шахматы уже были почти такими же, как сейчас. Но раньше некоторые фигуры ходили иначе... Например, ферзь мог перемещаться по диагонали только на соседнее поле, а позже начал прыгать через три... А королевская рокировка до средних веков вообще была неизвестна. — Он на миг оторвался от рисунка, чтобы вглядеться внимательнее. — Если эта партия на картине игралась по современным правилам, возможно, нам удастся разобраться в ней. Если нет, будет трудно.

— Дело происходило там, где сейчас находится Бельгия, — пояснил Сесар, — в семидесятых годах пятнадцатого века.

— Тогда, думаю, особых проблем не возникнет. По крайней мере, неразрешимых.

IV

Третий игрок

Хулия, встав, подошла к картине, всматриваясь в расположение нарисованных фигур.

— Откуда вы знаете, что последний ход был сделан черными?

— Но это же ясно как день. Достаточно взглянуть на расположение фигур. И на игроков. — Муньос указал на Фердинанда Остенбургского. — Этот, слева, который играет черными и сидит лицом к художнику — или к нам, — более расслаблен, даже несколько рассеян, как будто его внимание обращено не столько на доску, сколько на зрителя... — Муньос указал на Роже Аррасского. — А этот изучает только что сделанный первым ход. Видите, как он сосредоточен? — Он опять склонился над своим чертежом. — Кроме того, есть еще один способ проверить это. В сущности, мы и воспользуемся этим методом. Он называется «ретроспективный анализ».

— Какой анализ?

— Ретроспективный. Он состоит в том, чтобы, исходя из позиции, сложившейся на доске, реконструировать партию в обратном направлении, чтобы выяснить, каким образом сложилась именно данная ситуация... Это нечто вроде игры назад, если так вам более понятно. Принцип индукции: начать с результатов, чтобы докопаться до причин.

— Как у Шерлока Холмса, — заметил Сесар, явно заинтересовавшийся услышанным.

— Да, примерно.

Хулия, обернувшись, недоверчиво смотрела на Муньоса. До этой минуты шахматы были для нее всего лишь игрой, одной из многих, разве что с более сложными правилами, чем, скажем, в домино, и потому требующей больше сосредоточенности и ума.

Поэтому ее так поразило отношение Муньоса к фламандской доске. Было совершенно очевидно, что изображенное на ней трехплановое — зеркало, комната, окно — пространство, в котором жило запечатленное Питером ван Гюйсом мгновение и в котором она сама однажды испытала нечто вроде головокружения благодаря оптическому эффекту, созданному талантом художника, Муньосу (который до этого момента не знал почти ничего ни о картине, ни о странных сопутствующих обстоятельствах) хорошо знакомо. Казалось, он чувствует себя в нем как рыба в воде, абстрагируясь от времени и персонажей — вообще от всего, что не имеет отношения к шахматам, — как будто он разом схватил и принял расположение фигур и самым естественным образом вошел в игру. А кроме того, чем больше Муньос погружался в нарисованную партию, тем меньше оставалось в нем скованности, молчаливости и смущения и тем в большей степени он превращался в того бесстрастного, уверенного игрока, каким Хулия впервые увидела его в клубе имени Капабланки. Точно одно присутствие шахматной доски придавало этому угрюмому, малообщительному, внешне безликому человеку уверенность и решительность.

— Вы хотите сказать, что возможно восстановить, до самого начала, эту партию, изображенную на доске?

Муньос слегка пожал плечами — как всегда, бесстрастно и невозмутимо.

— Не знаю, удастся ли до самого начала... Но, думаю, восстановить несколько ходов нам удастся. — Он взглянул на картину так, будто вдруг увидел ее в новом свете, и повернулся к Сесару: — Полагаю, именно на это и рассчитывал художник.

Третий игрок

— Вот вы и должны это выяснить, — ответил антиквар. — Узнать, кто съел коня.

— Белого коня, — уточнил Муньос. — Из игры выведен только один конь.

— Элементарно, — отозвался Сесар и добавил с улыбкой: — Дорогой Ватсон.

Шахматист проигнорировал шутку либо не захотел принять ее: чувство юмора явно не входило в число его достоинств. Хулия подошла к дивану и села рядом с антикваром, зачарованная происходящим, как маленькая девочка. Муньос уже закончил чертить диаграмму и теперь положил ее перед ними.

— Вот, — начал объяснять он, — позиция, изображенная на картине:

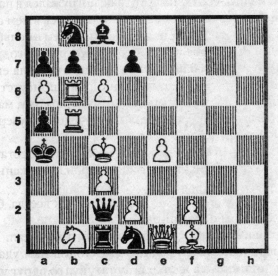

— Как видите, каждой клетке соответствуют определенные координаты, что позволяет легче следить за расположением и перемещением фигур. Мы сейчас видим доску как бы глазами того игрока, что справа...

— Роже Аррасского, — подсказала Хулия.

— Роже Аррасского или нет — в данном случае это не суть важно. Главное то, что, глядя на доску с этой стороны, мы нумеруем клетки по вертикали от одного до восьми — по мере отдаления, а по горизонтали обозначаем их буквами — от a до h. — Объясняя, он указывал карандашом. — Существуют и другие, более техничные, классификации, но боюсь, что вы запутаетесь.

— Каждый значок соответствует фигуре?

— Да. Это принятые обозначения фигур: видите, одни белые, другие черные. Здесь, внизу, я указал, какой из них соответствует каждый знак:

— ...Таким образом, даже если вы очень мало понимаете в шахматах, вам будет легко понять, что, например, черный король находится на клетке a4. И что, к примеру, на клетке f1 стоит белый слон... Вам понятно?

— Абсолютно, — кивнула Хулия.

Муньос продолжил свои объяснения:

— До сих пор мы занимались фигурами, находящимися на доске. Но, для того чтобы проанализировать партию, необходимо разобраться и в тех, которые уже выведены из игры. То есть съедены. — Он взглянул на картину. — Как зовут того, что слева?

— Фердинанд Остенбургский.

— Так вот, Фердинанд Остенбургский, который играет черными, съел у своего противника следующие белые фигуры:

— ...То есть: слона, коня и две пешки. Роже Аррасский, в свою очередь, съел у своего соперника вот эти фигуры:

— ... В общей сложности четыре пешки, ладью и слона. — Муньос задумался, глядя на диаграмму. — Если смотреть на эту партию с точки зрения преимущества, то оно на стороне белых: ладья, пешки и так далее. Однако, если я правильно понял, вопрос заключается не в преимуществе, а в том, кто — то есть какая фигура — съел белого коня. Очевидно, что это сделала одна из черных фигур: это ясно даже воробью. Но тут следует двигаться без поспешности, шаг за шагом, с самого начала. — Он взглянул на Сесара, потом на Хулию, словно извиняясь за сказанное. — Нет ничего более обманчивого, чем очевидный факт. Этот логический принцип вполне приложим и к шахматам: то, что кажется очевидным, далеко не всегда является тем, что произошло или вот-вот произойдет на самом деле... Короче говоря, наша задача состоит в том, чтобы выяснить, какая из черных фигур, еще находящихся в игре или уже выведенных из нее, съела белого коня.

— Или кто убил рыцаря, — уточнила Хулия.

Муньос сделал уклончивый жест:

— Меня это уже не касается, сеньорита.

— Можете называть меня просто Хулия.

— Ну, так меня это уже не касается, Хулия... — Он вгляделся в листок со схемой с таким выражением, как будто там был записан сценарий беседы, нить которой он потерял. — Думаю, вы заставили меня прийти сюда для того, чтобы я сказал вам, какая фигура съела этого коня. Если в процессе этого исследования вам обоим удастся прийти к каким-либо выводам или разгадать какую-то загадку — отлично. — В его взгляде появилось больше уверенности, словно он черпал ее в своих шахматных познаниях. — В любом случае, этим должны заниматься вы. Я — всего лишь случайный гость. Я ведь просто шахматист, и все.

Сесар нашел его слова резонными.

— Я ничего не имею против такого расклада. — Он повернулся к Хулии. — Он будет анализировать ходы, а мы — находить для них соответствующее толкование. Это называется — работать в команде, дорогая.

Кивнув, она закурила еще одну сигарету и затянулась. Ей было слишком интересно, чтобы заострять внимание на подобных формальных мелочах. Она положила свою руку на руку Сесара, ощутив мягкое и равномерное биение его пульса на запястье, потом уселась на диван и закинула ногу на ногу.

— Сколько времени нам понадобится?

Шахматист почесал плохо выбритый подбородок.

— Не знаю. Полчаса, неделя... Все зависит от обстоятельств.

— От каких?

— От многих. От того, насколько мне удастся сосредоточиться. И от того, повезет мне или нет.

— Вы могли бы начать прямо сейчас?

— Конечно. Я уже начал.

— Ну так вперед!

Но в этот момент зазвонил телефон, и шахматную партию пришлось отложить.

Потом, много позже, Хулия уверяла, что она предчувствовала, о чем пойдет речь, хотя сама же признала, что очень легко утверждать подобные вещи *a posteriori*[1].

Уверяла она также, что в тот момент четко осознала, как ужасно все осложняется. На самом деле, как она вскоре поняла, осложнения начались значительно раньше и успели переплестись необратимо, хотя до того момента и не проявлялись в своей самой неприятной форме. В общем-то, можно сказать, они начались еще в тысяча четыреста шестьдесят девятом году, когда тот наемник, вооруженный арбалетом, — темная пешка, чье имя кануло во тьму веков, чтобы никогда не всплыть из нее, — натянул смазанную жиром тетиву своего оружия и укрылся поблизости от рва восточных ворот остенбургского замка, терпеливо, как охотник, поджидая человека, за жизнь ко-

---

1 Впоследствии, задним числом *(лат.)*.

торого ему было заплачено позвякивавшими теперь в его кошельке золотыми монетами.

Вначале полицейский не произвел на Хулию слишком уж неприятного впечатления, учитывая данные обстоятельства и то, что он был полицейским; хотя факт его принадлежности к группе по расследованию преступлений, связанных с предметами искусства, похоже, не намного отличал его от других его коллег. Влияние мира, в котором протекала его профессиональная деятельность, сказывалось — если сказывалось — лишь в преувеличенно вежливой манере произносить «добрый день» и «садитесь, пожалуйста» и в довольно сносно завязанном галстуке. Кроме того, он говорил неторопливо, не слишком подавляя собеседника, и часто, впопад и невпопад, кивал, как бы соглашаясь с его словами; хотя Хулии так и не удалось понять, что это у него: тик, профессиональный прием, имеющий целью внушить доверие допрашиваемому, или стремление дать понять, что он уже напал на след. А вообще это был толстый, небольшого роста человек в коричневом костюме и с забавными длинными, на мексиканский манер, усами. Что же касается искусства как такового, главный инспектор Фейхоо скромно считал себя любителем: он коллекционировал старинные кинжалы.

Хулия узнала обо всем этом в кабинете полицейского участка на Пасео-дель-Прадо в первые же пять минут, последовавших за изложением главным инспектором Фейхоо некоторых мрачных подробностей смерти Альваро. Профессора Ортегу нашли в ванной с разбитым черепом: он поскользнулся, принимая душ. Это был прискорбный факт. Может быть, поэтому инспектор, казалось,

Третий игрок

страдал не меньше Хулии, рассказывая ей, при каких обстоятельствах труп был обнаружен уборщицей. Однако самое неприятное (тут Фейхоо некоторое время колебался, выбирая слова, прежде чем сокрушенно взглянуть на девушку, будто приглашая ее задуматься над горькой человеческой долей) состояло в том, что медицинское обследование выявило кое-какие тревожные детали: не представлялось возможным точно установить, была ли эта смерть случайной или насильственной. Иными словами, не исключено (инспектор дважды повторил *не исключено*), что причиной перелома основания черепа явился удар, нанесенный каким-то твердым предметом, ничего общего не имеющим с ванной.

— Вы имеете в виду, — Хулия, не веря своим ушам, оперлась на стол, — что кто-то мог убить его, пока он принимал душ?

Полицейский изобразил на лице выражение, явно имевшее целью убедить ее воздержаться от слишком далеко идущих суждений.

— Я только сказал, что это не исключено. Результаты визуального осмотра и первичной аутопсии укладываются в версию о несчастном случае. В общих чертах.

— В общих чертах?.. О чем вы говорите?

— О том, что мы имеем. О некоторых деталях — таких, как характер перелома, положение трупа... В общем, это технические подробности, в которые я предпочитаю вас не посвящать, но которые приводят нас в некоторое недоумение. Другими словами, разумные сомнения.

— Это просто смешно.

— Я почти согласен с вами. — Мексиканские усы сочувственно обвисли. — Но, если эти сомнения получат подтверждение, сложится совершенно иная картина: профессор Ортега был убит ударом в затылок... После чего его могли, раздев, перенести в ванну и включить воду, чтобы имитировать несчастный случай... В настоящий момент проводится еще одно врачебное обследование, поскольку есть вероятность, что покойный получил не один, а два удара: первый — чтобы свалить его, второй — чтобы убедиться, что он мертв. Разумеется, — Фейхоо откинулся на спинку стула и, сложив руки, кротко взглянул на девушку, — это не более чем гипотеза.

Хулия продолжала смотреть на своего собеседника, как человек, чувствующий, что над ним зло подшутили. Ее мозг отказывался воспринять услышанное, непосредственно соотнести Альваро с тем, о чем говорил инспектор Фейхоо. Какой-то голос внутри нее самой нашептывал, что, несомненно, тут просто произошла ошибка, путаница; наверняка ей рассказывают о ком-то другом. Ведь это же абсурд — представить себе Альваро — того самого, которого она так хорошо знала, — убитым, как кролик, ударом в затылок, голым, с открытыми глазами, под льющейся из душа ледяной струей. Это просто глупо, этого не может быть... Она мысленно спросила себя: интересно, успел ли сам Альваро отметить, насколько нелепо все происходящее.

— Давайте попробуем представить себе на мгновение, — заговорила она после недолгого раздумья, — что эта смерть не была случайной... У кого могли быть причины, чтобы убить его?

— Очень хороший вопрос, как говорят в кино... — Полицейский прикусил нижнюю губу, придав лицу выражение профессиональной осторожности. — Откровенно говоря, даже не представляю себе, у кого бы могли иметься такие причины. — Он сделал короткую паузу и устремил на Хулию безмятежно-честный (слишком уж честный, чтобы быть искренним) взгляд, как бы говоря: вот, смотрите, я раскрываю перед вами все свои карты. — Вообще-то я надеюсь на ваше сотрудничество в этом вопросе.

— На мое? Почему?

Инспектор нарочито медленно окинул взглядом всю ее, с головы до ног. Его любезность исчезла, а в глазах читался некий едва скрытый грубоватый интерес, намекающий на возможность причастности Хулии к происшедшему.

— Вы находились в определенных отношениях с покойным... Прошу простить, но моя служба налагает некоторые неприятные обязанности. — Однако, судя по самодовольной усмешке, пробивавшейся сквозь густые усы, в этот момент упомянутые обязанности не казались ему слишком уж неприятными. Инспектор сунул руку в карман, извлек коробок спичек с названием известного ресторана на этикетке и движением, претендующим на галантность, поднес огонек к сигарете, которую Хулия только что сунула в рот. — Я имею в виду ваш... вашу... гм... историю. Я не ошибся — она действительно имела место?

— Имела, имела. — Хулия, прищурив глаза, яростно выдохнула струю дыма. Она испытывала неловкость и раздражение. Он сказал «историю», сведя к этому простому слову целый отрезок жизни, рана от которого еще кровоточила. И наверняка, подумала она, этот толстый вульгарный тип с идиотскими усами усмехается про себя, оценивая взглядом качество товара. А подружка покойничка-то — ничего себе, в самом соку, бросит он коллегам, когда они спустятся в служебный бар выпить по кружке пива, я бы и сам с удовольствием... хе-хе...

Однако другие аспекты нынешней ситуации беспокоили ее куда больше. Альваро был мертв. Возможно, убит. Сама она, как это ни абсурдно, находилась в полицейском участке, и имелось достаточно разных темных моментов, которые она не понимала. А непонимание некоторых вещей порой оказывается весьма опасным.

Она чувствовала, что все тело ее напряжено до дрожи, словно в ожидании нападения. Она взглянула на Фейхоо: вся его любезность и добродушие исчезли без следа. То был просто тактический прием, сказала она себе. Однако, стараясь быть объективной, решила, что у инспектора имеются свои соображения и причины для того, чтобы вести себя подобным образом. В конце концов, он всего-навсего полицейский, выполняющий свою работу, такой же тупой и вульгарный, как и любой другой. Она попыталась взглянуть на дело его глазами. С его точки зрения, она, Хулия, вполне подходящая подозреваемая: бывшая подружка покойника. Единственная ниточка, находящаяся у него в руках.

— Но эта история уже в прошлом. — Хулия стряхнула пепел с сигареты в девственно чистую пепельницу на столе Фейхоо, в которой лежали скрепки. — Она закончилась год назад... Вам бы следовало быть в курсе.

Инспектор, облокотившись на стол, наклонился поближе к ней.

— Да, — произнес он почти доверительным тоном, который, по-видимому, должен был убедить ее, что они работают в одной команде и что он на ее стороне. Потом улыбнулся, и его улыбка, казалось, относилась к некой тайне, которую он намеревался хранить самым ревностным образом. — Но ведь вы встречались с ним три дня назад.

Хулии удалось скрыть свое удивление. Она смотрела на полицейского с видом человека, который только что услышал неимоверную глупость. Ну, разумеется, Фейхоо побывал на факультете. Любая секретарша или швейцар могли сказать ему, что Хулия появлялась там. С другой стороны, у нее не было причин скрывать цель своего визита.

— Я ездила к нему за информацией по поводу одной картины, реставрацией которой я сейчас занимаюсь. — Ее удивило, что полицейский ничего не записывает, и она предположила, что это является частью его метода: люди всегда говорят свободнее, когда считают, что их слова тут же рассеиваются в воздухе. — Мы беседовали около часа в его кабинете... впрочем, думаю, это вам отлично известно. Более того: мы договорились встретиться позже, но больше я его не видела.

Фейхоо вертел в руках коробок спичек.

— О чем вы тогда говорили, если вы не сочтете меня чересчур нескромным?.. Надеюсь, вы, принимая во внимание ситуацию, простите мне вопросы такого... гм... личного характера. Уверяю вас, я задаю их только потому, что так положено.

Не отвечая, глядя ему прямо в глаза, Хулия затянулась сигаретой и лишь потом медленно покачала головой.

— Похоже, вы держите меня за идиотку.

Полицейский чуть выпрямился на стуле, сощурив глаза:

— Простите, я не понимаю, что вы имеете ввиду...

— Сейчас я вам скажу, что я имею в виду. — Хулия

резким движением впечатала свою сигарету в кучку скрепок, проигнорировав жалобный взгляд, который Фейхоо метнул на пепельницу. — У меня нет абсолютно никаких причин, чтобы не отвечать на ваши вопросы. Но вот что: прежде чем продолжить, прошу вас сказать мне, что все-таки произошло с Альваро, — поскользнулся он или...

— Вообще-то... — с некоторой запинкой произнес Фейхоо, — вообще-то я не располагаю неопровержимыми...

— Ладно, тогда тема закрыта. Но если вы считаете, что со смертью Альваро не все ясно, и просто стараетесь «разговорить» меня, то я хочу выяснить сейчас же, что это у нас с вами — просто беседа или же вы допрашиваете меня в качестве подозреваемой... Потому что, если дело обстоит именно так, я либо немедленно уйду, либо потребую присутствия адвоката.

Полицейский примирительно поднял руки ладонями вверх.

— Ну, об этом еще рано говорить. — Он, криво улыбаясь, ерзал на стуле, как будто снова подбирая нужные слова. — Официально пока считается, что с профессором Ортегой произошел несчастный случай.

— А если ваши хваленые медики в конце концов докажут обратное?

— В таком случае... — Фейхоо сделал неопределенный жест, — в таком случае на вас падет не больше подозрений, чем на любого другого из тех, кто так или иначе поддерживал отношения с покойным. Представляете, какой длиннющий список?

— В этом-то и состоит проблема. Я не могу представить себе человека, способного убить Альваро.

— Ну, это ваше личное мнение. А я смотрю на это

по-другому: разные там студенты, заваленные им на экзаменах, ревнивые коллеги, брошенные любовницы, обиженные мужья... — Он считал, загибая пальцы на руке. — Нет. Ваши свидетельские показания весьма ценны, и вы не можете не признать этого.

— Но почему именно мои? Вы включили меня в раздел покинутых любовниц?

— Я не собираюсь заходить так далеко, сеньорита. Однако вы виделись с ним всего за несколько часов до того, как он раскроил себе череп... Или кто-то ему его раскроил.

— За несколько часов? — На сей раз Хулия действительно растерялась. — Когда он умер?

— Три дня назад. В среду, между двумя часами дня и полуночью.

— Это невозможно. Тут наверняка какая-то ошибка.

— Ошибка? — Выражение лица инспектора разом изменилось: теперь он смотрел на Хулию с откровенным недоверием. — Здесь не может быть никакой ошибки. Время смерти определено медицинским заключением.

— Нет, может и, безусловно, есть: ошибка на сутки.

— Почему вы так думаете?

— Потому что в четверг вечером, на следующий день после нашего разговора, Альваро прислал мне на дом кое-какие документы, которые я у него просила.

— Что за документы?

— Они касаются истории картины, над которой я сейчас работаю.

— Вы получили их по почте?

— Нет, с посыльным, прямо в день отправки.

— Вы помните, из какого агентства был посыльный?

— Да. Из «Урб экспресс». Это было в четверг, около восьми... Как можно это объяснить?

Полицейский скептически посопел в усы.

— Да никак. В четверг вечером Альваро Ортега был уже сутки как мертв, так что он не мог послать вам никаких документов. Кто-то... — Фейхоо сделал паузу, чтобы Хулия поняла его мысль, — кто-то другой сделал это за него.

— Кто-то другой? Но кто?

— Тот, кто его убил, — если только его убили. Или *та*. — Полицейский с любопытством взглянул на Хулию. — Не знаю, почему это мы всегда автоматически полагаем, что преступник — непременно мужчина... — Тут, похоже, что-то пришло ему в голову. — А не прилагалось ли к этим бумагам, присланным якобы Альваро Ортегой, какого-нибудь письма или записки?

— Нет, в пакете были только документы; но, по всей вероятности, прислать их должен был он... Я уверена, что во всем этом есть какая-то ошибка.

— Никаких ошибок. Он умер в среду, а вы получили документы в четверг. Если только не произошла задержка по вине агентства...

— Нет-нет, в этом я уверена. На штемпеле стояло то же самое число.

— С вами был кто-нибудь в тот вечер? Я имею в виду — какой-нибудь свидетель.

— Да, было двое: Менчу Роч и Сесар Ортис де Посас.

Полицейский вытаращил глаза, и на сей раз его удивление казалось неподдельным.

— Дон Сесар? Антиквар с улицы Прадо?

— Он самый. А вы что, знаете его?

Фейхоо чуть поколебался, прежде чем утверди-

Третий игрок

тельно кивнуть. Да, он знаком с доном Сесаром. Некоторые дела, связанные со службой. Но он не знал, что сеньорита Хулия и дон Сесар — друзья.

— Ну, так теперь знаете.

— Да-да.

Некоторое время полицейский постукивал шариковой ручкой по столу. Казалось, он испытывал неловкость и хорошо знал почему. На следующий день об этом узнала и Хулия — из уст самого Сесара. Главный инспектор Касимиро Фейхоо был далеко не образцовым представителем полицейского племени. Его профессиональные отношения с миром искусства и антиквариата позволяли ему в конце каждого месяца добавлять к своему официальному жалованью весьма солидные суммы. Время от времени, когда отыскивались произведения искусства, находившиеся в розыске, кое-что из них исчезало через заднюю дверь. В этих операциях участвовали надежные посредники, отстегивающие главному инспектору проценты от своих доходов. И — бывают же такие совпадения! — одним из этих посредников являлся Сесар.

— В любом случае, — заметила Хулия, все еще сидя в кабинете инспектора Фейхоо, — думаю, наличие двух свидетелей ровным счетом ничего не доказывает. В конце концов, я прекрасно могла сама послать себе эти документы.

Фейхоо молча кивнул, но его взгляд немного смягчился: в нем даже появился оттенок уважения, вызванный, как стало ясно Хулии на следующий день, соображениями исключительно практического характера.

— Дело это и правда весьма странное, — проговорил наконец полицейский.

Хулия смотрела не на него, а прямо перед собой. С ее точки зрения, это дело становилось уже не просто странным, а мрачным и зловещим.

— Я только одного не понимаю: кто мог быть заинтересован в том, чтобы я все-таки получила эти документы?

Фейхоо, покусывая губу, вытащил из ящика письменного стола записную книжку. Усы его висели грустно и озабоченно, пока он, по-видимому, пытался прикинуть все «за» и «против» сложившейся ситуации. Было абсолютно очевидно, что его нимало не радует вся эта катавасия, в которой он ненароком оказался замешан.

— А вот это, — пробормотал он, с явной неохотой берясь за шариковую ручку и начиная писать, — вот это, сеньорита, еще один хороший вопрос.

Она остановилась на пороге участка, ощущая, что за ней с любопытством наблюдает охраняющий двери полицейский в форме. За рядом деревьев, украшающих проспект, виднелся неоклассический фасад музея, освещенный мощными прожекторами, спрятанными в окрестных садиках, среди скамеек, статуй и каменных фонтанов. Моросил дождик — мелкий, еле заметный, но от него блестел асфальт, отражая огни машин и регулярную смену зеленого, желтого и красного на светофорах.

Хулия подняла воротник кожаной куртки и зашагала по тротуару, прислушиваясь к отзвукам своих шагов в пустых подъездах. Машин было мало, и лишь изредка фары освещали ее сзади, отчего длинная узкая тень сначала распласталась у ее ног, затем, быстро укорачиваясь, скользила вбок и назад по мере того, как за спиной нарастал, приближаясь, шум мотора; потом он налетел, размазывая все бледнеющую тень по стене, и машина — теперь просто две рубиновые точки и их отражение на мокром асфальте — удалялась вверх по улице.

Хулия остановилась у светофора. Ожидая, когда загорится зеленый, она искала глазами в темноте другие зеленые огоньки и замечала их в проносящихся мимо «глазках» такси, в светофорах, мигающих вдоль всего проспекта, в светящихся вдали, вместе с синими и желтыми, буквах на крыше высокой стеклянной башни, на последнем этаже которой, судя по непогасшим окнам, кто-то еще работал или наводил чистоту в этот поздний час. Зажегся зеленый. Хулия перешла улицу, теперь ища глазами красные огоньки, чаще попадающиеся в большом городе в ночное время, но прямо перед ней вспыхнула, ослепив голубым блеском, «мигалка» полицейской машины, проскользнувшей, не включая сирены, как безмолвная черная тень. Красные огоньки автомобилей, зеленый свет светофора, синий неон, голубая «мигалка»... Вот гамма цветов, подумала она, чтобы изобразить этот странный пейзаж, вот палитра, необходимая для картины, которую можно было бы выставить в галерее Роч под ироническим названием «Ноктюрн», хотя Менчу наверняка потребовала бы разъяснений. И все надлежащим образом сочетается с различными оттенками черного: черного, как тьма, черного, как мрак, черного, как страх, черного, как одиночество.

Ей на самом деле страшно? При других обстоятельствах этот вопрос мог бы послужить отличной темой для интеллектуальной беседы: в приятном обществе одного-двух друзей, в уютной теплой комнате, у камина, с уже наполовину опорожненной бутылкой. Страх как неожиданный фактор, как потрясающее все твое существо осознание реальности, которую ты внезапно открыл для себя, хотя она всегда существовала рядом. Страх как сокрушительный финал несознания или как разрушение состояния благодати. Страх как грех.

Однако, бредя среди вечерних огоньков, Хулия была не способна смотреть на это просто как на философскую проблему. Разумеется, ей и прежде доводилось испытывать, пусть в меньшей степени, то же самое чувство. Вид спидометра, стрелка которого давно отклонилась за все разумные пределы, пейзаж стремительно несется навстречу справа и слева, а прерывистая белая полоса на асфальте кажется бесконечной очередью трассирующих пуль, поглощаемых ненасытным брюхом автомобиля. Или то неприятное ощущение пустоты, бездонной глубины и синевы, когда в открытом море бросаешься в воду с борта яхты и плывешь, чувствуя, как скользит вода по обнаженной коже, и отчетливо сознавая, что твердая земля находится слишком далеко от твоих ног. И даже тот смутный ужас, который охватывает нас во время кошмарного сна и не исчезает до конца, даже когда открываешь глаза и оказываешься в своей спальне, среди знакомой обстановки.

Но тот страх, который только что обнаружила в себе Хулия, был другого рода. Новый, необычный, незнакомый до сих пор, отмеченный тенью Зла — Зла с большой буквы, первой буквы того, от чего произошли страдания и боль. Зла, способного открыть кран душа над лицом убитого человека. Зла, которое возможно изобразить лишь краской, черной, как тьма, черной, как мрак, черной, как одиночество. Зла, начинающегося с той же буквы, что «зверство» и «злодейство».

IV

Третий игрок

Злодейство. Это всего лишь гипотеза, сказала она себе, глядя на собственную тень на асфальте. Бывает, что человек поскользнется в ванне, или свалится с лестницы, или перебежит улицу на красный свет — и погибнет. Эти полицейские и представители судебной медицины тоже иногда слишком умничают и усматривают то, чего не было: так сказать, издержки профессии. Все это верно, да, но все же кто-то прислал ей бумаги, подготовленные Альваро, тогда, когда самого Альваро уже сутки не было в живых. Это была уже не гипотеза: документы лежали у нее дома, в ящике письменного стола. Это было реально.

Она вздрогнула и оглянулась через плечо, чтобы убедиться, что никто не идет за ней. И, хотя и не верила, что такое может случиться, она действительно увидела кого-то. Издали и в темноте было трудно понять, идет этот человек именно за ней или нет, однако примерно в полусотне метров, в том же направлении, что и она, двигался чей-то силуэт, временами выходя на освещенное пространство и довольно ясно вырисовываясь на фоне фасада музея, временами исчезая в тени деревьев.

Хулия пошла дальше, глядя перед собой. Все ее тело, каждая его мышца трепетали, силясь подавить неудержимое стремление броситься бежать очертя голову — точно так же, как в детстве, когда она с бьющимся в горле сердцем проходила через темный подъезд своего дома, чтобы, очутившись у лестницы, взбежать по ней, перепрыгивая через две ступеньки, и лихорадочно нажать кнопку звонка. Но ей на помощь пришла логика взрослого человека, мыслящего «нормальными» категориями. Броситься бежать только из-за того, что кто-то в пятидесяти метрах позади нее идет в том же направлении, было не только глупо, но и смешно. С другой стороны, подумала она затем, фланировать прогулочным шагом по не слишком-то освещенной улице, имея за спиной потенциального убийцу — если даже это не более чем гипотеза, — не просто глупо, а равносильно самоубийству. Некоторое время мысли ее были заняты борьбой между этими двумя соображениями, наконец, отодвинув страх на отдаленный в разумных пределах второй план, она решила, что это воображение норовит сыграть с ней злую шутку. Глубоко вдохнув прохладный воздух и мысленно подшучивая над самой собой, она, чуть повернув голову, оглянулась — и заметила, что расстояние между ней и неизвестным сократилось на несколько метров. И тут ее снова охватил страх. Может быть, Альваро *действительно* убили, а потом тот, кто это сделал, переслал ей бумаги, касающиеся картины. Возникала некая связь между «Игрой в шахматы», Альваро, Хулией и предполагаемым, потенциальным или как, черт побери, он там называется убийцей. Ты по уши завязла в этой истории, сказала она себе и уже не сумела найти предлога, чтобы посмеяться над собственными страхами. Она огляделась вокруг, ища кого-нибудь, к кому можно было бы обратиться с просьбой о помощи или просто, вцепившись в его руку, умолить проводить ее — как можно дальше отсюда. Подумала она и о том, чтобы вернуться в полицейский участок, но тут имелось одно препятствие: неизвестный отрезал ей дорогу к нему. Может быть, такси? Но нигде не мелькало ни единого зеленого огонька — огонька надежды. Хулия почувствовала, что у нее пересохло во рту и язык прилип к гортани. Спокойно, сказала она себе. Спокойно, идиотка, а то и вправду окажешься в беде. И ей удалось успокоиться — ровно настолько, чтобы броситься бежать.

Жалобный голос трубы, надрывный и одинокий. На проигрывателе — пластинка Майлса Дейвиса, в комнате — полумрак, среди которого лишь одно яркое пятно: фламандская доска, освещенная стоящей на полу небольшой складной лампой. Тиканье часов на стене, оттеняемое легким металлическим призвуком всякий раз, как маятник достигает крайнего правого положения. Дымящаяся пепельница, на ковре у дивана — стакан с остатками водки со льдом; на диване — Хулия, сидящая, подобрав ноги и обхватив руками колени. На лицо ей упала прядь волос, глаза с расширенными зрачками устремлены на картину, но видят ее нечетко: они направлены на некую идеальную точку, расположенную за поверхностью картины, между ней и виднеющимся на самом дальнем плане пейзажем, где-то между шахматистами и дамой, сидящей у окна.

Хулия не знала, сколько времени уже сидела так, не меняя позы, чувствуя, как музыка легко колышется в ее мозгу вместе с водочными парами, и ощущая кожей обнаженных рук тепло своих коленей. Временами в полумраке студии высоко взмывала какая-нибудь отдельная нота, и тогда Хулия медленно, в такт мелодии, покачивала головой. Я люблю тебя, труба. Сегодня ночью ты моя единственная подруга, приглушенная и тоскливая, как печаль, которой исходит моя душа. Звук скользил, плыл по темной комнате и по другой, освещенной, где молчаливые игроки продолжали свою шахматную партию, и вырывался из окна, распахнутого над озарявшими улицу фонарями. Может быть, там, внизу, кто-то, скрытый тенью дерева или подъезда, смотрел вверх, прислушиваясь к музыке, которая лилась из другого окна — нарисованного на картине, и плыла к зелени и охре далекого пейзажа, среди которого виднелся, едва прочерченный тончайшей кисточкой, крошечный шпиль словно бы игрушечной колокольни.

V

Тайна
черной королевы

Начиная борьбу, я понимал,
что вступаю «во владения Кощея».
Я еще не знал правил этой борьбы.

Г. Каспаров

Из-за стекла витрины Октавио, Лусинда и Скарамуч-ча наблюдали за ними своими раскрашенными фарфоровыми глазами — неподвижно, в уважительном молчании. Витраж в свинцовом переплете разбивал льющийся сквозь него поток света на разноцветные ромбы, которые, ложась на бархатный пиджак Сесара, превращали его в подобие костюма Арлекина. Никогда еще Хулия не видела своего друга таким молчаливым, тихим, таким похожим на терракотовые, бронзовые и мраморные статуи, расставленные тут и там среди картин, хрусталя и ковров его антикварного магазина. Да и вообще оба они — и Сесар, и Хулия, — казалось, являлись частью этой живописной обстановки, напоминающей скорее декорации какого-то причудливого фарса, чем тот реальный мир, в котором проходила большая часть их жизни. Сесар сегодня выглядел особенно изысканно — на шее шелковый платок цвета бордоского вина, в пальцах зажат длинный мундштук из слоновой кости, — да и сидел в классической позе, почти гётевской, в падавших на него разноцветных лучах: нога на ногу, одна рука с давно переставшей быть нарочитой небрежностью покоится на другой, держащий мундштук, шелковистые снежно-белые волосы, а над ними — ореол золотистого, красного и голубого света. На Хулии была черная блузка с кружевным воротником, и ее венецианский профиль отражался в большом зеркале, в глубине которого теснились мебель красного дерева, шкатулки, инкрустированные перламутром, гобелены, старинные ткани, облупившиеся резные готические статуэтки на высоких витых подставках и среди них — бронзовая фигура обнаженного гладиатора: поверженный, он рухнул навзничь, прямо на свое выпавшее из рук оружие, и теперь, приподнявшись на локте, покорно и отрешенно ожидал приговора невидимого, но всемогущего императора — поднимет ли он большой палец, опустит ли?

— Я боюсь, — призналась Хулия, и Сесар ответил на ее слова жестом, выражавшим одновременно заботу и бессилие. Легким жестом, исполненным благородства и беспомощной солидарности. Жестом любви, сознающей ограниченность своих возможностей, выразительным и изящным движением руки, под тонкой кожей которой в золотистом свете чуть голубели вены. Такой жест мог адресовать придворный восемнадцатого века глубоко почитаемой им даме при виде еще отдаленного силуэта гильотины, к которой везла обоих роковая повозка.

— Возможно, ты придаешь этому слишком большое значение, дорогая. Или, по крайней мере, спешишь с выводами. Пока еще никто не доказал, что Альваро не поскользнулся в ванне.

— А документы?

— Этому, должен сознаться, я не нахожу объяснения.

Хулия склонила голову набок так, что концы волос легли ей на плечо. Перед ее мысленным взором роились тревожные видения, порожденные душевным смятением.

— Сегодня, когда я проснулась, первая мысль была: Господи, сделай так, чтобы все это оказалось просто досадной ошибкой...

— А может, именно так оно и есть. — Антиквар ненадолго задумался над вероятностью такой версии. — Насколько мне известно, полицейские и судебные медики честны и непогрешимы только в кино. Да и то не всегда. Во всяком случае, у меня сложилось такое мнение.

Он невесело, словно через силу, усмехнулся. Хулия смотрела на него широко раскрытыми глазами, не особенно прислушиваясь к словам.

— Альваро убит... Ты понимаешь?

— Не мучай себя, принцесса. Это всего лишь изощренная полицейская гипотеза... А с другой стороны, тебе не следовало бы так много думать о нем. С ним все кончено, он ушел. В любом случае, он ушел еще раньше.

— Да, но не так.

— Так или иначе — какая разница? Ушел — и все.

— Это слишком ужасно.

— Да. Но что толку все время говорить об этом?

— Что толку? Альваро погиб, меня допрашивают, я чувствую, что за мной кто-то следит — кто-то, кого интересует моя работа над «Игрой в шахматы»... И тебя удивляет, что я говорю об этом? А что еще мне остается делать?

— Все очень просто, девочка. Если это тревожит тебя до такой степени, ты можешь вернуть картину Менчу. Если ты действительно считаешь, что смерть Альваро не была несчастным случаем, запри на некоторое время свою квартиру и поехали путешествовать. Мы можем провести две-три недели в Париже: у меня там как раз накопилось много дел... Главное — чтобы ты побыла подальше отсюда, пока здесь все не уляжется.

— А что здесь происходит?

— Не знаю. Самое скверное, что мы с тобой даже и понятия не имеем об этом. Меня — как, надеюсь, и тебя — не слишком тревожило бы то, что произошло с Альваро, если бы не эта история с документами... — Он взглянул на нее и как-то неловко улыбнулся. — Впрочем, должен сознаться, что меня это тревожит, потому что по натуре я отнюдь не герой... Может быть, кто-то из нас, сам того не подозревая, открыл нечто вроде сосуда Пандоры...

— Ты имеешь в виду картину, — скорее утвердительно, чем вопросительно произнесла Хулия. — Закрашенную надпись.

— Несомненно. Похоже, все началось именно с нее.

Хулия обернулась к своему отражению в зеркале и всмотрелась в него долгим взглядом, как будто не узнавая черноволосую молодую женщину, молча глядящую на нее большими темными глазами, под которыми залегли голубоватые тени, оставленные бессонницей.

— Может быть, они хотят и меня убить, Сесар.

Пальцы антиквара стиснули мундштук из слоновой кости.

— Пока я жив, этого не случится. — Сквозь его обычную сдержанность и достоинство на миг вдруг проглянуло выражение агрессивной решимости, голос прозвучал неожиданно резко и высоко, как голос женщины. — Я могу быть самым большим трусом на свете, дорогая, и даже больше того, но тебе никто не причинит вреда, пока в моих силах предотвратить это.

Хулии только оставалось растроганно улыбнуться в ответ.

— Что мы можем сделать? — спросила она, помолчав.

Сесар, наклонив голову, задумался.

— Пожалуй, пока рано предпринимать что бы то ни было, — проговорил он после недолгого размышления. — Мы ведь еще не знаем, что все-таки было причиной смерти Альваро.

— А документы?

— Я уверен, что кто-то где-то даст ответ на тот вопрос. А суть его, полагаю, вот в чем: повинен ли тот, кто прислал тебе документы, в гибели Альваро или одно не имеет никакого отношения к другому...

— А если подтвердится самое худшее?

Сесар ответил не сразу:

— В таком случае я усматриваю только две возможности. Две классические возможности, принцесса: удрать или продолжать идти вперед. Если взглянуть на это как на дилемму, полагаю, я проголосовал бы за первое; но это, в общем-то, не так уж и важно. Знаешь, я, если хорошенько постараться, могу быть законченным трусом.

Хулия, заложив руки за голову под волосами, размышляла, глядя в светлые глаза антиквара.

— И ты правда мог бы удрать вот так, не узнав, что происходит?

— Правда мог бы. Ты же знаешь: любопытство сгубило кошку.

— Но ведь ты учил меня совсем другому, когда я была маленькой, помнишь?.. «Никогда не выходи из комнаты, не осмотрев всех ящиков».

— Да, но тогда никто не поскальзывался в ваннах.

— Ты просто лицемер. В глубине души тебе до смерти хочется узнать, что происходит.

Антиквар укоризненно сдвинул брови.

— Говорить о моей *смерти*, дорогая, — это, при сложившихся обстоятельствах, весьма дурной тон... Как раз смерть меньше всего привлекает меня — в особенности теперь, когда я почти старик, а меня окружают восхитительные юные создания, помогающие мне переносить бремя преклонного возраста. И твоей смерти я тоже не желаю.

— А если я решу идти дальше, пока не узнаю, что там за тайны вокруг этой картины?

Сесар скривил губы и сделал такие глаза, как будто он даже и не задумывался над подобным вариантом.

— Чего ради тебе это делать? Приведи мне хоть один серьезный довод.

— Ради Альваро.

— В моих глазах это не довод. На момент, когда все это случилось, Альваро уже не играл для тебя такой роли, как прежде; я достаточно знаю тебя, чтобы быть уверенным в этом... А кроме того, как ты мне говорила, он в этом деле вел не слишком-то чистую игру.

— Тогда ради меня самой. — Хулия с вызовом скрестила руки на груди. — В конце концов, речь идет о моей картине.

— А я-то считал, что ты напугана! Ты же сама говорила об этом.

— Я и правда напугана. Прямо до медвежьей болезни.

— Понимаю. — Сесар оперся подбородком на сплетенные пальцы, на одном из которых переливался топаз. — Фактически, — продолжил он после не-

скольких секунд размышления, — речь идет о поисках сокровища. Ведь именно это ты хочешь сказать?..
Как в стародавние времена, когда ты была всего лишь
упрямой девчонкой.

— Как в стародавние времена.

— Какой ужас. Ты и я, мы с тобой?

— Ты и я, мы с тобой.

— Но ты забыла о Муньосе. Мы ведь записали
его в нашу команду.

— Ты прав. Конечно же: ты, я и Муньос.

Сесар усмехнулся. В глазах его заиграли веселые
искорки.

— Тогда придется научить его пиратской песне.
Не думаю, чтобы он знал ее.

— Это уж точно.

— Мы с тобой просто сошли с ума, девочка. —Теперь антиквар смотрел на нее серьезно и пристально. — Ты хоть отдаешь себе отчет?

— Ну и что?

— Это не игра, дорогая... На сей раз это не игра.

Хулия ответила ему невозмутимым взглядом.

Она действительно была очень хороша — с этим
блеском решимости в темных глазах, отражавшимся
и во взгляде ее зеркального двойника.

— Ну и что? — тихо повторила она.

Сесар снисходительно покачал головой. Затем
поднялся, и водопад разноцветных светящихся ром-
бов, скользнув по его спине, расплескался на полу у ног
Хулии. Пройдя в глубь зала, где стоял его письменный
стол, антиквар приподнял висевший на стене старый,
не особенно ценный ковер — плохую копию «Дамы с
единорогом» — и несколько минут рылся в скрытом
под ним, вмонтированном в стену сейфе. Потом вернулся к Хулии с небольшим свертком в руках.

— Возьми, принцесса, это тебе. Маленький подарок.

— Подарок?

— Да. Не обязательно же ждать твоего дня рождения.

Удивленная Хулия приняла сверток и, ощущая его необычную для таких скромных размеров тяжесть, развернула полиэтиленовую пленку, затем кусок промасленной ткани. В руках у нее оказался маленький пистолет — хромированный, с перламутровыми накладками на рукоятке.

— Это «дерринджер» — очень старый, поэтому тебе не придется брать лицензию на ношение оружия, — пояснил антиквар. — Но работает, как новенький, и вполне готов к стрельбе пулями сорок пятого калибра. Видишь, он совсем плоский, так что можешь носить его прямо в кармане... Если в ближайшие дни кто-нибудь подойдет к тебе или начнет бродить вокруг твоего дома, — он взглянул на девушку пристально, без малейшей искорки юмора в усталых глазах, — ты уж сделай мне такое одолжение, достань эту игрушку и продырявь ему голову. Помнишь? Как будто перед тобой сам капитан Крюк.

По возвращении домой в течение получаса Хулии пришлось ответить на три телефонных звонка. Первой позвонила Менчу, встревоженная прочитанной в газетах новостью. По ее словам, во всех сообщениях говорилось только о несчастном случае. Хулии стало ясно, что сам факт смерти Альваро меньше всего волнует приятельницу: ее беспокоило лишь, не возникнут ли из-за этого какие-либо осложнения, могущие повлиять на договоренность с Бельмонте.

Второй звонок оказался для Хулии полной неожиданностью: Пако Монтегрифо приглашал ее поужинать вместе и поговорить о делах. Хулия согласилась, и они договорились встретиться в девять в ресторане «Сабатини». Положив трубку, девушка некоторое время сидела задумавшись, пытаясь найти объяснение этому внезапному проявлению интереса к ее особе. Если дело касалось ван Гюйса, то аукционисту следовало бы переговорить с Менчу или, по крайней мере, пригласить их обеих.

Хулия так и сказала ему во время разговора, однако Монтегрифо ясно дал ей понять, что речь пойдет о чем-то, касающемся только ее и его.

Эти мысли занимали Хулию и пока она переодевалась, и когда, закурив сигарету, уселась перед картиной, чтобы снова приняться за удаление старого лака. Только она приготовила первый тампон, как телефон, стоявший рядом с ней на ковре, зазвонил снова.

Подтянув за шнур аппарат поближе, Хулия сняла трубку. В течение последовавших затем пятнадцати-двадцати секунд она тщетно напрягала слух, но так и не услышала ничего, несмотря на то что несколько раз повторила «слушаю» — каждый раз все более раздраженно и нервно, пока наконец не замолкла, напуганная. Еще несколько секунд, задержав дыхание, она прислушивалась к тишине в трубке, потом положила ее, чувствуя, что все ее существо охватывает темный, иррациональный ужас, накатывающий как нежданная волна. Она взглянула на стоящий на ковре аппарат так, словно то был не безобидный телефон, а какое-то черное, блестящее, ядовитое животное, и непроизвольно вздрогнула так сильно, что локтем задела и разлила бутылочку со скипидаром.

Этот третий звонок никак не способствовал ее успокоению. Поэтому, когда позвонили в квартиру,

Хулия в противоположном конце своей студии замерла на стуле, вперив глаза в запертую дверь. Лишь третий звонок вывел ее из оцепенения. Выходя утром из антикварного магазина, Хулия не меньше десятка раз заранее мысленно подшучивала над тем, что сделала в следующую минуту. Но сейчас у нее уже не было ни малейшего желания смеяться, когда, прежде чем открыть дверь, она задержалась на несколько мгновений: ровно настолько, чтобы успеть вынуть из сумочки миниатюрный «дерринджер», проверить, заряжен ли он, и сунуть его в карман джинсов. Уж ее-то никто не заставит поскользнуться в ванне.

Муньос стряхнул воду с плаща и неловко остановился в прихожей. Он так промок под дождем, что волосы прилипли к голове, а по лбу и лицу стекали струйки, каплями повисая на кончике носа. Он извлек из кармана портативные шахматы, завернутые в полиэтиленовый пакет с эмблемой какого-то универмага.

— Вы нашли решение? — спросила Хулия, едва успев закрыть за ним дверь.

Шахматист опустил голову с робким и виноватым видом. Он явно чувствовал себя неуверенно в чужом доме, а молодость и привлекательность Хулии, похоже, совсем не способствовали разрядке обстановки.

— Пока нет. — Муньос тоскливо взглянул на лужицу, которую образовали у его ног струйки, стекающие с плаща. — Я прямо с работы... Мы ведь договорились вчера встретиться у вас в это время. — Он сделал два шага вперед и снова остановился, точно сомневаясь, снять плащ или остаться в нем. Хулия протянула руку, и он наконец решился снять плащ. Затем вслед за девушкой вошел в студию.

Тайна черной королевы

— В чем проблема? — спросила Хулия.

— Да нет, никакой проблемы нет. В принципе. — Муньос обвел глазами студию, как и накануне, без тени любопытства; казалось, он ищет точку опоры, которая позволила бы ему понять, как следует вести себя в данных обстоятельствах. — Просто нужно хорошенько поразмыслить, вот и все. И еще нужно время. А я теперь только и думаю, что об этом.

Он стоял посреди комнаты со своими шахматами в руках. Хулия увидела, как его глаза нашли картину и буквально вонзились в нее; ей даже не нужно было следить за направлением его взгляда—и так все было ясно. Даже выражение лица шахматиста изменилось, стало твердым и напряженным, как у гипнотизера, встретившего собственный взгляд в зеркале.

Муньос положил шахматы на стол и подошел к картине. Он проделал это довольно своеобразно: шагнул прямо к центру и стал рассматривать доску и фигуры, как будто всего остального — комнаты и персонажей — попросту не существовало. Наклонившись, он всмотрелся в то, что его интересовало, с совершенно иным — гораздо более напряженным — выражением, чем накануне. И Хулия поняла, что, говоря «я теперь только и думаю, что об этом», он нисколько не преувеличивал. По тому, как он смотрел на изображенную шахматную позицию, было очевидно, что этот человек занят не просто решением чужой проблемы, не имеющей особого значения для него самого.

Он простоял у картины довольно долго, затем повернулся к Хулии.

— Сегодня утром мне удалось восстановить два предыдущих хода, — сообщил он без тени хвастовства, скорее, несколько извиняющимся тоном. Видимо, он считал достигнутые результаты достаточно скромными. — Потом я столкнулся с одной проблемой... Кое-что, связанное с расположением пешек: оно весьма необычно. — Он указал на изображенные фигуры. — Вообще это необычная партия.

Хулия была разочарована. Открыв дверь и увидев Муньоса, насквозь промокшего, с шахматной доской в кармане, она почти поверила, что до решения загадки — рукой подать. Разумеется, шахматист не знал, насколько все срочно, не знал и многих подробностей, связанных с этой историей. Но Хулия и не собиралась посвящать его во все детали.

— Нас не интересуют остальные ходы, — сказала она. — Требуется лишь выяснить, какая фигура съела белого коня.

Муньос покачал головой.

— Я думаю об этом все время. — Он чуть поколебался, как будто то, что он собирался сказать,было слишком уж конфиденциальным. — Я держу в голове все ходы и проигрываю их вперед и назад... — Он снова поколебался. В конце концов губы его сложились в болезненную, отрешенную полуулыбку. — В этой партии есть нечто странное...

— Не только в партии. — Взгляды обоих были устремлены на картину. — Дело в том, что для нас с Сесаром эта партия — всего лишь часть картины, мы не способны найти в ней ничего больше... — Хулия на миг задумалась над тем, что только что сказала. — А ведь возможно, что все остальное — только дополнение к этой игре.

Муньос едва заметно кивнул, соглашаясь, и Хулии показалось, что на это движение у него ушла целая вечность. Эти замедленные жесты, на которые он, казалось, затрачивал намного больше времени, чем необходимо, похоже, находились в прямой связи с его манерой мыслить и рассуждать.

— Вы ошибаетесь, говоря, что ничего не видите. Вы видите все, хотя и не способны истолковать это надлежащим образом... — Шахматист движением подбородка указал на картину. — По-моему, вся проблема сводится к различию в точках зрения. Здесь перед нами имеется несколько уровней, содержащихся один в другом: на картине изображен пол, представляющий собой шахматную доску; на нем, в свою очередь, располагаются персонажи. Они играют в шахматы на доске, на которой находятся фигуры... Кроме того, все это отражено в круглом зеркале слева... А если вам захочется еще больше усложнить дело, можете добавить еще один уровень: наш, то есть тот, с которого мы рассматриваем картину. А чтобы совсем уж все запутать, вот вам еще один: тот, с которого художник представлял себе нас, созерцающих его произведение...

Он говорил бесстрастно, с отсутствующим видом, монотонно, точно повторяя на память какую-то инструкцию, которую сам считал не слишком важной и на которой останавливался лишь потому, что она неизвестна остальным. Хулия растерянно посопела носом.

— Любопытно, что вы это видите таким образом.

Шахматист снова качнул головой, не отрывая взгляда от картины.

— Не знаю, чему вы удивляетесь. Я вижу шахматы. Не одну партию, а сразу несколько. Которые, по сути, все сводятся к одной.

— Это для меня чересчур сложно.

— Вы не должны так думать. Сейчас мы находимся на уровне, из которого можем извлечь много информации: на уровне данной шахматной партии. Решив ее, мы сможем применить сделанные выводы ко всей остальной картине. Это просто вопрос логики. Математической логики.

— Вот уж не думала, что математика имеет к этому отношение.

— Математика имеет отношение ко всему. Любой воображаемый мир — в данном случае эта картина — управляется теми же самыми законами, что и мир реальный.

— И шахматы тоже?

— А шахматы — особенно. Но шахматист — настоящий шахматист — мыслит на ином уровне, нежели простой любитель: его логика не позволяет ему видеть возможные неверные ходы, поскольку он автоматически отбрасывает их... Точно так же, как талантливый математик никогда не занимается изучением ложных подходов к теореме, тогда как люди менее одаренные вынуждены идти именно таким путем, от одной ошибки к другой.

— А вы разве не ошибаетесь?

Муньос медленно перевел взгляд с картины на девушку. На его губах, казалось, мелькнула тень улыбки, в которой, однако, не было ничего от юмора.

— В шахматах — никогда.

— Откуда вы знаете?

— Во время игры человек сталкивается с бесконечным множеством возможных ситуаций. Иногда их можно разрешить, пользуясь простыми правилами, но иногда нужны другие правила, чтобы решить, какие из простых правил следует применить в данном случае... Или же возникают незнакомые ситуации, и тогда приходится придумывать новые правила, которые включают в себя прежние или, напротив, отметают их... Ошибка может быть совершена только в момент выбора: выбора того или другого правила. Я же делаю ход лишь после того, как исключил все правила, непригодные в данном случае.

— Меня удивляет подобная уверенность.

— Не знаю почему. Ведь именно из-за этого вы и остановили свой выбор на мне.

Раздался звонок в дверь, и на пороге появился Сесар — с зонта вода в три ручья, ботинки насквозь промокли, — изрыгающий проклятия в адрес погоды и дождя.

— Я ненавижу осень, дорогая, клянусь тебе. Со всеми ее туманами, сыростью и прочими прелестями. — Он пожал руку Муньосу. — Начиная с определенного возраста, некоторые времена года начинают казаться человеку ужасающей пародией на него самого... Я могу налить себе рюмочку? Впрочем, что за чушь — разумеется, могу.

Он сам приготовил себе щедрую порцию джина со льдом и лимоном и через пять минут присоединился к остальным. Муньос разложил на столе принесенную с собой шахматную доску.

— Правда, я еще не добрался до хода белого коня, — начал объяснять он, — но, думаю, вам будет интересно узнать, какие у нас успехи на данный момент... — Маленькими деревянными фигурками он создал на доске то же положение, что и на картине. Хулия заметила, что он делает это на память, не сверяясь ни с ван Гюйсом, ни с начерченной накануне позицией, которую он извлек из кармана и положил рядом на стол. — Если хотите, могу объяснить вам, какими рассуждениями я руководствовался, проигрывая партию назад.

— Ретроспективный анализ, — заинтересованно кивнул Сесар, отхлебывая из стакана.

— Да, — подтвердил шахматист. — И мы будем пользоваться той же самой системой записи, которую я объяснил вам вчера. — Он наклонился к Хулии со схемой в руке, одновременно указывая на доску.

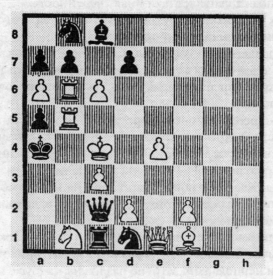

— Исходя из расположения фигур, — продолжал Муньос, — и имея в виду, что последний ход сделан черными, прежде всего необходимо выяснить, какая именно из черных фигур сделала этот ход. — Он указал концом карандаша на картину, затем на схему и, наконец, на разложенную на столе доску. — Для этого проще всего исключить черные фигуры, которые не *могли* сделать этого хода, поскольку они заблокированы или из-за своей расстановки... Очевидно, что ни одна из черных пешек, стоящих на a7, b7, d7, вообще не делала ни одного хода, потому что все они еще находятся на своих исходных позициях, которые занимали в начале игры... Четвертая — и последняя —

пешка, a5, тоже не могла ходить, поскольку заперта между белой пешкой и своим собственным черным королем... Мы можем также исключить черного слона c8, который также все еще стоит на своей исходной позиции: слоны ходят по диагонали, а справа и слева от него стоят пешки из его же команды, тоже еще не делавшие ходов... Что касается черного коня, находящегося на b8, мы можем с уверенностью сказать, что и он еще не играл, поскольку попасть на эту клетку он мог только с клеток a6, c6 или d7, а они уже заняты другими фигурами... Вам понятно?

— Абсолютно. — Хулия, склонившись над доской, следила за объяснениями шахматиста. — Это доказывает, что шесть из десяти черных фигур не могли сделать интересующего нас хода...

— Даже больше, чем шесть. Прибавьте к ним еще и ладью, стоящую на c1: она ходит только по прямой, а все соседние с ней поля заняты... В общей сложности мы имеем семь черных фигур, которые не могли сделать последнего хода. Но мы можем исключить еще и черного коня, стоящего на d1.

— А его почему? — поинтересовался Сесар. — Ведь он мог попасть туда с клеток b2 или e3...

— Нет. Находясь на любом из этих полей, этот конь угрожал бы шахом белому королю, стоящему на c4: в нашей ретроспективной игре мы можем назвать это _воображаемым шахом_... А ни один конь или другая фигура, державшая короля под угрозой шаха, никогда не покидает этой позиции добровольно, это просто невозможный ход. Вместо того чтобы отойти, эта фигура возьмет короля, и на этом партия закончится. Подобной ситуации просто не может быть, поэтому мы можем сделать вывод, что и конь d1 также не делал искомого хода.

Хулия подняла глаза от доски.

— Это сводит все возможные варианты к двум фигурам, не так ли?.. — И она по очереди коснулась их пальцем: — К королю или ферзю.

— Совершенно верно. Тот последний ход мог быть сделан королем либо ферзем, которого мы, шахматисты, часто именуем королевой, или *дамой*. — Муньос присмотрелся к расположению фигур на своей доске и протянул руку к черному королю, но, однако, так и не коснулся его. — Проанализируем сперва позицию короля, который перемещается на одну клетку в любом направлении. Это значит, что он мог попасть туда, где сейчас находится, то есть на поле a4, только с клеток b4, b3 или a3... теоретически.

— Что касается b4 и b3, это ясно даже мне, — заметил Сесар. — Король никогда не может находиться рядом с клеткой, занятой другим королем. Так?

— Точно так. Находясь на b4, черный король оказался бы под угрозой шаха со стороны белых ладьи, слона и пешки. А на b3 — со стороны ладьи и короля. Невозможные позиции.

— А он не мог прийти снизу, с a3?

— Никоим образом. Он получил бы шах от белого коня, стоящего на b1, который оказался там не только что, а находился на этой клетке на протяжении нескольких ходов. — Муньос поочередно взглянул на собеседников. — Таким образом, речь идет об еще одном случае предвидимой угрозы шаха, которая доказывает, что не король сделал интересующий нас ход.

— Следовательно, последний ход, — принялась рассуждать вслух Хулия, — сделал черный ферзь...

прошу прощения, черная королева. Или дама... Шахматист неопределенно пожал плечами.

— Именно это мы, в принципе, и предполагаем. Если руководствоваться чистой логикой, то после исключения всего того, что не является возможным, то, что осталось, сколь бы невозможным оно ни казалось и сколь бы ни было трудно нам его принять, просто не может не оказаться верным... Только в нашем случае мы можем еще и доказать это.

Хулия взглянула на шахматиста с еще большим уважением.

— Это невероятно. Это просто как в детективном романе.

Сесар чуть скривил губы.

— Боюсь, дорогая, что ты попала в самую точку. — Он поднял глаза на Муньоса. — Продолжайте, Холмс, — добавил он с любезной улыбкой. — Должен сознаться, что вы нас заинтриговали до глубины души.

Уголок рта Муньоса едва заметно изогнулся: это была не столько попытка изобразить улыбку, сколько рефлекторное проявление учтивости. Было очевидно, что все внимание шахматиста поглощено доской. Его глаза казались еще более запавшими, в них появился лихорадочный блеск: выражение лица человека, пребывающего в неких воображаемых абстрактных пространствах, видимых только ему.

— Давайте исследуем, — снова заговорил он, — возможные передвижения черной королевы, расположенной в клетке с2... Не знаю, известно ли вам, Хулия, что ферзь является самой могущественной фигурой в игре, он может перемещаться на любое число клеток, в любом направлении и теми же ходами, что и любая другая фигура, за исключением коня...

Как мы видим, черная королева могла попасть туда, где она сейчас находится, с четырех клеток: a2, b2, b3 и d3. Думаю, теперь вы уже и сами понимаете, почему она не могла прийти с b3, правда?

— Думаю, что да. — Хулия сосредоточенно сдвинула брови. — Думаю, она ни за что не ушла бы оттуда, где держала белого короля под угрозой шаха.

— Точно так. Еще один случай возможного шаха, исключающий вероятность того, что ферзь пришел с клетки b3... А что вы скажете насчет d3? Не кажется ли вам, что черная королева могла прийти оттуда, — скажем, чтобы избежать угрозы со стороны белого слона, находящегося на f1?

Хулия довольно долго мысленно анализировала эту возможность. Наконец лицо ее озарилось.

— Нет, не могла! — воскликнула она, пораженная тем, что сумела прийти к такому выводу без посторонней помощи. — Не могла, по той же самой причине. Стоя на d3, она угрожала бы белому королю шахом, правда?.. Поэтому не может быть, чтобы она пришла оттуда. — Она обернулась к Сесару. — Вот здорово! Ведь я в жизни не играла в шахматы...

Теперь Муньос указал концом карандаша на клетку a2.

Точно такая же ситуация с угрозой шаха сложилась бы, находись королева тут. Поэтому эту клетку мы также исключаем.

— То есть становится очевидным, — подхватил Сесар, — что она могла попасть на свое нынешнее место только с b2.

— Возможно.

— Как это «возможно»? — Антиквар выглядел одновременно недоумевающим и заинтересованным. — Я бы сказал, что это просто бросается в глаза.

Тайна черной королевы

— В шахматах, — отвечал Муньос, — весьма немного таких ситуаций, которые можно было бы назвать совершенно ясными. Взгляните на белые фигуры, расположенные на вертикали b. Что произошло бы, находись королева на b2?

Сесар в раздумье поглаживал подбородок.

— Она оказалась бы под угрозой со стороны белой ладьи, стоящей на b5. Без сомнения, именно поэтому она и перешла на c2: чтобы спастись от ладьи.

— Неплохо, — согласился шахматист. — Но это лишь одна из возможностей. Впрочем, причина, по которой она сделала этот ход, пока не важна для нас... Помните, что я говорил вам раньше? Когда исключишь все то, что не является возможным, то, что осталось, волей-неволей должно оказаться верным. А посему давайте подведем итоги: если, во-первых, последний ход был сделан черными; во-вторых, девять из десяти черных фигур, находящихся на доске, не могли его сделать; в-третьих, единственная фигура, которая могла его сделать, — это королева; и, в-четвертых, три из четырех гипотетических перемещений королевы невозможны... Получается, что черная королева сделала единственно возможный ход: с b2 на c2 и, вероятно, сделала его, чтобы уйти от угрозы со стороны белых ладей, занимающих клетки b5 и b6... Это вам ясно?

— Как день, — ответила Хулия, и Сесар кивком подтвердил ее слова.

— Это значит, — продолжал Муньос, — что нам удалось сделать первый шаг в ретроспективном анализе этой партии, который мы с вами проводим. Следующая позиция — то есть предыдущая в партии, поскольку мы идем в обратном направлении, — наверное, будет такова:

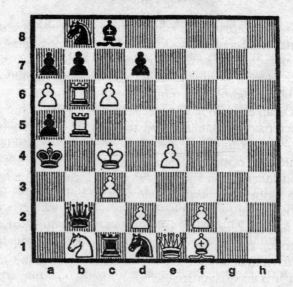

— Видите?.. Черная королева еще находится на b2, она еще не перешла на c2. Так что теперь предстоит выяснить, какой именно ход белых вынудил королеву так поступить.

— Ясно, что это был ход белой ладьи, — сказал Сесар. — Той, что стоит на b5... Она могла прийти с любой клетки пятой горизонтали... Коварная тварь.

— Может быть, — ответил шахматист. — Но это не оправдывает в полной мере бегство черной королевы.

Сесар удивленно заморгал.

— Почему? — Он смотрел то на Муньоса, то на доску. — Ведь ясно, что королева постаралась скрыться от угрозы белой ладьи. Вы же сами сказали это минуту назад.

— Я сказал: вероятно. Вероятно, она сбежала от угрожавших ей белых ладей. Но я не говорил, что ее вынудил к этому *переход* белой ладьи на b5.

— Я совсем запутался, — сознался антиквар.

— Присмотритесь хорошенько к доске... Не имеет значения, каким был ход белой ладьи, находящейся сейчас на b5, потому что другая белая ладья, стоящая на b6, *к этому моменту уже держала под угрозой черную королеву,* понимаете?

Сесар еще раз всмотрелся в расположение фигур, на сей раз он молчал несколько долгих минут.

— Повторяю: я сдаюсь, — сказал он наконец, полностью обескураженный. За время объяснений и размышлений он успел выпить до последней капли свой джин с лимоном, а сидевшая рядом с ним Хулия тем временем курила сигарету за сигаретой. — Если это не белая ладья b5, тогда рушатся все наши построения... Где бы ни находилась эта ладья, эта малосимпатичная королева сделала свой ход раньше, потому что шах был раньше...

— Нет, — возразил Муньос. — Не обязательно. Ладья, к примеру, могла съесть какую-то черную фигуру, стоявшую на b5.

Приободренные этой перспективой, Сесар и Хулия снова склонились над доской. Через пару минут антиквар поднял голову и с уважением взглянул на Муньоса.

— Все точно, — восхищенно проговорил он. — Видишь, Хулия?.. Какая-то черная фигура, стоявшая на b5, прикрывала королеву от угрозы белой ладьи с b6. Когда другая белая ладья съела эту фигуру, королева оказалась под непосредственной угрозой. — Он снова взглянул на Муньоса, ища подтверждения своим словам. — Должно быть именно так. Другой возможности нет. — Он еще раз окинул взглядом доску, на сей раз с выражением некоторого сомнения. — Ведь нет, правда?

— Не знаю, — честно ответил шахматист, и у Хулии

вырвалось тихое отчаянное «О Господи!». — Вы сформулировали гипотезу, а в этом случае всегда существует риск, что ее автор начнет подгонять факты под теорию, вместо того чтобы подгонять теорию под факты.

— Значит?..

То, что я сказал. Пока мы можем рассматривать только как гипотезу, что белая ладья съела черную фигуру на b5. Нам нужно проверить, имеются ли другие варианты, и, если они есть, исключить из них невозможные. — Глаза его снова угасли, весь он как-то померк, посерел и казался ужасно усталым, когда неопределенно развел руками, то ли оправдываясь, то ли сомневаясь. Уверенность, с которой он только что объяснял ходы, исчезла, и Муньос опять выглядел угрюмым и неловким. — Именно это я имел в виду, — его взгляд уклонился от взгляда Хулии, — когда сказал вам, что столкнулся с проблемами.

— А следующий шаг? — спросила Хулия. — Каким он будет?

Муньос с выражением покорности судьбе на лице рассматривал стоявшие на доске фигуры.

— Думаю, это будет медленное и трудное изучение тех шести черных фигур, которые уже выведены из игры... Я попытаюсь выяснить, каким образом и где они могли быть съедены. Каждая из них.

— Но ведь на это может уйти несколько дней, — сказала Хулия.

— Или несколько минут. Все зависит от обстоятельств. Иногда помогает интуиция, иногда просто везет. — Он окинул долгим взглядом доску, потом картину. — Но есть нечто, в чем у меня неосталось ни малейших сомнений, — продолжил он после минутного размышления. — Тот, кто написал эту картину —

или придумал эту задачу, — играл в шахматы весьма необычным способом.

— Какое у вас мнение о нем? — спросила Хулия.

— О ком?

— О том шахматисте, которого здесь нет... О котором вы только что говорили.

Муньос посмотрел на ковер под ногами, потом на картину, и Хулии почудилась в его глазах искорка восхищения. Возможно, то было инстинктивное уважение шахматиста к настоящему мастеру игры.

— Не знаю, — тихо и уклончиво ответил он. — Кто бы он ни был, у него какой-то... извращенный ум... Впрочем, как и у любого хорошего шахматиста. Но у этого было нечто большее: особый талант устраивать разные ловушки, наводить на ложный след... И он получал от этого удовольствие.

— Разве это возможно? — спросил Сесар. — Можно ли понять характер шахматиста по тому, как он ведет себя за доской?

— Думаю, что да, — ответил Муньос.

— В таком случае, что еще вы думаете об авторе этой партии, имея в виду, что он сочинил ее в пятнадцатом веке?

— Я бы сказал... — Муньос отрешенно созерцал картину. — Я бы сказал, что он играл в шахматы каким-то дьявольским способом.

VI

О досках и зеркалах

И где конец, ты узнаешь,
когда дойдешь до него.
Баллада о ленинградском старике

Вернувшись к машине, Хулия обнаружила, что Менчу пересела на место водителя. Хулия открыла дверцу маленького «фиата» и прямо-таки упала на сиденье.

— Что они сказали? — спросила Менчу.

Хулия ответила не сразу, еще слишком многое ей нужно было обдумать. Глядя в пространство, туда, где плыл поток машин, она достала из сумочки сигарету, сунула ее в рот и нажала на кнопку автоматической зажигалки.

— Вчера к ним заходили двое полицейских, — заговорила она наконец. — Задавали те же самые вопросы, что и я. — Услышав, как щелкнула зажигалка, она приложила ее к концу сигареты. — Диспетчер сказал, что этот конверт принесли им в тот самый день — в четверг, вскоре после полудня.

— А кто принес?

Хулия медленно выдохнула дым.

— Он сказал, что женщина.

— Женщина?

— Так он говорит.

VI

О досках и зеркалах

— Что за женщина?

— Среднего возраста, хорошо одета, блондинка. В плаще и темных очках. — Она повернулась к подруге. — Это вполне могла бы быть ты.

— Не смешно.

— Что верно, то верно. Ничего смешного в этом нет. — Хулия вздохнула. — Но под это описание подходит кто угодно. Она не назвалась и адреса тоже не оставила. Сказала только, что отправить пакет поручил ей Альваро, попросила доставить его срочно и ушла. Вот и все.

Они выехали на бульвары. В воздухе снова пахло дождем, и на ветровом стекле уже кое-где поблескивали крошечные капельки. Менчу шумно переключила скорость и озабоченно наморщила нос.

— Слушай, сюда бы Агату Кристи — она бы сделала из этой истории целый роман.

Хулия нехотя чуть улыбнулась уголком рта.

— Да, но с настоящим покойником. — Она поднесла к губам сигарету, а сама в эту минуту представила себе Альваро — голого и мокрого. Если и есть что-то хуже смерти, подумала она, то это вот такая нелепая, глупая смерть, отдающая гротеском: ты лежишь бездыханный, а люди приходят, чтобы поглазеть на тебя. Бедняга Альваро.

— Бедняга Альваро, — повторила она вслух.

Они остановились у «зебры», и Менчу на мгновение оторвала взгляд от светофора и обеспокоенно посмотрела на подругу. Ее очень тревожит, сказала она, что Хулия попала в такую идиотскую историю. И она-то сама, чтобы не ходить далеко за примером, вся изнервничалась — до такой степени, что даже нарушила одно из своих обычно свято выполняемых правил: поселила Макса у себя. До тех пор, пока обстоятельства не прояснятся. И Хулии следовало бы сделать то же самое.

— Ты хочешь сказать — перетащить к себе Макса?.. Нет уж, спасибо. Я предпочитаю пропадать одна.

— Хватит этих выступлений, детка. Не будь занудой. — На светофоре загорелся зеленый, и Менчу рванула с места.— Ты же прекрасно знаешь, что я не имела в виду его... А кроме того, он просто прелесть.

— Да, прелесть, которая сосет твою кровь.

— И не только.

— Будь любезна, без пошлостей.

— Ну-ну, наша непорочная монахиня Хулия!

— Отстань.

— Послушай-ка: Макс может быть кем или чем тебе угодно, но все же он еще и так хорош собой, что при виде него я всякий раз просто обмираю. Как эта Баттерфляй при виде своего красавца: кхе-кхе, умираю... Или это была Травиата со своим Арманом Дювалем? — Она в окошко обругала собиравшегося проскочить перед «фиатом» пешехода и, возмущенно сигналя, втиснула машину в узкое пространство между такси и густо дымящим автобусом. — Но, знаешь, если серьезно, то, по-моему, с твоей стороны очень неосторожно сейчас продолжать жить одной. А если на самом деле существует какой-то убийца, который на сей раз решил заняться тобой?

Хулия раздраженно пожала плечами.

— Ну, и что же, по-твоему, мне делать?

— Не знаю, детка. Может, переселиться к кому-нибудь. Если хочешь, я готова пойти на жертву: выселю Макса, а ты переберешься ко мне.

— А картина?

— Возьмешь ее с собой и будешь работать у меня. Я как следует запасусь консервами, кока-колой, вы-

О досках и зеркалах

пивкой и кассетами с порнухой, и мы окопаемся там вдвоем, как в Форт-Апаче, до тех пор пока не отделаемся от этой картины. Кстати, о картине: две вещи. Во-первых, я договорилась об увеличении страховки — так, на всякий случай...

— На какой такой случай? Ван Гюйс у меня дома за семью замками. Не забудь, сколько я заплатила за установку охранной системы. У меня там, как в Испанском банке, разве только чуть победнее.

— Береженого Бог бережет. — Дождь, похоже, разыгрывался всерьез, и Менчу включила дворники. — Во-вторых, ни слова не говори дону Мануэлю обо всей этой истории.

— Почему?

— Ты прямо как маленькая, честное слово! Ведь это как раз то, что нужно его распрекрасной племяннице Лолите, чтобы испортить мне все дело.

— Пока еще никто не связывает смерть Альваро с картиной.

— Пусть тебя услышит Господь! Но в полиции ведь народ бестактный, и, возможно, они уже связались с моим клиентом. Или с этой лисой — его племяшкой... В общем, все до такой степени осложнилось, что меня просто подмывает передать все дело в руки «Клэймора», получить свои комиссионные и сделать ручкой.

Сквозь стекающие по стеклу струи воды все казалось серым, размытым, искаженным, создавая вокруг машины какой-то нереальный пейзаж. Хулия взглянула на подругу.

— Кстати, о «Клэйморе»: сегодня я ужинаю с Пако Монтегрифо.

— Да что ты!

— Честное слово. Он страшно заинтересован в том, чтобы поговорить со мной о делах.

— О делах?.. А попутно еще кое о чем.

— Я тебе позвоню и все расскажу.

— Я не лягу, пока не дождусь твоего звонка. Потому что этот субчик тоже кое-что унюхал. Если я не права, то готова оставаться девственницей в течение трех своих ближайших перевоплощений.

— Я ведь тебя просила: без пошлостей.

— А я тебя прошу не предавать меня, детка. Я твоя подруга, помни об этом. Твоя близкая подруга.

— Тогда доверяй мне. И не гони так.

— Слушай, я тебя заколю кинжалом. Как Кармен у Мериме.

— Ладно. Но ты только что проскочила светофор на красный. А поскольку машина моя, то платить штрафы потом придется именно мне.

Она взглянула в зеркало заднего вида и заметила другую машину — синий «форд» с затемненными стеклами, также проехавшую вслед за ними на красный. Через мгновение «форд» повернул направо и исчез из виду. Хулии показалось, что она вроде бы видела эту самую машину, выходя из почтового агентства: тогда «форд» стоял у тротуара на противоположной стороне. Но она не была уверена: столько машин на улице, да к тому же дождь.

Пако Монтегрифо был из тех, кто предоставляет носить черные носки шоферам и официантам, а сам с самого раннего возраста предпочитает темно-синие: настолько темные, насколько это возможно. Его костюм, шитый на заказ, также очень темного, безупречно серого цвета и столь же безупречного покроя, с заботливо расстегнутой первой пуговкой на обшлагах обоих рукавов, заставлял вспомнить первые страницы журналов высокой мужской моды. Рубашка с виндзорским воротником, шелковый галстук и платочек, ровно настолько, насколько положено, высовывавшийся из нагрудного кармана, дополняли его облачение, доводя его до совершенства, и это совершенство сразу же бросилось в глаза Хулии, когда в вестибюле ресторана «Сабатини» Пако Монтегрифо поднялся с кресла и пошел ей навстречу.

— Господи помилуй, — проговорил он, пожимая ей руку, и белизна его улыбки выгодно оттенила смуглость загорелой кожи. — Вы сегодня просто восхитительны.

Это вступление задало тон первой части их вечера. Монтегрифо расточал восторженные комплименты по поводу туалета Хулии — черного бархатного, тесно облегающего фигуру платья. Потом они уселись за ожидавший их столик у огромного окна, из которого открывался вид на королевский дворец в вечернем освещении. Начиная с этого момента Монтегрифо осыпал Хулию целым ливнем не доходящих до дерзости, но достаточно пристальных взглядов и обольстительных улыбок. После аперитива, пока официант расставлял на столе закуски, директор «Клэймора» перешел к коротким вопросам, требовавшим умных ответов, каковые он выслушивал, подперев подбородок переплетенными пальцами рук, с чуть приоткрытым ртом, с приятным для самолюбия выражением глубочайшего интереса, что попутно давало ему возможность пощеголять блеском великолепных зубов, в которых отражалось пламя свечей.

Единственное упоминание о ван Гюйсе — точнее, не упоминание, а косвеннейший намек — до момента подачи десерта промелькнуло, когда Монтегрифо, самым тщательным образом выбирая вино под рыбу, остановился на белом бургундском. В честь искусства, сказал он слегка заговорщическим тоном, и это дало ему предлог, чтобы прочитать небольшую лекцию о французских винах.

— Отношение к вину, — объяснял он, пока официанты продолжали хлопотать вокруг стола, — с возрастом любопытным образом эволюционирует... Вначале ты горячий поклонник бургундского — белого или красного; оно — твой лучший друг до тех пор, пока тебе не стукнуло тридцать пять... Но после этого — причем не отказываясь от бургундского — следует переходить на бордоское: это вино для взрослых, серьезное и спокойное. Лишь после сорока человек способен заплатить целое состояние за ящик «Петрю» или «Шато д'Икем».

Он попробовал вино, выразив свое одобрение легким движением бровей, и Хулия сумела оценить этот спектакль по достоинству. Она с готовностью приняла игру Монтегрифо и подыгрывала ему самым естественным образом. Она даже получила удовольствие от этого ужина и этой банальной беседы, решив про себя, что при других обстоятельствах директор «Клэймора», с его неторопливой манерой говорить, загорелыми руками и ненавязчивым ароматом одеколона, дорогой кожи и хорошего табака, показался бы ей приятным спутником. Даже несмотря на привычку поглаживать себе указательным пальцем бровь и время от времени искоса поглядывать на собственное отражение в оконном стекле.

Они продолжали говорить о чем угодно, только не о картине, даже после того, как она покончила со своей лососиной а-ля Ройяль, а он принялся за своего морского окуня а-ля Сабатини, управляясь одной только серебряной вилкой.

— Настоящий кабальеро, — пояснил Монтегрифо

О досках и зеркалах

с улыбкой, лишавшей это замечание его торжественной возвышенности, — никогда не пользуется ножом для рыбы.

— А как же вы обходитесь с костями? — полюбопытствовала Хулия.

Монтегрифо невозмутимо выдержал ее взгляд.

— Я никогда не хожу в рестораны, где рыбу подают с костями.

Во время десерта, когда перед ним уже стояла чашечка кофе, такого же черного и крепкого, как у Хулии, Монтегрифо вынул серебряный портсигар и аккуратно извлек из него английскую сигарету. Потом посмотрел на Хулию таким взглядом, каким смотрят на предмет своего обожания, и наклонился к ней.

— Я хочу, чтобы вы работали на меня, — сказал он, понизив голос, словно опасаясь, что кто-нибудь в королевском дворце услышит его.

Хулия поднесла к губам вынутую из сумочки сигарету без фильтра и, пока Монтегрифо подносил ей огонь, смотрела прямо в его карие глаза.

— Почему? — лаконично спросила она таким равнодушным тоном, будто речь шла о ком-то другом.

— Есть несколько причин. — Монтегрифо положил золотую зажигалку на портсигар и несколько раз поправил ее, пока она не оказалась точно в центре. — Главная из которых состоит в том, что я слышал о вас много хорошего.

— Что ж, это приятно.

— Я говорю вполне серьезно. Как вы сами можете предположить, я наводил о вас справки. Я знаю ваши работы, которые вы делали для музея Прадо и для частных картинных галерей... Вы все еще работаете в музее?

— Да. Три раза в неделю. Сейчас я занимаюсь одной картиной Дуччо ди Буонинсеньи, которую музей недавно приобрел.

— Я слышал об этой картине. Такую можно доверить лишь настоящему специалисту. Я знаю, что у вас бывают весьма важные заказы.

— Иногда.

— Даже мы в «Клэйморе» имели честь выставлять на аукцион кое-что из картин, реставрированных вами. Например, Мадрасо из коллекции Очоа... Ваша работа позволила нам на треть поднять стартовую цену. А прошлой весной у нас проходила еще одна ваша вещь: по-моему, «Концерт» Лопеса де Аялы.

— Нет, это была «Женщина за пианино» Рохелио Эгускисы.

— Да-да, верно, простите за неточность. Конечно же, «Женщина за пианино». Она пострадала от сырости, и вы выполнили свою работу великолепно. — Он улыбнулся, когда их руки почти соприкоснулись, стряхивая пепел с сигарет в стоявшую посередине стола пепельницу. — И вас устраивает такая жизнь? Я имею в виду: работа время от времени, случайные гонорары... — Он снова обнажил в широкой улыбке безупречный ряд зубов. — В общем, жизнь вольного стрелка.

— Я не жалуюсь.— Хулия, сощурив глаза, сквозь дым изучала лицо своего собеседника. — Мои друзья заботятся обо мне, находят мне работу. А кроме того, я предпочитаю независимость.

Монтегрифо многозначительно взглянул ей в глаза.

— Во всем?

— Во всем.

— Что ж, значит, вам сопутствует удача.

О досках и зеркалах

— Возможно. Но я ведь много работаю.

— У «Клэймора» много разных дел, требующих специалиста вашего уровня... Что вы об этом думаете?

— Думаю, что у нас нет никаких причин, чтобы не говорить на эту тему.

— Отлично. Мы могли бы поговорить более официально — через пару дней.

— Как вам будет угодно. — Хулия уперлась в глаза Монтегрифо долгим взглядом. Она была не в силах дольше сдерживать насмешливую улыбку, которая так и растягивала ей губы. — А теперь вы уже можете заговорить о ван Гюйсе.

— Простите?

Девушка загасила в пепельнице сигарету и, подперев подбородок переплетенными пальцами, чуть наклонилась к директору «Клэймора».

— О ван Гюйсе, — повторила она чуть ли не по слогам. — Если только вы не собираетесь накрыть мою руку своей и сказать, что я самая красивая девушка, какую вы встречали в жизни... или что-нибудь не менее очаровательное в этом же роде.

Монтегрифо понадобилась всего лишь десятая доля секунды, чтобы привести в порядок свою улыбку, и он проделал это с полным самообладанием.

— Мне было бы весьма приятно сделать это, но я никогда не говорю таких вещей до того, как выпит кофе. Что никоим образом не означает, что я о них не думаю, — уточнил он. — Это просто вопрос тактики.

— Тогда давайте поговорим о ван Гюйсе.

— Давайте поговорим. — Их взгляды встретились, и Хулия смогла убедиться, что, несмотря на улыбку, играющую на губах, его глаза не улыбались, а смотрели на нее настороженно и выжидающе. — До меня дошли кое-какие слухи, вы ведь знаете... Наш маленький профессиональный мирок — это просто двор, населенный сплетницами; мы все знаем друг друга, — вздохнул он с выражением некой укоризны в адрес только что описанного им мира. — Полагаю, что вы обнаружили кое-что в этой картине. И, как мне говорили, это «кое-что» значительно повышает ее ценность.

Хулия сделала бесстрастное лицо, хотя заранее сознавала, что этого мало, чтобы обмануть Пако Монтегрифо.

— Кто вам рассказал эту чушь?

— Птичка начирикала. — Он задумчиво погладил пальцем правую бровь. — Но это не важно. А важно вот что: ваша подруга, сеньорита Роч, похоже, собирается шантажировать меня...

— Не знаю, о чем это вы.

— Я уверен в этом. — Улыбка Монтегрифо оставалась все такой же широкой. — Ваша подруга хочет уменьшить комиссионные, причитающиеся «Клэймору», и за счет этого увеличить свои... — Он произнес это вполне равнодушно. — В общем-то, по закону для этого нет никаких препятствий, поскольку у нас с ней только устная договоренность; она может разорвать ее и обратиться к другим в поисках более высоких комиссионных.

— Я рада, что вы так хорошо все понимаете.

— Как видите, понимаю. Однако это не мешает мне в то же время соблюдать интересы моей фирмы...

— Я так и думала.

— Не стану скрывать от вас: мне удалось разыскать владельца вашего ван Гюйса, этого пожилого господина. Точнее, я связался с его племянниками. Не скрою также, что в мои намерения входило добиться, чтобы эта семья отказалась от посреднических

О досках и зеркалах

услуг вашей подруги и вела дела непосредственно со мной... Вы понимаете?

— Абсолютно. Вы пытались выкинуть Менчу из игры.

— Можно называть это по-разному, но, полагаю, можно и так. — Его бронзовое чело омрачилось, отчего на лице появилось выражение боли, как у человека, услышавшего в свой адрес незаслуженное обвинение. — Плохо то, что ваша приятельница, будучи женщиной предусмотрительной, заставила хозяина картины подписать документ. Документ, заранее обрекающий на неудачу любые шаги, которые я могу предпринять... Что вы об этом думаете?

— Думаю, что сочувствую вам. Надеюсь, в следующий раз вам повезет больше.

— Спасибо. — Монтегрифо закурил еще одну сигарету. — Но, может быть, и тут еще не все потеряно. Вы близкая подруга сеньориты Роч. Может, вы сумели бы убедить ее... склонить к полюбовному соглашению. Работая все вместе, одной командой, мы выжмем из этой картины немалый барыш, от которого будет польза и вам, и вашей приятельнице, и «Клэймору», и лично мне. Что вы об этом думаете?

— Думаю, что это вполне возможно. Но почему вы рассказываете все это мне, вместо того чтобы переговорить с Менчу?.. Вы сэкономили бы стоимость ужина.

Монтегрифо изобразил на лице искреннее огорчение.

— Вы нравитесь мне, и не только как реставратор. Если уж совсем честно — очень нравитесь. Вы кажетесь мне женщиной умной и рассудительной, не говоря уж о том, что весьма привлекательной... Я возлагаю гораздо больше надежд на ваше посредничество, нежели на прямой контакт с вашей подругой,

которую — вы уж простите — считаю дамой несколько легкомысленной.

— Короче говоря, — подвела итог Хулия, — вы надеетесь, что я возьмусь убедить ее.

— Это было бы... — директор «Клэймора» поколебался пару секунд, тщательно подбирая подходящее
слово, — это было бы чудесно.

— А что выиграю я от этой затеи?

— Разумеется, хорошее отношение моей фирмы. И
теперь, и в дальнейшем. Что же касается непосред-
ственного вознаграждения — и я не спрашиваю, на что
вы рассчитывали, соглашаясь работать над ван Гюйсом, — могу гарантировать вам двойную сумму. Это, естественно, помимо ваших двух процентов от окончательной цены, которой «Игра в шахматы» достигнет на
аукционе. Кроме того, я могу предложить вам место ру-
ководителя отдела реставрации мадридского филиала «Клэймора»... Что вы об этом думаете?

— Что это весьма соблазнительно. Вы сколько
надеетесь выкачать из этой картины?

— Уже есть весьма заинтересованные покупатели
в Лондоне и Нью-Йорке. Если надлежащим образом
организовать рекламу, продажа ван Гюйса может
стать важнейшим событием в жизни мира искусства
с тех пор, как «Кристи» выставлял на аукцион сарко-
фаг Тутанхамона... Как вы сами, надеюсь, понимаете,
при таких условиях претензии вашей подруги на рав-
ный с нашим гонорар выходят за рамки допустимо-
го. Она только нашла реставратора и предложила нам
картину. Все остальное делаем мы.

Хулия размышляла над его словами, но по лицу ее
невозможно было понять, насколько они ее впечат-
лили; еще пару дней назад она бы ответила «да», но
теперь все слишком изменилось. Спустя несколько

мгновений она взглянула на правую руку Монтегрифо, лежавшую на скатерти очень близко от ее руки, и прикинула, на сколько сантиметров та продвинулась вперед за последние пять минут. Настолько, решила она, что уже пора ставить точку.

— Я попытаюсь, — проговорила она, беря со стола свою сумочку. — Но ничего гарантировать вам не могу.

Монтегрифо пальцем погладил правую бровь.

— Попытайтесь.— Его карие глаза, теперь бархатные и влажные, окутали ее нежным взглядом.— И я уверен, что у вас получится — на благо всем нам.

В его голосе не было и тени угрозы: только просьба, мягкая, дружеская и настолько безукоризненно смодулированная, что даже могла показаться искренней. Потом Монтегрифо взял руку Хулии в свои и галантно, чуть прикасаясь губами, поцеловал ее.

— Не помню, говорил ли я вам уже, — прибавил он, понижая голос, — что вы необыкновенно красивая женщина...

Она попросила высадить ее поблизости от «Стевенса», а остальной путь проделала пешком. После двенадцати заведение открывало свои двери для посетителей, круг которых определялся высокими ценами и неукоснительно применяемым принципом недопущения нежелательных лиц — право, оставляемое за собой администрацией. Там встречался, что называется, весь Мадрид, если иметь в виду людей, так или иначе связанных с искусством: от агентов иностранных фирм, прибывших в столицу в поисках старинных икон или частных коллекций, выставляемых на продажу, до владельцев картинных галерей, исследователей, импресарио, журналистов, пишущих об искусстве, и известных художников.

Хулия оставила пальто в гардеробе и, поздоровавшись с несколькими знакомыми, прошла по коридору к дивану, где имел обыкновение сидеть Сесар. Там он и сидел — нога на ногу, с бокалом в руке, — негромко беседуя с очень красивым белокурым молодым человеком. Хулия отлично знала, что Сесар испытывает глубочайшее презрение к заведениям, являющимся местом встреч гомосексуалистов. Для него было просто вопросом хорошего вкуса избегать подобных мест, с их замкнутой, эксгибиционистской и зачастую агрессивной атмосферой, в которой, как рассказывал он сам со своей обычной иронической усмешкой, очень трудно, дорогая, не оказаться в роли старой почтенной куртизанки, попавшей в дешевый бордель. Сесар был одиноким охотником — странность, отшлифованная до изящества, — чувствовавшим себя как рыба в воде в мире гетеросуалов, где он столь же естественно, как любой из них, поддерживал знакомства и дружбу, ухаживал и завоевывал: главным образом юные художественные дарования, которым он служил проводником на пути открытия и познания их истинной чувственности, которую эти чудесные мальчики не всегда способны понять и принять априори. Сесару нравилось играть при своих новых сокровищах роль одновременно и Мецената, и Сократа. Потом, после надлежащих медовых месяцев, проходивших в Венеции, Марракеше или Каире, каждая из этих историй эволюционировала своим, но всегда естественным путем. Вся уже довольно долгая и интенсивная жизнь Сесара была (как это хорошо знала Хулия) длинной цепью ослепительных вспышек, разочарований, измен — но также и верности. Время от времени, видимо испытывая потребность излить душу, Сесар рассказывал ей о них — безукоризненно деликатно, тем ироническим тоном, за которым стыдливо, даже целомудренно, скрывал свои самые интимные переживания.

Он улыбнулся ей издали. «Моя любимая девушка», — беззвучно произнесли его губы, он поставил бокал на столик, встал и протянул руки ей навстречу.

— Как прошел ужин, принцесса?.. Наверное, ужасно, потому что «Сабатини» уже далеко не тот, каким был раньше... — Он презрительно скривил губы. — Все эти *parvenus*[1], чиновники и банкиры, со своими кредитными карточками и ресторанными счетами, оплачиваемыми фирмой, в конце концов изгадят все, что только можно... Кстати, ты знакома с Серхио?

Хулия была знакома с Серхио и всегда, общаясь с друзьями Сесара, чувствовала, как они смущаются, не понимая истинной природы отношений между антикваром и этой красивой спокойной девушкой. Одного взгляда ей оказалось довольно, чтобы понять, что, по крайней мере, на сегодня и, по крайней мере, с Серхио проблем не предвидится. Парень, похоже, был восприимчив, неглуп и не ревновал: они уже встречались раньше. Присутствие Хулии лишь несколько сковывало его.

— Монтегрифо вроде бы сделал мне предложение. Деловое.

— Очень мило с его стороны. — Пока они усаживались все втроем, Сесар явно серьезно обдумывал сложившуюся ситуацию. — Однако позволь, я задам вопрос, как старик Цицерон: *Cui bono?*[2] Кто от этого выигрывает?

— Разумеется, он сам. В общем-то, он хотел купить меня.

---

1   Выскочки *(фр.)*.
2   В чьих интересах? *(лат.)*

— Ай да Монтегрифо! И ты клюнула? — Он кончиками пальцев прикоснулся к губам Хулии. — Нет, дорогая, не отвечай пока, дай мне насладиться этой восхитительной неизвестностью... Надеюсь, по крайней мере, что предложение было достойным.

— Неплохим. Похоже, он включил в него и самого себя.

Сесар с лукаво-насмешливым видом облизнул губы кончиком языка.

— Весьма типично для него: постараться убить одним выстрелом двух зайцев... Он всегда отличался в высшей степени практичным складом ума. — Антиквар полуобернулся к своему белокурому компаньону, будто советуя ему беречь уши от подобной не слишком пристойной прозы жизни. Потом выжидательно взглянул на Хулию, чуть не дрожа от предвкушаемого удовольствия. — И что ты ему ответила?

— Сказала, что подумаю.

— Ты просто божественна. Никогда не следует сжигать свои корабли... Ты слышишь, милый Серхио? Никогда.

Юноша искоса глянул на Хулию и снова погрузил нос в коктейль с шампанским. Безо всякого злого умысла Хулия вдруг представила себе его в полумраке спальни антиквара: обнаженного, прекрасного и безмолвного, как мраморная статуя, со светлыми кудрями, рассыпавшимися по лбу, и устремленным вперед тем, что Сесар, пользуясь эвфемизмом, позаимствованным, кажется, у Кокто, именовал золотым скипетром или чем-то в этом же роде, готового погрузить его в *antrum amoris*[1] своего старшего партнера; а может, все происходило наоборот, и это стар-

---

1 Пещера любви (*лат.*).

О досках и зеркалах

ший партнер колдовал над *antrum amoris* юного эфеба. Как ни близки были отношения Хулии с Сесаром, она никогда не выспрашивала у него подобные подробности, которые, однако, временами вызывали у нее умеренно нездоровое любопытство. Она незаметно искоса оглядела Сесара — как всегда ухоженного, элегантного, в белой рубашке, с шелковым синим, в красный горошек, платком на шее и слегка вьющимися за ушами и на затылке волосами — и в который уже раз задала себе вопрос: в чем секрет особого шарма этого человека, способного на шестом десятке увлекать молодых парнишек вроде Серхио? Без сомнения, ответила она себе, в ироническом блеске его голубых глаз, в изяществе его движений и жестов, поколениями шлифовавшихся светским воспитанием, в неторопливой, никогда не выставляющей себя напоказ мудрости, таящейся в глубине каждого произнесенного им слова, — мудрости, никогда не принимающей самое себя чересчур всерьез, скучающей, снисходительной и бесконечной.

— Ты должна посмотреть его последнюю картину, — говорил между тем Сесар, и Хулия, очнувшись от своих мыслей, не сразу поняла, что речь идет о Серхио. — Это нечто неординарное, дорогая. — Он сделал жест рукой в сторону юноши, словно собираясь накрыть его руку, но не довел движения до конца. — Свет в чистом виде, изливающийся с полотна. Великолепно.

Хулия улыбнулась, принимая суждения Сесара как надежнейшую из рекомендаций. Серхио взирал на антиквара не то взволнованно, не то смущенно, жмуря глаза в обрамлении светлых ресниц, как жмурится кошка, которой почесывают за ухом.

— Разумеется, — продолжал Сесар, — одного таланта недостаточно, чтобы пробиться в жизни... Понимаешь, мальчик? Большие художественные формы требуют определенного знания мира, глубокого опыта в области человеческих отношений... Это не относится к тем абстрактным областям деятельности, в которых ключевая роль принадлежит таланту, а опыт лишь дополняет его. Я имею в виду музыку, математику... Шахматы.

— Шахматы, — повторила Хулия. Они переглянулись, и глаза Серхио тревожно заметались от одного к другому, растерянные, недоумевающие, с искорками ревности, вспыхнувшими, будто золотая пыль, между рыжеватых ресниц.

— Да, шахматы. — Сесар наклонился, чтобы отпить большой глоток из своего бокала. Его зрачки сузились, заглянув в глубь тайны, о которой напомнило это слово. — Ты заметила, как смотрит Муньос на «Игру в шахматы»?

— Да. Он смотрит по-другому.

— Точно. По-другому — не так, как можешь смотреть на нее ты. Или я. Муньос *видит* на доске то, чего не видят другие.

Серхио, молча слушавший этот непонятный ему диалог, нахмурил брови и слегка, как будто случайно, коснулся плечом плеча Сесара. Похоже, он почувствовал себя лишним, и антиквар добродушно улыбнулся ему.

— Мы говорим о вещах, слишком мрачных для тебя, милый. — Он провел указательным пальцем по косточкам пальцев Хулии, приподнял руку, словно колеблясь между двумя своими привязанностями, но в конце концов опустил ее на руку девушки. — Пребывай в невинности, мой белокурый друг. Развивай свой талант и не осложняй себе жизнь.

VI

О досках и зеркалах

Он чмокнул губами, посылая Серхио воздушный поцелуй, и в этот момент в другом конце коридора появилась Менчу — норковый мех и длинные ноги — в сопровождении Макса. Первым делом она потребовала отчета о встрече с Монтегрифо.

— Вот свинья! — воскликнула она, когда Хулия окончила свой рассказ. — Завтра же я поговорю с доном Мануэлем. Надо переходить в контрнаступление.

Серхио помрачнел и съежился под потоком слов, без малейшей паузы изливавшихся из уст Менчу. От Монтегрифо она перешла к ван Гюйсу, от ван Гюйса — к разного рода общим местам, а от них — ко второму и третьему бокалу, которые держала уже куда менее твердой рукой. Макс, сидя рядом с ней, молча курил: смуглый, классно упакованный, уверенный в себе жеребец. Сесар с отрешенной улыбкой время от времени подносил к губам свой стакан джина с лимоном и потом промокал их платочком, извлекаемым из верхнего кармана пиджака. Иногда он помаргивал глазами, точно возвратившись откуда-то издалека, и, наклоняясь к Хулии, рассеянно поглаживал ее руку.

— В этом деле, — говорила Менчу Серхио,— есть два сорта людей, дорогуша: те, кто рисует, и те, кто получает деньги... И очень редко бывает, чтобы один и тот же человек и рисовал, и получал деньги... — Она испускала долгие вздохи, разнеженная близостью столь юного создания. — А вы, молодые художники, такие беленькие, такие лапочки...— Она метнула на Сесара ядовитый взгляд. — Такие аппетитные.

Сесар счел нужным медленно возвратиться из своих дальних далей.

— Не слушай, мой юный друг, этих голосов, отравляющих твой золотой дух, — мрачно произнес он, как будто не совет давал Серхио, а выражал соболезнования. — Эта женщина говорит змеиным языком, как и все они... — Он взглянул на Хулию, взял ее руку и, поднося ее к губам, поправился: — Прошу прощения. Как почти все они.

— Смотрите-ка, кто у нас заговорил! — Менчу скривила губы. — Наш личный Софокл. Или Сенека?.. Я имею в виду того, который лапал молоденьких мальчиков, в промежутках попивая цикуту.

Сесар посмотрел на Менчу, сделал паузу, позволяющую вернуться к прерванной теме, и, откинувшись головой на спинку дивана, театрально закрыл глаза.

— Путь художника... это я говорю тебе, мой юный Алкивиад, или, лучше, Патрокл, или, может быть, Серхио... этот путь заключается в том, чтобы преодолевать препятствие за препятствием, пока наконец не сумеешь заглянуть внутрь самого себя... Это трудная задача, если нет под рукой Вергилия, который указывал бы тебе дорогу. Ты улавливаешь эту тонкую параболу, мальчик?.. Именно так познает в конце концов художник высочайшее, свободнейшее из наслаждений. Его жизнь превращается в чистое творчество, и он уже не нуждается в ничтожных внешних благах. Он пребывает далеко, очень далеко от всех остальных, подобных ему по своему образу, но презренных существ. И в душе его поселяются пространство и зрелость.

Раздалось несколько насмешливых аплодисментов. Серхио, окончательно сбитый с толку, с робкой улыбкой смотрел то на Сесара, то на Менчу. Хулия рассмеялась:

— Не обращай на него внимания. Всю эту премудрость он наверняка позаимствовал у кого-то. Он всегда обожал вот такие номера.

Сесар открыл один глаз.

О досках и зеркалах

— Я — Сократ, который смертельно скучает. И с возмущением отвергаю твои обвинения в плагиате.

— В общем-то, это довольно забавно. Правда. — Менчу произнесла это, обращаясь к Максу, хмуро слушавшему перепалку, и взяла у него сигарету. — Дайка мне огонька. Мой кондотьер[1].

Этот эпитет пробудил ехидство Сесара.

— *Cave canem*[2], мощный красавец, — сказал он Максу, и, пожалуй, только Хулия поняла, что по-латыни слово *canem* может означать представителей собачьего племени как мужского, так и женского пола. — Согласно историческим фактам, никого не следует кондотьерам опасаться больше, чем тех, кому они служат. — Он взглянул на Хулию и отвесил ей шутливый поклон, выпитый джин начал действовать и на него. — Буркхардт[3], — пояснил он.

— Успокойся, Макс, — повторила Менчу, хотя Макс вроде бы и не нервничал. — Видишь? Он даже не сам это выдумал. Примеряет на себя чужой венок... Или это называется «лавры»?

— Акант, — смеясь, вставила Хулия.

Сесар бросил на нее страдающий взгляд.

— *Et te, Bruta?..*[4] — Он повернулся к Серхио. — Ты улавливаешь трагическую сущность всего этого, Патрокл? — Отпив большой глоток водки с лимоном, он посмаковал его, затем драматически огляделся вокруг, словно ища дружеское лицо.— Не знаю, что вы имеете против чужих лавров, дражайшие мои... По

---

1 Кондотьер — в средние века в Италии солдат наемной армии.
2 Берегись собаки *(лат.).* — Употребляется и как предостережение вообще.
3 Буркхардт Яков (1818—1897) — шведский историк и археолог.
4 И ты, Брут?.. *(лат.)* — Имя употреблено в женском роде.

своей сути, — продолжал он после секундного размышления, — всяческие лавры являются до какой-то степени чужими. Чистого творчества не существует, сожалею, что приходится сообщать вам это печальное известие. Мы не... или, вернее, вы, поскольку я не отношусь к числу творящих... И ты тоже, Менчу, краса моя... Может быть, ты, Макс... не смотри на меня так, очаровательный *condottiero feroce*[1], может быть, ты среди нас единственный, кто действительно что-то создает... — Он сделал утомленный изящный жест правой рукой, словно желая выразить, до какой степени ему наскучило все на свете, даже собственные рассуждения, и — как будто случайно — закончил его в непосредственной близости от левого колена Серхио. — Пикассо — и мне не доставляет ни малейшего удовольствия упоминать имя этого шута, — он в то же время и Моне, и Энгр, и Сурбаран, и Брейгель, и Питер ван Гюйс... Даже наш друг Муньос, который в эту минуту наверняка сидит, склонившись над шахматной доской, силясь разогнать сонм своих собственных призраков, одновременно освобождая нас от наших, — он не Муньос, а Каспаров, и Карпов, и Фишер, и Капабланка, и Пол Морфи, и тот средневековый шахматист — Рюи Лопес... Все составляет различные фазы той же самой истории, а может, это история повторяет сама себя; на этот счет я уже не очень уверен... А ты, Хулия, прекраснейшая из прекрасных, ты, стоя перед нашей пресловутой картиной, задумывалась когда-нибудь, где ты находишься — вне или внутри нее?.. Да. Уверен, что задумывалась, потому что я знаю тебя, принцесса. И знаю, что ответа ты не нашла... — Он коротко рассмеялся — но в смехе его не

---

1   Свирепый кондотьер (*ит.*).

О досках и зеркалах

было иронии — и обвел глазами всех по очереди. — В общем-то, дети мои, прихожане мои, мы с вами составляем интересную команду. Мы имеем наглость пытаться раскапывать тайны, являющиеся, по сути дела, загадками наших собственных жизней... — Он поднял свой бокал, будто провозглашая тост, никому конкретно не адресованный. — А в этом, если как следует поразмыслить, есть свой риск. Это все равно что разбить зеркало, чтобы посмотреть, что там, за слоем амальгамы... Ну, как, дорогие мои, у вас еще не начали бегать мурашки по спине?

Было два часа ночи, когда Хулия вернулась домой. Сесар и Серхио проводили ее до подъезда и настаивали на том, чтобы подняться вместе до самой квартиры, на третий этаж, но Хулия не позволила им этого сделать и, поцеловав обоих на прощание, стала подниматься по лестнице одна. Она шла медленно, тревожно оглядываясь вокруг. И, когда она доставала ключи, прикосновение к холодному металлу пистолета подействовало на нее успокаивающе.

Но, поворачивая ключ в замке, она вдруг с удивлением осознала, что, в общем-то, воспринимает происходящее более или менее спокойно. Она испытывала страх, и, для того чтобы понять, насколько он сильный, вовсе не требовалось абстрактного таланта, как выразился бы Сесар, пародируя Муньоса. Однако в этом страхе не было мучительности, доводящей до животного состояния, как не было желания убежать. Напротив: он словно бы проходил через призму напряженного любопытства, приправленного немалой дозой самолюбования и вызова. Даже игры — опасной и возбуждающей. Как в детстве, когда она убивала пиратов в Стране Никогда.

Убивать пиратов. Она очень рано познакомилась со смертью. Первым ее детским воспоминанием был отец, лежащий неподвижно, с закрытыми глазами, на кровати, накрытой покрывалом, в спальне, окруженный серьезными, одетыми в темное людьми, которые разговаривали очень тихо, точно боясь разбудить его. Хулии было шесть лет, и это непонятное и торжественное зрелище осталось в ее памяти навсегда связанным с образом матери, даже тогда не проронившей ни слезинки, одетой в черное и еще более неприступной, чем всегда, и с ощущением ее сухой властной руки на своем затылке, когда она пригнула голову девочки к лицу покойного, веля поцеловать его в лоб. Не мать, а Сесар — не такой, как теперь, а моложе — после этого подхватил малышку на руки и унес в другую комнату. Сидя у него на коленях, Хулия взглянула на закрытую дверь, за которой несколько служащих похоронного бюро готовили гроб.

— Он стал совсем не такой, Сесар, — проговорила она, не давая расползтись вздрагивающим губам. Никогда не надо плакать, всегда говорила ее мать. Это, насколько могла вспомнить Хулия, было единственным уроком, усвоенным от нее. — Папа стал совсем не такой.

— Да, это уже не он, — последовал ответ. — Твой папа ушел в другое место.

— Куда?

— Это не важно, принцесса... Он больше не вернется.

— Никогда?

— Никогда.

Хулия задумчиво нахмурила лобик.

— Я не хочу больше целовать его... У него кожа такая холодная...

О досках и зеркалах

Сесар некоторое время молча смотрел на нее, потом крепко обнял и прижал к себе. Хулия помнила ощущение тепла, охватившее ее в его объятиях, помнила слабый аромат, исходивший от его кожи и одежды.

— Когда тебе захочется, ты всегда можешь прийти и поцеловать меня.

Хулии никогда не удавалось с точностью вспомнить, когда она узнала, что Сесар гомосексуалист. Возможно, это доходило до нее постепенно, от раза к разу, иногда благодаря интуиции, иногда — какой-нибудь показавшейся странной детали. Однажды — ей только что исполнилось двенадцать лет, — выйдя из школы, она заглянула в антикварный магазин и увидела, как Сесар погладил по щеке молодого человека. Только это: короткое прикосновение кончиками пальцев, и больше ничего. Молодой человек пропустил вперед входившую Хулию, улыбнулся ей и исчез. Сесар, закуривавший сигарету, посмотрел на нее долгим взглядом и лишь потом принялся заводить свои многочисленные часы.

Через несколько дней, играя с фигурками Бустелли, Хулия спросила:

— Сесар... Тебе нравятся девушки?

Антиквар, сидя за письменным столом, просматривал свои книги. Вначале он как будто не расслышал вопроса. Лишь спустя несколько мгновений он поднял голову, и его голубые глаза спокойно встретились с глазами Хулии.

— Единственная девушка, которая мне нравится, — это ты, принцесса.

— А другие?

— Какие «другие»?

Больше никто из них не произнес ни слова. Но в

тот вечер, засыпая, Хулия думала о словах Сесара и чувствовала себя счастливой. Никто не отнимет его у нее, опасности нет. И он никогда не уйдет далеко, в то место, откуда не возвращаются, как не вернулся ее отец.

Потом пришло другое время. Время долгих рассказов в золотистом освещении антикварного магазина: молодость Сесара, Париж и Рим, перемешанные с историей, искусством, книгами и приключениями. И мифы, проживаемые вместе. «Остров сокровищ», читаемый глава за главой среди старых сундуков и покрытых ржавчиной сабель. Бедные сентиментальные пираты, чувствовавшие в карибские лунные ночи, как смягчаются их каменные сердца при мысли о старушке матери. Потому что у пиратов тоже были матери: даже у таких утонченных мерзавцев, как Джеймс Крюк, который прославился особой изощренностью своих выходок и который тем не менее в конце каждого месяца посылал несколько испанских золотых дублонов, чтобы облегчить старость той, что дала ему жизнь. А в перерывах между рассказами и чтением Сесар извлекал из какого-нибудь сундука пару старых клинков и показывал Хулии, как дрались на них флибустьеры, обучая ее приемам: вот это выпад, вот это рипост, вот так защищают лицо, а вот так бросается абордажный крюк. Он доставал также секстант, чтобы она могла ориентироваться по звездам. И стилет с серебряной рукоятью работы Бенвенуто Челлини, который, кроме того, что был ювелиром, выстрелом из аркебузы убил коннетабля де Бурбона во время разграбления Рима. И ужасный кинжал «мизерикорд», длинный и зловещий, который паж Черного Принца вонзал в прорезь шлемов французских рыцарей, сбитых с коней в битве при Креси...

О досках и зеркалах

Прошли годы, в Хулии начала пробуждаться девушка, женщина. И настал черед Сесара молча выслушивать ее рассказы, ее секреты и тайны. Первая любовь в четырнадцать лет. Первый любовник в семнадцать. В таких случаях антиквар слушал, не вставляя своих замечаний, не высказывая собственного мнения. Только под конец всегда улыбался.

Хулия отдала бы все что угодно, лишь бы в этот вечер увидеть перед собой эту улыбку: она придавала ей храбрости и лишала события их сиюминутной, заслоняющей все остальное на свете важности, определяя их точное место и масштаб в коловращении мира и вечном беге жизни. Но Сесара не было рядом, так что приходилось справляться в одиночку. Как частенько говаривал антиквар, нам не всегда удается выбирать компанию или судьбу по своему вкусу.

Она приготовила себе порцию водки со льдом и улыбнулась в темноте, остановившись перед фламандской доской. Так же, как все — и следовало признать это честно, — она жила с впечатлением, что, если произойдет что-либо дурное, это случится с кем-то другим. С главным героем никогда ничего не происходит, вспоминала она, отхлебнув глоток водки, кубик льда звякнул о ее зубы. Умирают только другие — второстепенные персонажи. Как Альваро. Она прекрасно помнит, что пережила уже сотню подобных приключений и всегда выходила из них невредимой, слава Богу. Или... кому?

Она посмотрелась в венецианское зеркало: еще одна тень среди окружающих ее теней. Бледноватое пятно лица, нечетко обрисованный профиль, большие темные глаза: Алиса заглянула в комнату из своего Зазеркалья. Потом она посмотрелась в картину ван Гюйса — в нарисованное зеркало, отражавшее другое, венецианское: отражение отражения отражения. И снова, как в прошлый раз, у нее закружилась голова, и она подумала, что в такой поздний час зеркала, картины и шахматные доски, похоже, играют недобрые шутки с воображением. А может быть, дело просто в том, что время и пространство в конце концов становятся понятиями настолько относительными, что ими вполне можно пренебречь. И она отпила еще глоток, и лед снова звякнул о ее зубы, и она почувствовала, что если протянет руку, то может поставить стакан на стол, покрытый зеленым сукном, как раз туда, где находится спрятанная надпись, между неподвижной рукой Роже Аррасского и шахматной доской.

Она подошла ближе к картине. Сидящая у стрельчатого окна Беатриса Остенбургская, со своими опущенными глазами и книгой на коленях, напоминала Хулии Богородиц, каких писали фламандские художники в несколько наивной манере. Светлые волосы, туго зачесанные назад и убранные под шапочку с почти прозрачным покрывалом. Белая кожа. И вся она, торжественная и далекая в этом своем черном платье, так не похожем на обычные одеяния из алой шерсти — знаменитой фламандской ткани, более драгоценной, чем шелк и парча. Черный цвет — теперь Хулия понимала это абсолютно ясно — был цветом символического траура. Вдовьего траура, в который Питер ван Гюйс, гений, обожавший символы и парадоксы, одел ее, — но не по мужу, а по убитому возлюбленному.

Овал ее лица был тонок и совершенен, и в каждой ее черточке, в каждой мелочи проступало явно преднамеренно приданное сходство с Богородицами эпохи Возрождения. Но то была не итальянская

О досках и зеркалах

Богородица, из тех, что запечатлела в веках кисть Джотто: хозяйка, кормилица, даже любовница, и не французская — мать и королева. То была Богородица-буржуазка, супруга почтенного главы гильдии или дворянина — владельца раскинувшихся зелеными волнами равнин с замками, деревнями, реками, колокольнями, такими, как та, что возвышалась среди пейзажа, видневшегося за окном. Богородица чуть самодовольная, бесстрастная, спокойная и холодная, воплощение той северной красоты *a la maniera ponentina*[1], которая пользовалась таким успехом в южных странах, в Испании и Италии. И голубые — или, кажется, голубые — глаза с отрешенным взглядом, сосредоточенным вроде бы только на книге и в то же время настороженным и внимательным, как у всех фламандских женщин, написанных ван Гюйсом, ван дер Вейденом, ван Эйком. Загадочный взгляд, не выдающий, на что он обращен или желал бы обратиться, какие мысли и чувства таит.

Хулия закурила еще одну сигарету. От смешанного вкуса табака и водки стало горько во рту. Она откинула волосы со лба и, приблизив пальцы к поверхности картины, провела ими по линии губ Роже Аррасского. В золотистом свете, аурой окружавшем рыцаря, его стальной нашейник блестел мягко, почти матово, как блестит хорошо отполированный металл. Подперев подбородок большим пальцем правой руки, чуть подсвеченной этим мягким сиянием, так же, как и склоненный профиль, четкий, словно изображения на старинных медалях, Роже Аррасский сидел, устремив взгляд на доску, символизирующую его

---

1   На западный манер *(ит.)*.

жизнь и смерть, не замечая, казалось, женщины, читающей у окна за его спиной. Но, может быть, его мысли витали далеко от шахмат, может быть, летели к ней, Беатрисе Бургундской, на которую он не смотрел из гордости, из осторожности или, возможно, только из уважения к своему сеньору. Если так, то лишь они, его мысли, могли свободно обращаться к ней, так же, как и мысли дамы в эту минуту, может быть, были заняты вовсе не страницами книги, которую она держала в руках, а глаза ее, даже и не глядя в сторону рыцаря, видели его широкую спину, его изящную спокойную позу, его задумчивое лицо; и, может быть, она вспоминала прикосновения его рук, тепло его кожи, а может, лишь вслушивалась в эхо затаенного молчания, пытаясь поймать печальный, омраченный сознанием своего бессилия взгляд его влюбленных глаз.

Оба зеркала — венецианское и нарисованное — заключали Хулию в некое нереальное пространство, стирая грань между тем, что находилось по эту сторону картины, и тем, что по ту. Золотистый свет окутал и ее, когда очень медленно, едва не опираясь рукой о покрытый зеленым сукном нарисованный стол, осторожно, чтобы не свалить расставленные на доске фигуры, она наклонилась к Роже Аррасскому и поцеловала уголок холодного рта. А обернувшись, увидела блеск ордена Золотого Руна на алом бархате кафтана другого игрока, Фердинанда Альтенхоффена, герцога Остенбургского, и его глаза, темные и непроницаемые, пристально смотревшие на нее.

К тому времени, как настенные часы пробили три, пепельница была полна окурков, чашка и кофейник

О досках и зеркалах

стояли почти пустые среди книг и бумаг. Хулия откинулась на спинку стула и уставилась в потолок, стараясь привести в порядок свои мысли. Она зажгла все лампы, что были в комнате, чтобы отогнать окружившие ее призраки, и грань между реальным и нереальным мало-помалу снова очертилась, расставляя все по местам в пространстве и во времени.

В конце концов Хулия пришла к выводу, что есть куда более практические способы подхода к этому вопросу. Можно увидеть его с другой — и, несомненно, гораздо более верной — точки зрения, если смотреть на себя не как на Алису, а как на значительно повзрослевшую Вэнди. Для этого нужно всего лишь закрыть на минутку глаза, потом снова открыть их, взглянуть на картину ван Гюйса так, как смотрят просто на картину, написанную пять веков назад, и взять карандаш и лист бумаги. Так Хулия и сделала, предварительно допив остатки остывшего кофе. В такой-то час, подумала она, да еще когда сна ни в одном глазу и когда больше всего страшит возможность не удержаться на скользком краю бездны иррационального, упорядочить свои мысли в свете последних событий — совсем не дурная идея. Очень даже недурная. Так что она принялась писать:

I. Картина датирована 1471 годом. Партия в шахматы. Тайна. Что в действительности произошло между Фердинандом Альтенхоффеном, Беатрисой Бургундской и Роже Аррасским? Кто приказал убить рыцаря? Какое отношение ко всему этому имеют шахматы? Почему ван Гюйс написал эту картину? Почему, сделав надпись «Quis necavit equitem», он после закрасил ее? Боялся, что его тоже убьют?

II. Я рассказываю о своем открытии Менчу. Обращаюсь к Альваро. Он уже в курсе: кто-то консультировался с ним. Кто?

III. Альваро находят мертвым. Мертвым или убитым? Очевидная связь с картиной, или, возможно, с моим визитом и моим исследованием. Существует нечто, о чем кто-то не хочет, чтобы стало известно? Альваро раскопал что-то важное, чего не знаю я?

IV. Неизвестная личность (возможно, убийца) присылает мне документы, собранные Альваро. Что знал Альваро такого, что другим казалось опасным? Что эти другие (или другой) считают, мне можно знать, а что нельзя?

V. Некая блондинка приносит конверт в «Урб экспресс». Имеет ли она какое-нибудь отношение к смерти Альваро или же это просто посредница?

VI. Погибает Альваро, а не я (пока), хотя мы оба занимаемся исследованием данной темы. Даже, похоже, они хотят облегчить мне работу — или же направить ее в неизвестную пока мне сторону. Интересует ли их сама картина как материальная ценность? Или моя реставрационная работа? Или надпись? Или проблема шахматной партии? Они заинтересованы в том, чтобы стали или, наоборот, не стали известны определенные исторические данные? Какая связь может существовать между кем бы то ни было в XX веке и драмой, разыгравшейся в XV?

VII. Основной вопрос (пока): выгодно ли возможному убийце увеличение цены картины на аукционе? В ней есть что-то, до чего я так и не докопалась?

VIII. Возможно, что вопрос заключается не в стоимости картины, а в тайне изображенной на ней

О досках и зеркалах

партии. Работа Муньоса. Шахматная задача. Каким образом это может привести к смерти человека в XX веке? Это не только смешно: это глупо. (По-моему!)

IX. Я в опасности? Может быть, они надеются, что я обнаружу еще что-нибудь, что буду работать на них, сама о том не подозревая. Может быть, я еще жива только потому, что пока нужна им.

Вспомнив кое-что, о чем говорил Муньос, стоя в первый раз перед картиной ван Гюйса, она принялась восстанавливать это на бумаге. Шахматист говорил о наличии в картине различных уровней. Объяснение одного из них могло привести к пониманию всего.

Уровень 1. Обстановка внутри картины. Пол в виде шахматной доски, на котором находятся персонажи.

Уровень 2. Персонажи картины: Фердинанд, Беатриса, Роже.

Уровень 3. Шахматная доска, на которой двое из персонажей разыгрывают партию.

Уровень 4. Фигуры, символизирующие всех трех персонажей.

Уровень 5. Нарисованное зеркало, в перевернутом виде отражающее партию и персонажей.

Некоторое время она изучала результат, прочерчивая прямые между уровнями, но ей удалось установить лишь несколько тревожных соответствий. Пятый уровень содержал в себе четыре предыдущих, первый соотносился с пятым, второй с четвертым... Странный круг, замыкающийся на самом себе.

Скорее всего, сказала она себе, изучая эту любопытную схему, все это просто пустая трата времени. Да, она уяснила все эти переплетения, ну и что? Это только доказывает, что автор картины был действительно в высшей степени хитроумным человеком. Однако никоим образом не проливает свет на гибель Альваро: он поскользнулся в ванне — или ему помогли это сделать — полтысячи лет спустя после того, как была написана «Игра в шахматы». Сколько бы еще рамок и стрелок ни нарисовала Хулия, картина ван Гюйса не могла содержать в себе ничего, относящегося к ней либо к Альваро, ибо художник не мог предвидеть, что они когда-то появятся на Земле... А вдруг все-таки он? Тревожный вопрос пульсировал в голове Хулии. Созерцая совокупность символов, состав-

О досках и зеркалах

ляющих эту картину, должен ли зритель сам приписывать им то или иное значение, или же эти значения были зашифрованы в ней изначально, со времени ее создания?

Хулия все еще рисовала стрелки и вычерчивала рамки, когда зазвонил телефон. Вздрогнув, она подняла голову и уставилась испуганным взглядом в аппарат, стоявший на ковре. Кто мог звонить ей в половине четвертого утра? Она мысленно перебрала несколько вариантов, но ни один из них не успокоил ее, и телефон успел прозвонить еще четырежды, прежде чем она пошевелилась. Она шла к нему медленно, неуверенными шагами, но вдруг подумала: если он перестанет звонить раньше, чем я успею выяснить, кто это, будет еще хуже. Она представила себе, как проведет остаток ночи, съежившись на диване, боязливо посматривая на аппарат в ожидании новых звонков... Нет уж, спасибо. Она почти яростно сорвала трубку:

— Слушаю!

Вырвавшийся у нее вздох облегчения, наверное, был слышан даже Муньосу, который прервал свои объяснения, чтобы осведомиться, все ли у нее в порядке. Ему очень не хотелось звонить в столь поздний час, но все-таки он счел, что дело стоит того, чтобы разбудить ее. Сам он тоже несколько взволнован, потому и взял на себя такую смелость. Что?.. Да, речь идет об этом. Всего пять минут назад... Алло!.. Вы слушаете? Да, всего пять минут назад. Да, что-то вроде озарения. Теперь уже можно со всей точностью сказать, какая фигура съела белого коня.

VII

Кто убил рыцаря

Белые и черные фигуры,
казалось, воплощали противостояние между
светом и тьмой, между добром и злом,
заключенное в самом человеческом духе.
Г. Каспаров

Я не мог уснуть, все думал об этом — с одной стороны, с другой... И вдруг понял, что занимаюсь анализом единственно возможного хода. — Муньос выложил на стол карманные шахматы и схему, испещренную его пометками и уже настолько измятую, что ему пришлось разгладить ее ладонью. — Но все-таки никак не мог поверить... У меня ушел час, чтобы еще раз проверить все сверху донизу.

Они сидели в маленьком кафе, работавшем всю ночь, у самой витрины, за которой простирался пустынный в этот час проспект. Посетителей было раздва и обчелся: несколько актеров из соседнего театра да с полдюжины полуночников обоих полов. У дверей, оснащенных электронной системой сигнализации, зевал, поглядывая на часы, охранник в камуфляжной форме наподобие армейской.

— Теперь следите особенно внимательно.— Шахматист указал на диаграмму, затем на доску.— Мы восстановили последний ход черной королевы — с b2 на c2, но мы не знали, какой предыдущий ход белых заставил ее сделать это... Помните?.. Рассматривая угро-

Кто убил рыцаря

зу со стороны двух белых ладей, мы решили, что та из них, что находится на b5, могла прийти туда с любой клетки пятого ряда, но это не оправдало бегства черной королевы, потому что вторая белая ладья, та, что на b6, еще раньше угрожала ей шахом... Возможно, решили мы, эта ладья съела на b5 какую-то черную фигуру. Но какую? Это нас остановило.

— И какую же фигуру она съела? — Хулия изучала взглядом доску, чье черно-белое, геометрически расчерченное пространство уже не казалось ей неведомой страной: теперь она ориентировалась в нем достаточно свободно. — Вы сказали, что выясните это, когда разберетесь с фигурами, выведенными из игры.

— Я и разобрался. Я изучил их все, одну за другой. И пришел вот к какому удивительному выводу:

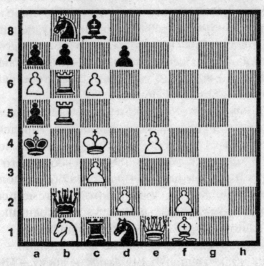

— Какую же фигуру могла съесть эта ладья на b5? — Муньос смотрел на доску своими воспаленными от бессонной ночи глазами так, словно и правда до сих пор не знал ответа. — Черного коня? Нет, потому что оба они еще находятся на доске... И не слона, потому что поле b5 — белое, а черный слон, который передвигается по диагонали по белым полям, еще не сходил с места. Вон он — на c8, и обе белые диагонали, по которым он мог бы выйти оттуда, заблокированы черными пешками, еще не участвовавшими в игре...

— Может, это была черная пешка, — продолжала Хулия.

Муньос отрицательно покачал головой.

— Мне пришлось потратить довольно много времени, чтобы исключить этот вариант, потому что в этой партии самое неясное — это позиция пешек. Но это не могла быть черная пешка, потому что та, что стоит на a5, пришла туда с c7. Вы уже знаете, что пешки берут фигуры противника по диагонали, а эта, по моим предположениям, съела две белые фигуры — на b6 и на a5... Что касается остальных четырех черных пешек, сразу ясно, что они были съедены далеко от этого места. Они вообще не могли находиться на b5.

— Значит, это могла быть только черная ладья, которая уже выведена из игры... Белая ладья должна была съесть ее на b5.

— Это невозможно. По расположению фигур вокруг клетки a8 очевидно, что черная ладья была съедена именно там, на своей исходной позиции, даже не успев поучаствовать в игре. А съел ее белый конь, хотя в данном случае эта деталь не играет никакой роли...

Хулия, сбитая с толку, подняла глаза от доски.

— Что-то я ничего не понимаю... Это исключает любую черную фигуру. Кого же тогда съела эта белая ладья на b5?

Кто убил рыцаря

Муньос чуть улыбнулся, но отнюдь не самодовольно. Казалось, его просто забавляет вопрос Хулии — или ответ, который он собирался дать.

— Вообще-то говоря, никого. Нет, не смотрите на меня так. Этот ваш ван Гюйс был еще и большим мастером по части сбивания со следа... Потому что никто никого не ел на b5. — Он сложил руки на груди и, наклонившись к маленькой доске, некоторое время молча изучал ее. Потом, взглянув на Хулию, протянул указательный палец и коснулся им черного ферзя. — Если не последний ход белых создал угрозу ладьей черной королеве, это значит, что она оказалась под этой угрозой в результате хода какой-то белой фигуры... Я имею в виду ту, которая находилась на b4 или b3. Ван Гюйс, наверное, очень смеялся, предвкушая, как с помощью этого миража — двух белых ладей — подшутит над тем, кто будет пытаться разгадать его загадку.

Хулия медленно кивнула. Одной простой фразы Муньоса оказалось достаточно, чтобы уголок доски, до этого казавшийся статичным и не имевшим значения, превратился в источник бесчисленных возможностей. Была какая-то особая магия в том, как этот человек умел вести других сквозь сложный черно-белый лабиринт, от которого, похоже, имел некие тайные ключи. Он словно обладал способностью ориентироваться в переплетении невидимых нитей, которые, проходя за доской, в одно мгновение могли создать на ней самые невероятные, неожиданные комбинации, и те, стоило лишь упомянуть о них, оживали и вырисовывались с такой очевидностью, что оставалось только удивляться, как их не замечали раньше.

— Понимаю, — ответила Хулия через несколько

секунд. — Эта белая фигура прикрывала черную королеву от ладьи. И, сойдя со своей позиции, оставила эту даму под угрозой.

— Точно.

— И какая же это была фигура?

— Может, вы сами сумеете угадать.

— Белая пешка?

— Нет. Одна из белых пешек была съедена на a5 или на b6, а вторая — слишком далеко от этого места. И другие здесь тоже ни при чем.

— Знаете, честно говоря, мне ничего не приходит в голову.

— Посмотрите на доску как следует. Я мог бы сказать вам с самого начала, но это означало бы лишить вас удовольствия, которого вы, полагаю, вполне заслуживаете... Поразмыслите спокойно. — Он движением руки обвел почти пустое кафе, безлюдную улицу, чашки кофе на столе. — Куда нам торопиться?

Хулия снова склонилась над доской. Через несколько секунд, не отрывая от нее взгляда, она нашарила сумочку, достала из нее сигарету, и на ее губах заиграла неопределенная улыбка.

— Кажется, я догадалась, — осторожно проговорила она.

— Ну?

— Слон, который перемещается по белым диагоналям, стоит цел и невредим на f1, он, похоже, еще и не играл. Единственный вариант — что он мог прийти туда с b3, но у него не было времени, а поле b4 — черное... — Прежде чем продолжать, она взглянула на Муньоса, ожидая подтверждения. — Я хочу сказать, что на это ему понадобилось бы как минимум... — она сосчитала пальцем, — как минимум, три хода, чтобы добраться с b3 туда, где он сейчас нахо-

Кто убил рыцаря

дится... Это значит, что не ход слона поставил черную королеву под удар со стороны ладьи. Я верно рассуждаю?

— Абсолютно верно. Продолжайте.

— Это не могла быть и белая королева, стоящая сейчас на e1. Белый король тоже не мог... Что же касается белого слона, который перемещается по черным полям и который уже выведен из игры, потому что был съеден, то он никогда не мог находиться на b3.

— Очень хорошо, — кивнул Муньос. — Почему?

— Потому, что клетка b3 — белая. С другой стороны, если бы этот слон сделал ход по черной диагонали с b4, то он находился бы на доске до сих пор, а его нет. Думаю, он был съеден уже давно, при иных обстоятельствах.

— Правильное рассуждение. Что же у нас тогда остается?

Хулия взглянула на доску и почувствовала, как по спине и рукам побежали мелкие мурашки, словно она коснулась лезвия ножа. Оставалась лишь одна фигура, о которой она еще ничего не говорила.

— Остается конь, — непроизвольно тихо ответила она, сглатывая слюну. — Белый конь.

Муньос наклонился к ней. Лицо его было серьезно.

— Да, белый конь. — Он замолчал и во время этого долгого молчания смотрел уже не на доску, а на Хулию. — Белый конь, который сделал ход с b4 на c2 и этим ходом открыл и поставил под угрозу черную королеву... И именно там, на c2, черная королева, чтобы скрыться от угрозы ладьи и выиграть фигуру, съела этого коня. — Муньос снова замолчал, мысленно проверяя, не забыл ли он сказать что-нибудь важное, потом блеск его глаз внезапно погас, как гаснет лампа, когда поворачивают выключатель. Отведя взгляд от Хулии, он одной рукой принялся собирать фигуры, а другой — складывать доску, как будто давая понять, что на этом считает свое участие в деле законченным.

— Черная королева, — повторила Хулия, ошеломленная, чувствуя — почти слыша, — как жужжит и постукивает ее мозг, работающий на всю катушку.

— Да, — пожал плечами Муньос. — Рыцаря убила черная дама... Что бы это ни означало.

Хулия поднесла к губам сигарету, уже успевшую превратиться в стерженек пепла, и, прежде чем швырнуть ее на пол, в последний раз глубоко затянулась, обжигая себе пальцы.

— Это означает, — прошептала она, потрясенная открытием, — что Фердинанд Альтенхоффен был невиновен... — Коротко и сухо рассмеявшись, она, все еще не веря, взглянула на лежавшую на столе диаграмму позиций. Потом протянула руку и коснулась указательным пальцем клетки с2 — рва восточных ворот остенбургской крепости, где был убит Роже Аррасский. — Это означает, — вздрогнув, повторила она, — что это Беатриса Бургундская приказала убить рыцаря.

— Беатриса Бургундская?

Хулия кивнула. Все было настолько ясно, настолько очевидно, что ей хотелось надавать самой себе пощечин за то, что не догадалась раньше. Все прямо-таки открытым текстом — и в шахматной партии, и в самой картине. Все, до самых мельчайших подробностей, зафиксированное тщательно и скрупулезно: уж это ван Гюйс умел.

— Иначе и быть не могло, — проговорила она. — Конечно же, черная дама: Беатриса, герцогиня Ос-

Кто убил рыцаря

тенбургская. — Она чуть запнулась, подбирая подходящее слово. — Проклятая лиса.

И она увидела — явственно и отчетливо — художника среди беспорядка его мастерской, пропахшей красками и скипидаром, среди теней и света сальных свечей, придвинутых чуть ли не вплотную к картине. Он смешивал медную зелень со смолой, чтобы ее яркость могла бросить вызов времени. Потом он накладывал ее, слой за слоем, выписывая складки покрывающей стол ткани, пока зеленая краска не закрыла окончательно надпись *Quis necavit equitem,* которую он сам сделал аурипигментом всего лишь несколько недель назад. Он приложил много усилий, выводя прекрасные готические буквы, и теперь ему было жаль прятать их от людского глаза — по всей вероятности, навсегда; однако герцог Фердинанд был прав: «Слишком уж все явно, мастер ван Гюйс».

Наверное, именно так все и было, и, наверное, старый мастер ворчал сквозь зубы, медленно накладывая мазок за мазком на доску, свежие краски которой ярко сияли в пламени свечей. Может быть, в какой-то момент он, отложив кисть, потер усталые глаза и грустно покачал головой. С некоторых пор зрение начало подводить: сказывались годы напряженной работы. Они, эти годы, отравляли ему даже то единственное удовольствие, которое заставляло его забывать о живописи в часы зимнего досуга, когда дни становились слишком короткими, а свет — слишком тусклым, чтобы браться за кисти: игру в шахматы. Пристрастие, сближавшее его с горько оплакиваемым мессиром Роже, который при жизни был его покровителем и другом и который, несмотря на свою знатность и высокое положение, не считал зазорным запачкать краской свой кафтан, когда приходил к нему в мастерскую, чтобы сыграть партию-другую среди бутылей с маслом, горшков с глиной, кистей и недописанных картин. Который умел, как никто другой, сочетать шахматные сражения с долгими беседами об искусстве, любви и войне. Или об этой своей странной идее, которая теперь звучала как зловещее предсказание его собственной участи, о том, что шахматы — игра для тех, кто любит дерзко прогуливаться по отверстой пасти дьявола.

Картина была закончена. Раньше, когда он был моложе, Питер ван Гюйс имел обыкновение сопровождать последний мазок короткой молитвой благодарности Господу за благополучное окончание новой работы; но годы наложили печать молчания на его уста, высушили его глаза и посыпали пеплом волосы. Так что он ограничился легким утвердительным кивком, сунул кисть в горшок с растворителем и вытер пальцы о потертый кожаный фартук. Потом взял канделябр, поднял его повыше и отступил на шаг от картины. Пусть Господь простит его, но невозможно не испытывать чувства гордости. «Игра в шахматы» полностью — и даже более — соответствовала наказу его высочества герцога. Потому что в ней было все: жизнь, красота, любовь, смерть, предательство. Эта доска была произведением искусства, которому предстояло пережить и живописца, своего создателя, и тех, кто был на ней изображен. И старый фламандский мастер ощутил горячее дыхание бессмертия.

Увидела она и Беатрису Бургундскую, герцогиню Остенбургскую, читающую, сидя у окна, «Поэму о розе и рыцаре», и солнечный луч, наискосок падающий на ее плечо и освещающий расписанные суриком страницы. Увидела, как слегка дрожит, словно листок под легким ветерком, ее белая, оттенка слоновой кости, рука, на которой мерцает в луче света золотое кольцо. Быть может, она любила и была несчастна, и ее гордость не смогла вынести пренебрежения этого человека, посмевшего отказать ей в том, в чем сам сэр Ланселот Озерный не осмелился отказать королеве Джиневре... А может, все было иначе, и наемник, вооруженный арбалетом, мстил за горечь и отчаяние, полыхнувшие вслед за агонией старой страсти, вслед за последним поцелуем и жестоким прощанием... Над раскинувшимся за окном пейзажем в голубом небе Фландрии плыли облака, а дама читала, поглощенная лежащей на коленях книгой. Нет. Это невозможно, ибо Фердинанд Альтенхоффен никогда бы не стал воздавать почестей измене, а Питер ван Гюйс — тратить на это свои искусство и талант... Предпочтительнее было думать, что опущенные глаза не смотрят прямо, потому что таят слезу. Что черный бархат — это траур по собственному сердцу, пробитому той же самой стрелой, что просвистела у рва. По сердцу, склонившемуся перед государственными интересами, перед шифрованным посланием кузена — Карла, герцога Бургундского: в несколько раз сложенным пергаментом с сургучной печатью, который она, немея от тоски, смяла холодными руками, прежде чем сжечь его в пламени свечи. Конфиденциальное послание, переданное тайными агентами. Интриги и паутина, плетущиеся вокруг герцогства и его будущего, составляющего часть будущего Европы. Французская партия, бургундская партия. Глухая война дипломатий, не менее безжалостная, чем самое жестокое сражение на поле брани: без героев, но с палачами, одетыми в бархат и кружева, оружием которым служили кинжал, яд и арбалет... Голос крови, долг, к исполнению которого призывала семья, не требовали ничего такого, что впоследствии не могло бы быть облегчено надлежащим покаянием. А требовали они всего лишь ее присутствия, в определенный день и час, у окна башни восточных ворот, где каждый вечер, на закате, камеристка расчесывала ей волосы. У окна, под которым Роже Аррасский прогуливался каждый день, в один и тот же час, в полном одиночестве, размышляя о своей запретной любви и о своей тоске.

Да. Быть может, черная дама так низко склоняла взор, устремленный на книгу на коленях, не потому, что была погружена в чтение, а потому что плакала. А может, не смела прямо смотреть в глаза художнику, потому что ими, в общем-то, на нее взирали Вечность и История.

Она увидела Фердинанда Альтенхоффена, несчастного герцога, зажатого в кольцо ветрами Востока и Запада в чересчур уж быстро, на его взгляд, меняющейся Европе. Она увидела его покорившимся и бессильным, пленником самого себя и своего века, увидела, как он с размаху хлещет себя по обтянутому шелком колену замшевыми перчатками, дрожа от ярости и горя, от невозможности покарать убийцу единственного друга, какой был у него в жизни. Увидела, как в большой зале, увешанной коврами и знаменами, прислонившись к колонне, он вспоминает юные годы, общие мечты, делимые на двоих, свое восхищение другом — старшим, но еще почти мальчиком, — отправившимся на войну и вернувшимся покрытым шрамами и славой. Еще звучали в этих стенах эхо его смеха, его спокойного голоса, всегда раздававшего-

Кто убил рыцаря

ся в нужный момент, его изысканные комплименты, адресованные дамам, его неизменно дельные советы, еще жило его тепло, его дружба... Но его самого уже не было. Он ушел — вдаль, в темноту.

«А хуже всего, мастер ван Гюйс, хуже всего, старый друг, старый художник, любивший его почти так же, как и я, хуже всего то, что месть не может свершиться; то, что она — она, — как и я, как и он сам, не более чем игрушка в руках других, более могущественных: тех, кто решает, потому что у них есть деньги и сила, что века должны стереть Остенбург с карт, которые рисуют картографы... У меня нет головы, которую я мог бы отсечь перед могилой моего друга; да даже и имей я эту голову, я не смог бы. Только она все знала — и молчала. Она убила его своим молчанием, позволив ему прийти, как каждый вечер — у меня тоже есть хорошие шпионы, — ко рву восточных ворот, куда влекло его безмолвное пение той сирены, что толкает мужчин встретиться лицом к лицу со своей судьбой. С судьбой, которая кажется спящей или слепой, пока в один прекрасный день не откроет глаза и не воззрится на нас.

Возможности мести, как видишь, не существует, мастер ван Гюйс. Лишь твоим рукам и твоей изобретательности доверяю я эту месть, и никто никогда не заплатит тебе ни за одну картину такой цены, какую заплачу я за эту. Я хочу справедливости, хотя бы для одного себя. Хотя бы для того, чтобы она знала, что я знаю, и чтобы еще кто-нибудь, кроме Господа, возможно, узнал об этом, когда все мы уже превратимся в прах, как Роже Аррасский. Так что напиши эту картину, мастер ван Гюйс. Ради самого неба, напиши ее. Я хочу, чтобы в ней было все и чтобы она стала самым лучшим, самым ужасным из твоих творений. Напиши ее, и пусть дьявол, которого ты когда-то нарисовал скачущим на коне рядом с ним, заберет всех нас».

И наконец, она увидела рыцаря, в кафтане и плаще, с золотой цепью на шее и бесполезным кинжалом на поясе; он прогуливался в сумерках вдоль рва восточных ворот — один, без оруженосца, который мог бы помешать его размышлениям. Она увидела, как он поднял глаза на стрельчатое окно и улыбнулся — едва заметной, отрешенной и грустной улыбкой. Одной из тех улыбок, в которых отражаются воспоминания, любовь, пережитые опасности — и также предвидение собственной судьбы. И, может быть, Роже Аррасский угадывает присутствие убийцы, который, укрывшись с другой стороны одного из выщербленных зубцов, из чьих камней растут кривые кусты, натягивает тетиву своего арбалета и целится ему в бок. И внезапно он понимает, что вся его жизнь, длинный путь, сражения и схватки, скрипучие доспехи, хрип и пот, женские объятия, тридцать восемь лет, которые он несет на плечах, как тяжелый тюк, кончаются именно здесь, в этом месте и в это мгновение, и что после ощущения удара не будет больше ничего. И его охватывает глубокая скорбь о самом себе, потому что ему кажется несправедливым погибать вот так, подстреленным в сумерки, как дикий кабан. И он поднимает свою сильную, но изящную, такую мужскую руку, — глядя на которую невольно задумаешься о том, каким мечом она потрясала, какие поводья сжимала, чью кожу ласкала, какое перо обмакивала в чернила, прежде чем начертать слова на пергамен-

Кто убил рыцаря

те... Он поднимает эту руку в знак протеста, заведомо бесполезного, ибо, помимо всего прочего, он даже не очень уверен, кому следует его адресовать. И ему хочется закричать, но он вспоминает, что это недостойно его. Поэтому он подносит другую руку к кинжалу, думая, что умереть вот так, с оружием в руках, хотя бы даже с этим, более достойно рыцаря... И он слышит «думм» спущенной тетивы, и у него проносится мысль, что нужно бы уклониться от траектории стрелы, но он знает, что стрела быстрее человека. И он чувствует, как душа его сочится медленными горькими слезами по себе самой, и отчаянно пытается отыскать в памяти Бога, Которому мог бы вручить свое покаяние. И с удивлением обнаруживает, что не раскаивается ни в чем, хотя, с другой стороны, неясно, есть ли в этот вечер, в этих сумерках Бог, расположенный выслушать его. И тогда он чувствует удар. Он испытывал их и раньше, там, где теперь на его теле шрамы и рубцы, но он знает, что от этого шрама не останется. Ему даже не больно; просто ему кажется, что душа покидает тело вместе с дыханием. И тогда вдруг на него бесповоротно обрушивается ночь, и, прежде чем погрузиться в нее, он понимает, что на сей раз она будет вечной. И, когда Роже Аррасский испускает крик, он уже не слышит собственного голоса.

VIII

Четвертый игрок

Но шахматы были безжалостны,
они держали и втягивали его.
В этом был ужас, но в этом была
и единственная гармония.
Ибо что есть в мире, кроме шахмат?

В. Набоков

Муньос изобразил на лице некое подобие улыбки, механической и отсутствующей, не обязывающей, казалось, ни к чему, даже к попытке произвести приятное впечатление.

— Так, значит, вот о чем там шла речь, — негромко сказал он, приноравливая свой шаг к шагу Хулии.

— Да. — Она брела, понурив голову, занятая своими мыслями. Потом, вынув руку из кармана кожаной куртки, отвела волосы с лица. — Теперь вы знаете всю эту историю... Думаю, вы имеете на это право. Вы заслужили его.

Шахматист, глядя прямо перед собой, ненадолго задумался, размышляя об этом только что приобретенном праве.

— Понимаю, — пробормотал он спустя несколько секунд.

И они снова побрели молча, неторопливо, плечом к плечу. Было холодно. В самых узких и глухих улочках еще царил мрак, и свет фонарей отражался в мокром асфальте яркими отблесками, как на свежем, только что положенном лаке. Понемногу на более открытых местах тени начинали размываться первым тусклым светом непогожего утра, медленно встававшего где-то в дальнем конце проспекта, где силуэты зданий, четко рисовавшиеся на фоне неба, мало-помалу теряли свою черноту, становясь свинцово-серыми.

— А что, — спросил Муньос, — была какая-нибудь особая причина, по которой вы до сих пор не рассказывали мне подоплеку этой вашей истории?

Прежде чем ответить, она искоса взглянула на него. Похоже, он не был обижен — только слегка заинтересован: безразличный взгляд перед собой, на простирающуюся перед ними пустынную улицу, руки в карманах плаща, воротник поднят до ушей.

— Я думала, что, может быть, узнав обо всем, вы не захотите усложнять себе жизнь.

— Понятно.

На углу их приветствовал грохот грузовика-мусоросборщика. Муньос задержался на мгновение, чтобы помочь Хулии пройти между двух пустых баков.

— А что вы собираетесь делать теперь? — спросил он.

— Не знаю. Думаю заканчивать реставрацию. И писать длинную сопроводительную записку с изложением всей этой, как вы говорите, истории. Благодаря вам и я приобрету некую известность.

Муньос слушал с рассеянным видом, будто его мысли витали где-то совсем в другом месте.

— А что там с полицейским расследованием?

— В конце концов они найдут убийцу, если таковой имеется. Они же всегда находят.

— Вы подозреваете кого-нибудь?

Хулия рассмеялась.

— О Господи, конечно же нет! — И остановилась,

не досмеявшись. — По крайней мере, надеюсь, что нет... — Она взглянула на шахматиста. — По-моему, расследовать преступление, которое, может, и не является таковым, — очень похоже на то, что вы проделали с картиной.

На лице Муньоса опять появилась прежняя полуулыбка.

— Думаю, тут все дело в логике, — ответил он. — И, возможно, логика — именно то, что роднит шахматистов и детективов... — Он прищурил глаза, и Хулия не могла понять, в шутку он говорит или всерьез. — Говорят, Шерлок Холмс тоже играл в шахматы.

— Вы читаете детективные романы?

— Нет. Хотя то, что я читаю, пожалуй, имеет с ними некоторое сходство.

— Например?

— Разумеется, шахматную литературу. Потом, математические игры, логические задачи... В общем, такого рода вещи.

Они пересекли безлюдный проспект. Взойдя на противоположный тротуар, Хулия снова потихоньку окинула взглядом своего спутника. Он не производил впечатления человека, наделенного исключительным умом. В общем-то, судя по всему, жизнь у него складывалась не слишком гладко. Руки, глубоко засунутые в карманы, потертый воротник рубашки, большие уши, торчащие над воротником старого плаща... Он выглядел именно тем, кем был на самом деле: мелким, никому не известным служащим, для которого единственным средством отрешиться от серости своего существования был уход — бегство — в мир комбинаций, задач и решений, открываемый перед ним шахматами. Самым любопытным в этом человеке был его взгляд, разом угасавший, едва он отрывался

Четвертый игрок

от шахматной доски. И еще то, как он наклонял голову как-то вбок, словно некая непомерная тяжесть давила ему на шейные позвонки, как будто таким образом он пытался уклониться от лишних соприкосновений с внешним миром. Он напоминал Хулии пленных солдат, плетущихся с низко опущенными головами, которых она видела в старых документальных фильмах о войне. Муньос был похож на человека, проигравшего свою битву еще до того, как она началась, который каждое утро, проснувшись и открыв глаза, чувствует себя побежденным.

И все же в нем было *нечто*. Когда Муньос объяснял какой-нибудь ход или распутывал сложные шахматные переплетения, в нем появлялись уверенность, твердость, блеск, как будто глубоко под его неказистой внешностью жил и полыхал великолепный талант — логический, математический, какой угодно, — придававший вес и значительность каждому его слову и движению.

Хулии захотелось узнать его поближе. Она поняла, что не знает о нем практически ничего, кроме того, что он играет в шахматы и служит бухгалтером. Но было уже слишком поздно. Их совместная работа закончилась, и было мало вероятно, что они когда-нибудь встретятся снова.

— Странные у нас сложились отношения, — сказала она вслух.

Взгляд Муньоса несколько секунд блуждал, как будто в поисках подтверждения этим словам.

— Обычные шахматные отношения, — ответил он. — Мы с вами были вместе столько времени, сколько длилась наша партия. — Он снова улыбнулся своей смутной, ничего не означающей улыбкой. — Звоните мне, когда вам снова захочется сыграть.

— Вы меня просто сбиваете с толку, — вдруг проговорила она. — Правда, честное слово.

Он остановился и удивленно взглянул на нее. Теперь на его лице не было улыбки.

— Не понимаю.

— Я тоже, если дело в этом. — Хулия немного поколебалась, не слишком уверенная в почве, на которую ступала. — В вас как будто два разных человека. Иногда вы робеете, замыкаясь в себе, становитесь как-то трогательно неловки... Но как только в воздухе хотя бы отдаленно запахнет шахматами, вы обретаете прямо-таки поразительную уверенность.

— И что же? — безразличным тоном спросил шахматист, когда Хулия замолчала, не доведя до конца свои рассуждения.

— Да ничего. Ничего больше... — И, пристыженная собственной болтливостью, принужденно усмехнулась. — Наверное, это выглядит нелепо — в такой-то час. Простите.

Он стоял перед ней — руки по-прежнему в карманах плаща, из-под расстегнутого ворота рубашки на плохо выбритой шее выступает кадык, голова чуть склонена к левому плечу, точно в раздумье над только что услышанным. Однако он уже не казался растерянным.

— Я понял, — сказал он, делая резкое движение подбородком сверху вниз, словно принимая на себя ответственность, хотя Хулия и затруднилась бы ответить за что. Потом он пошарил взглядом за ее плечом, как будто в надежде, что кто-то подскажет ему забытое слово. А затем сделал то, о чем девушка потом всегда вспоминала с изумлением. Стоя там, на улице, меньше чем за минуту, с помощью всего лишь полдюжины фраз, бесстрастным и холодным тоном, как если бы речь шла о каком-то третьем лице, он вкратце рассказал ей — или это Хулии показалось, что рассказал, — свою жизнь. Он говорил быстро и ровно, не делая пауз, с той же точностью и четкостью, с какой объяснял шахматные ходы. Хулия была ошеломлена. И когда, закончив, он замолчал, по губам его опять скользнула эта слабая улыбка, как будто насмешка над собой, над тем человеком, которого он описал несколько секунд назад и к которому не испытывал ни сочувствия, ни презрения — только что-то вроде солидарности, разочарованной и понимающей. А Хулия стояла лицом к лицу с ним и долго не находила, что сказать в ответ, и задавала себе вопрос, как этот малоразговорчивый человек сумел так четко объяснить ей все. И она узнала о ребенке, мысленно игравшем в шахматы на потолке своей спальни, когда отец наказывал его за недостаточное усердие в учебе; узнала о женщинах, способных с ловкостью часовщика разбирать и вывинчивать те пружины, которые движут человеком; и узнала об одиночестве, составляющем оборотную сторону неудач и отсутствия надежды. Все это внезапно открылось перед Хулией — настолько внезапно, что у нее даже не было времени обдумать услышанное, и в конце, последовавшем почти сразу же за началом, она не была уверена, какую часть поведал ей он, а какую она досочинила сама. Имея в виду, в общем-то, что Муньос занимался в жизни не только тем, что втягивал голову в плечи и улыбался, как усталый гладиатор, которому безразлично, куда — вверх или вниз — поворачивается палец, решающий его участь. И когда шахматист закончил говорить (если он вообще говорил) и сероватый отблеск рассвета высветил половину его лица, оставив другую в тени, Хулия с абсолютной точностью поняла, чем является для этого человека небольшой квадрат, состоящий из шестидесяти четырех белых и черных клеток: полем битвы в миниатюре, на котором разыгрывается великая мистерия жизни, успеха и провала, ужасных скрытых сил, управляющих судьбами людей.

Она узнала обо всем этом меньше чем за минуту. И ей стало ясно также значение той улыбки, которая так никогда и не достигала его губ. И она медленно наклонила голову, потому что была девушкой умной и поняла, а он взглянул на небо и сказал, что очень холодно. Потом она достала пачку сигарет, предложила ему, и он взял, и это был первый и предпоследний раз, когда она видела Муньоса курящим. И они снова зашагали, и шли, и шли, пока не подошли к двери дома Хулии. Было уже решено, что на этом роль шахматиста заканчивается, так что он протянул руку, чтобы попрощаться с девушкой. Но в этот момент она, случайно взглянув на домофон, увидела маленький — размером с визитку — конверт, сложенный пополам и засунутый в решетку напротив кнопки с ее именем. И, когда она открыла его и вынула лежавшую внутри карточку из плотной белой бумаги, ей стало ясно, что Муньосу еще рано исчезать. И что прежде, чем она и Сесар отпустят его, произойдет еще немало событий, которые вряд ли окажутся приятными.

— Мне это не нравится, — сказал Сесар, и Хулия заметила, как дрожат его пальцы, держащие мундштук из слоновой кости. — Мне абсолютно не нравится, что какой-то ненормальный бродит вокруг твоего дома и пытается поиграть с тобой в Фантомаса.

Казалось, слова антиквара послужили сигналом для того, чтобы все часы, находившиеся в его магазине, начали отбивать — какие одновременно, какие друг за другом, на разные голоса, от нежного бормотания до басистых ударов — четыре четверти и девять часов. Но даже это совпадение не вызвало улыбки на губах Хулии. Она смотрела на Лусинду работы Бустелли, неподвижную в своей стеклянной витрине, и ощущала себя такой же хрупкой, как она.

— Мне это тоже не нравится. Но я не уверена, что у нас есть выбор.

Оторвав взгляд от фарфоровой фигурки, она перевела его на стол эпохи Регентства, на котором Муньос уже разложил свои портативные шахматы и снова, в который раз, воспроизвел на доске расположение фигур с картины ван Гюйса.

— Попался бы мне в руки этот мерзавец... — пробормотал Сесар, еще раз заглядывая в карточку, которую Муньос держал за уголок, как пешку, которую он не знал, куда поставить. — Эта шутка уже переходит границы смешного...

— Это не шутка, — возразила Хулия. — Ты забыл о бедном Альваро?

— Забыть об Альваро! — Антиквар поднес к губам мундштук, потом нервно и резко выдохнул дым. — Это мое самое большое желание!

— И все-таки в этом есть свой смысл, — произнес Муньос.

Оба воззрились на него. Шахматист, не замечая эффекта, произведенного его словами, сидел, уткнувшись в доску, по-прежнему держа карточку в руке. Он так и не снял плаща, и свет, падающий сквозь витраж в свинцовом переплете, подчеркивал синеву его небритого подбородка и круги под усталыми глазами, оставленные бессонницей последних ночей.

— Друг мой, — проговорил, обращаясь к нему, Сесар тоном, в котором смешались вежливое недоверие и нечто вроде иронического уважения, — я рад, что вы сумели обнаружить во всем этом какой-то смысл.

Муньос пожал плечами, не обратив никакого внимания на слова антиквара. Было очевидно, что все оно сосредоточено на новой задаче, зашифрованной значками на маленькой картонной карточке:

$$\text{Лb3?...d7—d5+}$$

Еще пару секунд Муньос созерцал цифры, сверяясь с расположением фигур на доске. Потом поднял глаза на Сесара, затем перевел взгляд на Хулию.

— Кто-то, — и от этого «кто-то» у Хулии вдруг побежали мурашки по спине, как будто рядом распахнули невидимую дверь, — кто-то, похоже, заинтересован в том, чтобы доиграть изображенную на вашей картине партию... — Он прищурился и кивнул головой, словно каким-то образом догадывался о мотивах, движущих таинственным любителем шахмат. — Кто бы это ни был, он в курсе развития партии и знает — или додумался, — что мы разыграли ее в *обратном направлении*. Потому что он предлагает нам делать ходы, как обычно, то есть продолжать партию, начиная с той позиции, которая изображена на картине.

— Вы шутите, — сказал Сесар.

Воцарилось неловкое молчание, в течение которого Муньос пристально смотрел на антиквара.

— Я никогда не шучу, — ответил он наконец, как будто решив, что все-таки стоит уточнить это обстоятельство. — Тем более когда речь идет о шахматах. — Он ткнул пальцем в белую карточку. — Уверяю вас, он делает именно это: продолжает партию с того момента, который запечатлел художник. Взгляните на доску:

VIII

Четвертый игрок

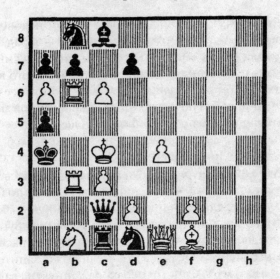

— Обратите внимание. — Муньос постучал указательным пальцем по карточке: — Лb3?... d7—d5+. Символ Лb3 означает, что белые делают ход ладьей с b5 на b3. Далее следует вопросительный знак, который я истолковываю следующим образом: нам предлагается сделать этот ход. Отсюда вывод: мы играем белыми, а наш противник — черными.

— Что ж, вполне подходяще, — заметил Сесар. — Он и сам выглядит достаточно зловещей фигурой.

— Не знаю, зловещей или нет, но делает он именно то, о чем я только что сказал. Он говорит нам: *«Я играю черными и предлагаю вам передвинуть эту ладью на b3...»* Понимаете? Если мы принимаем игру, то должны сделать именно этот ход, хотя сами мы могли бы избрать другой, более подходящий. Например, съесть черную пешку, находящуюся на b7, белой пешкой a6... Или белой ладьей, стоящей на b6... — На мгновение Муньос замолк с отрешенным видом, как будто его мозг в автоматическом режиме анализировал возможности, открываемые только что названной им комбинацией, потом моргнул, с видимым усилием возвращаясь к реальному положению вещей. — Наш противник считает само собой разумеющимся, что мы примем его вызов и двинем белую ладью на b3, чтобы защитить нашего белого короля от возможного бокового движения черной королевы и одновременно этой же ладьей, подкрепляемой другой ладьей и белым конем, поставить под угрозу мата черного короля, стоящего на a4... И из всего этого я делаю вывод, что он любит рисковать.

Хулия, следившая по доске за объяснениями Муньоса, подняла на него глаза. Она была уверена, что расслышала в его словах нотку восхищения неизвестным соперником.

— Почему вы так говорите?.. Откуда вы можете знать, что он любит, а что — нет?

Муньос втянул голову в плечи, покусал нижнюю губу.

— Не знаю, — ответил он после некоторого колебания. — Каждый играет в шахматы в соответствии с тем, каков он сам. По-моему, однажды я уже объяснял вам это. — Он положил карточку на стол, возле доски. — Запись d7—d5+ означает, что черные решили выдвинуть вперед на d5 пешку, стоящую на d7, чтобы создать угрозу шаха белому королю... Этот крестик рядом с цифрами означает шах. Если перевести все это на обыкновенный язык, получается, что мы в опасности. В опасности, которой можем избежать, съев эту пешку нашей белой, стоящей на e4.

— Да, — сказал Сесар. — В том, что касается ходов, я согласен с вами... Но не понимаю, какое отношение это имеет к нам. Какая связь между шахматными ходами и действительностью?

Четвертый игрок

Муньос сделал неопределенный жест, как человек, от которого требуют слишком уж многого. Хулия заметила, что его глаза ищут ее глаза, но, едва лишь их взгляды встретились, шахматист отвел свой.

— Не знаю, какая тут связь или отношения. Может быть, речь идет о каком-то предупреждении. Этого я не могу знать... Но, по логике, черные следующим ходом, после того как мы съедим у них пешку на d5, должны устроить еще один шах белому королю, переведя своего коня с d1 на b2... Если так, то существует только один ход, который могут сделать белые, чтобы избежать шаха и одновременно не выпустить из осады черного короля: взять черного коня белой ладьей. Ладья, стоящая на b3, должна съесть коня, стоящего на b2. Теперь посмотрите, какая ситуация сложилась на доске:

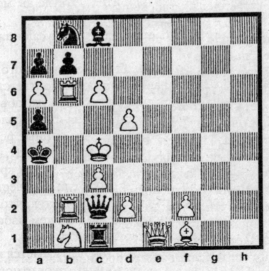

Все трое сидели молча, неподвижно, изучая новое расположение фигур. Потом Хулия рассказывала, что именно в этот момент, еще до того, как она поняла значение написанного на карточке, ее посетило предчувствие: шахматная доска перестала быть просто полем, расчерченным на черные и белые квадраты, превратившись в некую реальность, представляющую течение ее собственной жизни. И, словно доска вдруг обернулась зеркалом, она обнаружила что-то знакомое в маленькой деревянной фигурке, изображавшей белую королеву, так откровенно уязвимую на своей клетке e1, в грозной близости от черных фигур.

Но первым, кто это понял, оказался Сесар.

— Боже мой, — произнес он. И это прозвучало так странно в устах закоренелого гностика, что Хулия метнула на него тревожный взгляд. Глаза антиквара были устремлены на доску, рука с мундштуком застыла в нескольких сантиметрах от рта, как будто понимание пришло к нему внезапно, парализовав едва начатое движение.

Хулия снова посмотрела на доску, чувствуя, как глухо стучит кровь в висках и на запястьях. Она могла видеть только беззащитную белую королеву, но спиной ощущала присутствие опасности. Тогда она подняла глаза на Муньоса, прося о помощи, и увидела, что шахматист задумчиво покачивает головой, а на лбу у него появилась глубокая вертикальная морщинка. Потом по его губам скользнула уже знакомая девушке смутная улыбка, в которой не было ни капли юмора. Это была мимолетная гримаса немного раздосадованного человека, вынужденного с неохотой признать талант своего противника. И Хулия почувствовала, как внутри нее полыхнул темный, тяжелый страх, потому что поняла, что даже Муньос находится под сильным впечатлением.

Четвертый игрок

— Что случилось? — спросила она, не узнавая собственного голоса. Клетки доски прыгали у нее перед глазами.

— Случилось то, — ответил Сесар, обменявшись серьезным взглядом с Муньосом, — что белая ладья теперь нацелена на черную королеву... Не так ли?

Шахматист кивнул в знак согласия.

— Да, — проговорил он мгновение спустя. — В нашей партии черная королева, которая раньше находилась в безопасности, теперь оказалась незащищенной... — Он чуть призадумался; похоже, углубляться в истолкования, не связанные с шахматами, было для него не слишком простой задачей. — Это может означать, что невидимый игрок сообщает нам о чем-то: о своей уверенности в том, что тайна картины раскрыта. Эта черная дама...

— Беатриса Бургундская, — прошептала девушка.

— Да. Беатриса Бургундская. Черная дама, которая, кажется, уже совершила одно убийство.

Последние слова Муньоса повисли в воздухе, точно ответ был излишен. Сесар, молчавший все это время, протянул руку и тщательно стряхнул пепел своей сигареты в пепельницу — аккуратным движением человека, чувствующего, что должен чем-то занять себя, чтобы не потерять связи с реальностью. Потом огляделся вокруг, будто пытаясь найти в каком-нибудь из предметов, заполнявших антикварный магазин, ответ на вопросы, которые все мысленно задавали себе.

— Это совпадение абсолютно невероятно, дорогие мои, — объявил он наконец. — Это не может быть реальным.

Он воздел руки кверху, потом уронил их — жест, выражающий бессилие. Муньос ограничился тем, что с угрюмым видом пожал плечами, обтянутыми мятым плащом.

— Тут не может быть никаких совпадений. Тот, кто спланировал все это, — настоящий мастер.

— А что там с белой королевой? — спросила Хулия.

Муньос несколько секунд смотрел ей в глаза, потом сделал движение рукой в сторону доски, задержав ее всего лишь в паре сантиметров от ферзя, будто не осмеливаясь коснуться его, потом указал пальцем на черную ладью, стоявшую на c1.

— С белой королевой то, что она может оказаться съеденной, — спокойно произнес он.

— Вижу. — Хулия была разочарована: она думала, что испытает более сильные ощущения, когда другой человек вслух подтвердит ее догадки. — Если я правильно поняла, тот факт, что мы раскрыли секрет картины, то есть узнали о виновности черной королевы, отражен в этом ходе ладьей на b2... А белая королева находится в опасности, потому что ей следовало убраться в какое-нибудь тихое место, вместо того чтобы торчать там и осложнять себе жизнь. Такова мораль, сеньор Муньос?

— Более или менее.

— Но ведь все это произошло *пятьсот лет назад*, — возразил Сесар. — Только сумасшедшему может прийти в голову...

— Возможно, он и правда сумасшедший, — равнодушно ответил Муньос. — Но в шахматы он играл — или играет — просто потрясающе.

— И, возможно, он совершил еще одно убийство, — добавила Хулия. — Теперь, несколько дней назад, в двадцатом веке. Альваро...

Сесар возмущенно поднял руку, как будто она сказала нечто неподобающее:

Четвертый игрок

— Стоп, принцесса! Это уже чепуха. Ни один убийца не может прожить пятьсот лет. А картина сама по себе не может никого убить.

— Ну, это как посмотреть.

— Я запрещаю тебе говорить подобную чушь. И перестань смешивать совершенно разные вещи. С одной стороны, мы имеем картину и преступление, совершенное пять веков назад... С другой стороны, мы имеем мертвого Альваро...

— И документы, присланные неизвестно кем.

— Но еще никем не доказано, что человек, приславший их, и есть убийца Альваро... Возможно даже, что этот бедолага и правда разбил себе голову в ванне. — Антиквар поднял три пальца. — В-третьих, кому-то захотелось поиграть в шахматы... Вот и все. Нет никаких доказательств, которые связывали бы все это между собой.

— Картина.

— Это не доказательство. Это просто гипотеза. — Сесар взглянул на Муньоса. — Не так ли?

Шахматист молчал, не желая, видимо, принимать ничью сторону, и Сесар посмотрел на него с упреком. Хулия указала на карточку, лежавшую на столе рядом с доской.

— Вам нужны доказательства? — выпалила она, еще не придя в себя от только что сделанного открытия. — Вот вам доказательство, которое прямо связывает гибель Альваро с этим таинственным шахматистом... Мне слишком хорошо знакомы эти карточки... Альваро пользовался такими для работы. — Она остановилась, чтобы как следует осмыслить собственные слова. — Тот, кто его убил, вполне мог унести из его дома пачку карточек. — Она замолчала, задумалась, механически доставая сигарету «Честерфилд» из пачки, лежавшей в кармане ее куртки. Иррациональное ощущение панического страха, владевшее ею несколько минут назад, начало понемногу отступать, уступая место более трезвому восприятию. Совсем не одно и то же, мысленно сказала она себе, страх вообще — перед чем-то темным и неопределенным, и страх конкретный, порождаемый угрозой гибели от руки реально существующего человека. Может быть, это воспоминание об Альваро, об этой смерти при дневном свете, под открытыми кранами ванной просветлило ее мысли, освободив их от других, незначительных и поверхностных, страхов. Ей уже было не до них.

Она сжала сигарету губами и закурила, надеясь, что эти действия докажут обоим мужчинам, что уверенность не покинула ее. Потом она выдохнула первую струю дыма и сглотнула слюну, ощущая неприятную сухость в горле. Ей срочно требовалась порция водки. Может быть, даже полдюжины порций. Или мужчина — симпатичный, сильный и молчаливый, чтобы заняться с ней любовью до потери сознания.

— А что теперь? — спросила она настолько спокойно, насколько сумела.

Сесар смотрел на Муньоса, Муньос — на Хулию. Она заметила, что взгляд шахматиста снова стал тусклым и безжизненным, как будто все на свете потеряло для него интерес — до того момента, как новый ход потребует его внимания.

— Теперь — ждать, — ответил Муньос, указывая на доску. — Следующий ход — черных.

Менчу была очень взволнована, но отнюдь не из-за таинственного любителя шахмат. По мере того как Хулия вводила ее в курс нового поворота событий, она открывала глаза все шире и шире, так что казалось, если прислушаться, можно уловить деловитое позвякивание кассового аппарата. Что правда, то правда: во всем, что касается денег, Менчу была ненасытна. А уж тем более в этот момент, мысленно подсчитывая возможные барыши.

Ненасытная и легкомысленная, прибавила про себя Хулия, потому что Менчу, похоже, весьма мало беспокоило существование возможного убийцы, увлекающегося шахматами. Она во всем была верна себе: когда возникали проблемы, требовавшие решения, она начинала вести себя так, словно их не существует вовсе. По природе не склонная надолго задерживать свое внимание на чем-то конкретном, а может быть, уже раздраженная постоянным присутствием в доме Макса в качестве гориллы-телохранителя (это осложняло другие эскапады), Менчу решила взглянуть на дело под другим углом. Теперь для нее все сводилось к ряду любопытных совпадений или к некой странной, но, возможно, безобидной шутке, придуманной каким-то человеком с несколько необычным чувством юмора; а что касается движущих им соображений, то она не понимала их по причине их исключительной хитроумности. Это была самая успокаивающая версия, особенно если учесть, что ей светила хорошая прибыль. Что же до Альваро и его смерти, то разве Хулии не приходилось слышать о судебных ошибках?.. Как, например, когда этот тип, Дрейфус, убил Золя... или наоборот?.. или случай с Ли Харви Освальдом... ну, в общем, в таком роде. А кроме того, все мы хоть раз в жизни да поскальзываемся в ванне. Или почти все.

— А насчет ван Гюйса — сама увидишь. Мы выкачаем из него кучу денег.

— А Монтегрифо? Что мы будем делать с ним?

В галерее было мало посетителей: пара дам довольно почтенного возраста, беседовавших возле большого морского пейзажа, написанного маслом в классическом стиле, и господина в темном костюме, листавшего папки с гравюрами. Менчу уперлась рукой в бедро, выставив локоть, как револьвер, и, театрально захлопав ресницами, понизила голос:

— Мы его обработаем как миленького, детка моя.

— Ты так думаешь?

— Думаю, думаю. Или он принимает наши условия, или мы переходим на сторону врага. — На ее губах играла самоуверенная улыбка. — Со всей этой информацией, что ты раскопала, и со всей этой киношной историей насчет герцога Остенбургского и этой паршивой овцы — его благоверной — «Сотби» или «Кристи» примут нас с распростертыми объятиями. А Пако Монтегрифо совсем не дурак... — Вдруг она вспомнила: — Кстати, он приглашает нас сегодня на чашку кофе. Так наведи марафет.

— Нас?

— Да, нас с тобой. Он звонил сегодня утром — прямо-таки пел соловьем. Ну и нюх у этого паршивца!

— Только меня не впутывай.

— А я и не впутываю. Это ему приспичило, чтобы ты тоже была. Не знаю, детка, что он в тебе нашел: кожа да кости.

Каблуки Менчу — вернее, ее туфель, шитых на заказ, баснословно дорогих, но на пару сантиметров выше, чем надо, — оставляли глубокие вмятины в пушистом бежевом покрытии. В ее галерее, просторной, выдержанной в светлых тонах и освещенной рассеянным светом скрытых ламп, преобладало то, что Сесар именовал «варварским искусством»: акрил, гуашь, коллажи, подрамники, обтянутые мешковиной, с прикрепленными к ним ржавыми гаечными ключами, пластмассовыми трубами или автомобильными рулями, выкрашенными голубой краской... Такова была доминирующая нота, и лишь кое-где, в отдельных уголках зала, попадались портреты или пейзажи более привычного вида, похожие на не слишком желанных, но необходимых гостей, приглашенных, чтобы подчеркнуть широту интересов хозяина-сноба. Тем не менее галерея приносила Менчу неплохие доходы; даже Сесар был вынужден, хотя и с неохотой, признавать это, с грустью вспоминая времена, когда в зале собраний любого административного совета непременно должна была висеть респектабельная картина с надлежащими следами возраста и в солидной резной раме из позолоченного дерева, а не эти постиндустриальные бредни — пластиковые деньги, пластиковая мебель, пластиковое искусство, — столь созвучные духу новых поколений, занимающих те же самые помещения, предварительно запустив в них немыслимо дорогих декораторов, переделывающих все по последней моде.

Парадоксы жизни: в этот момент Менчу и Хулия разглядывали любопытную комбинацию из красных и зеленых пятен под пышным названием «Чувства», сошедшую всего несколькими неделями раньше с мольберта Серхио, последнего романтического увлечения Сесара, которую рекомендовал Менчу сам антиквар, целомудренно — надо отдать ему должное — отводя при этом глаза.

— В любом случае, я ее продам, — с покорным видом вздохнула Менчу, когда подруги уже несколько минут простояли у картины. — В конце концов все продается. Просто невероятно.

— Сесар тебе очень благодарен, — сказала Хулия. — И я тоже.

Менчу неодобрительно сморщила нос.

— Вот это меня и раздражает больше всего. Что ты, ко всему прочему, еще и оправдываешь выходки твоего приятеля-антиквара. Этому... этой старой перечнице уже пора бы немного угомониться.

Хулия угрожающе потрясла кулаком перед носом подруги.

— Не смей его трогать! Ты ведь знаешь: Сесар — это святое.

— Знаю, знаю, детка. Вечно ты носишься со своим Сесаром — всю жизнь, сколько я тебя знаю... — Она раздраженно покосилась на творение Серхио. — Ваши отношения по зубам только психоаналитику, да и у него через пять минут полетят все пробки. Так и представляю, как вы там развалитесь у него на диване и запоете ему про этого вашего Фрейда со всеми его вывертами: «Видите ли, доктор, когда я была маленькой, мне не так хотелось приласкаться к отцу, как потанцевать вальс вот с этим антикваром. Правда, он к тому же еще и голубой, но меня просто обожает...» Хорошенькая история, детка!

Хулия взглянула на подругу безо всякого желания улыбнуться в ответ на ее слова.

— Ты что-то перебарщиваешь сегодня. Тебе отлично известно, какие у нас с ним отношения.

— Ну, я же за вами не подглядываю.

— Тогда катись ко всем чертям. Ты прекрасно знаешь... — Хулия прервала сама себя и сердито фыркнула, злясь, что позволила себе сорваться. — Все это чушь собачья. Когда ты начинаешь говорить о Сесаре, мне всегда в конце концов приходится оправдываться.

Четвертый игрок

— Потому что ваши с ним отношения — дело темное, детка. Помнишь, ведь даже когда ты была с Альваро...

— Оставь в покое Альваро! И меня тоже. Занимайся лучше своим Максом.

— Мой Макс, по крайней мере, дает мне то, что мне нужно... Кстати, что там насчет этого шахматиста, которого вы выудили бог знает откуда? Мне безумно хочется посмотреть на него.

— На Муньоса? — Хулия не могла сдержать улыбки. — Ты будешь разочарована. Он совсем не твой тип... Да и не мой... — Она задумалась: ей еще ни разу не проходило в голову пытаться описать его внешность. — Он выглядит как мелкий чиновник из черно-белого фильма.

— Но он же разобрался в этой истории с ван Гюйсом. — Менчу лукаво подмигнула в знак восхищения способностями шахматиста. — Значит, у него все-таки есть хоть какой-то талант.

— Иногда в нем появляется настоящий блеск... Но не всегда. Знаешь, вот ты его видишь уверенным, мыслящим четко, как машина, и вдруг через секунду он гаснет у тебя на глазах. И тогда замечаешь, что воротник рубашки у него довольно потрепанный, черты лица просто никакие, и начинаешь думать, что наверняка он из таких мужиков, у которых вечно воняют носки...

— Он женат?

Хулия пожала плечами. Взгляд ее был устремлен на улицу, видневшуюся сквозь витрину с парой картин и какой-то декоративной керамикой.

— Не знаю. Он не из тех, у кого душа нараспашку. — Она снова остановилась, размышляя над собственными только что сказанными словами. И обнаружила, что об этом она тоже никогда не задумывалась, ибо до сих пор Муньос интересовал ее не столько как человек, сколько как средство для решения задачи. Ведь только накануне, вечером, незадолго до того, как она обнаружила в решетке домофона адресованный ей конверт, она мельком увидела кусочек его души и чуть приоткрыла ему навстречу свою. — Я бы сказала, что он женат. Или был женат... В нем заметны следы разрушений, причинять которые умеют только женщины.

— А как он Сесару?

— Сесару он симпатичен. Думаю, он кажется ему забавным. Сесар с ним весьма учтив — правда, временами эта учтивость отдает иронией... Как будто, когда Муньос начинает блистать, анализируя какой-нибудь ход, он чувствует укол ревности. Но, как только Муньос отводит взгляд от доски, он опять становится совсем никаким, и Сесар успокаивается.

Хулия остановилась. Странно... Она продолжала смотреть сквозь витрину на улицу и вдруг на другой стороне, у тротуара, увидела машину, показавшуюся ей знакомой. Где она ее видела раньше?

Проехал автобус, заслонив собой машину. Беспокойство, отразившееся на лице Хулии, привлекло внимание Менчу.

— Что-нибудь случилось?

Хулия покачала головой, даже не зная, что ответить. Сразу вслед за автобусом проехал грузовик и остановился у светофора, так что ей не было видно, стоит ли машина по-прежнему у противоположного тротуара. Но она успела разглядеть ее.

Это был «форд».

— Что случилось?

Менчу смотрела то на подругу, то на улицу, не по-

Четвертый игрок

нимая, что происходит. А Хулия застыла неподвижно, чувствуя пустоту во рту и в желудке (ощущение, ставшее слишком знакомым за последние дни), до боли напрягая глаза, словно надеясь усилием воли проникнуть взглядом сквозь грузовик и рассмотреть, стоит ли еще там «форд». Синий «форд».

Ее охватил страх. Она почувствовала, как он медленно, как лавина муравьев, расползается по всему телу, начинает стучать в висках и в венах на запястьях. «В конце концов, — подумала она, — вполне возможно, что кто-то следит за мной. Следит уже давно, еще с тех пор, как мы с Альваро... Синий «форд» с затемненными стеклами».

И вдруг она вспомнила. Синий «форд», припаркованный у тротуара напротив почтового агентства. Синий «форд», проезжающий на красный свет в то дождливое утро на перекрестке у бульвара. Синяя тень, мелькавшая временами под ее окнами, или на ее улице, или на проспекте, когда она пересекала его... А что, если это одна и та же машина?

— Хулия, детка! — Теперь Менчу казалась по-настоящему встревоженной. — Ты прямо позеленела.

Грузовик все еще стоял перед светофором. Может, это просто совпадение. На свете сколько угодно синих «фордов» с темными стеклами. Хулия шагнула к витрине, шаря рукой в кожаной сумочке, висевшей на плече. Альваро в ванне, под струей, хлещущей из открытых кранов. Оттолкнув пальцами пачку сигарет, зажигалку, пудреницу, она наконец нащупала рукоятку «дерринджера» и стиснула ее, ощущая какое-то радостное облегчение и одновременно яростную ненависть к этой, сейчас невидимой, машине, воплотившей в себе тень самого отчаянного ужаса. «Сукин сын, — подумала она, и рука ее, сжимавшая в сумочке рукоятку пистолета, задрожала от страха и гнева. — Сукин сын, кто бы ты ни был, хоть сейчас и очередь черных делать ход, я, я научу тебя играть в шахматы, я покажу тебе...» И, не обращая внимания на ошалевшую, вытаращившую глаза Менчу, Хулия выскочила на улицу, стиснув зубы и сверля взглядом грузовик, за которым прятался синий «форд». Она проскользнула между двумя машинами, припаркованными у тротуара, как раз в тот момент, когда зажегся зеленый. Увернувшись от бампера, она с полным равнодушием услышала, как взвыл за спиной клаксон, чуть не вытащила «дерринджер» прямо посреди улицы — от нетерпения, потому что грузовик еще не сдвинулся с места, и наконец, в облаке бензиновых паров и выхлопных газов, добежала до противоположного тротуара — как раз вовремя, чтобы увидеть, как синий «форд» с темными стеклами и номером, оканчивающимся на ТН, удаляется вверх по улице и растворяется в потоке машин.

IX

Ров восточных ворот

А х и л л : Что же происходит,
если вы обнаруживаете картину
внутри той картины, в которую вошли?
Ч е р е п а х а : Именно то, чего вы, наверное,
и ожидали: я проникаю внутрь
этой картины-в-картине.

Д. Р. Хофштадтер

— Ты и вправду переборщила, дорогая, — заметил Сесар, накручивая на вилку спагетти. — Представляешь?.. Честный и добропорядочный гражданин, как обычно, останавливает у светофора свою такую же обыкновенную синюю машину, сидит себе за рулем, и вдруг к нему подлетает симпатичная девушка, разъяренная, как василиск, и ни с того ни с сего собирается влепить ему пулю в лоб... — Он обернулся к Муньосу, словно призывая себе в поддержку его уравновешенность и благоразумие. — Так можно кого угодно довести до разрыва сердца, не правда ли?

Шахматист перестал катать пальцами по скатерти хлебный шарик, но так и не поднял глаз.

— Но она же не влепила ему пулю в лоб, — негромко и безразлично ответил он. — Машина ведь уехала раньше.

— Что ж, логично. — Сесар протянул руку к бокалу розового вина. — На светофоре уже зажегся зеленый.

Хулия положила вилку и нож на край тарелки,

рядом с нетронутой лазаньей[1]. Она почти бросила их, и стук приборов заставил Сесара кинуть на нее укоризненный взгляд поверх своего бокала.

— Послушай, — резко проговорила она, — машина стояла там еще до того, как на светофоре зажегся красный, и улица была свободна... Точно напротив галереи, понимаешь?

— На свете сотни таких машин, дорогая. — Сесар осторожно поставил бокал на стол, промокнул губы и кротко улыбнулся. — А может, — добавил он, понижая голос до многозначительного шепота, каким, наверное, произносили свои пророчества сивиллы, — это один из обожателей твоей добродетельной подруги Менчу... Очередной мускулистый альфонс, собирающийся свергнуть с трона Макса. Или что-нибудь в том же духе.

Хулию охватило глухое раздражение. Ее выводило из себя, что в критические моменты Сесар имел обыкновение укрываться за броней ядовитой агрессивности, жаля сам, но оставаясь неуязвимым. Однако она не хотела давать волю своей злости, ввязываясь с ним в спор. Тем более в присутствии Муньоса.

— А может, — возразила она, вооружившись надлежащим терпением и мысленно сосчитав до пяти, — этот «кто-то» увидел, что я выхожу из галереи, и решил смыться. Так, на всякий случай.

— Ну уж это, по-моему, совсем невероятно, дорогая моя. Честное слово.

— Если бы тебе в свое время сказали, что в один прекрасный день Альваро будет валяться с разбитой головой, как кролик, ты бы тоже сказал, что это невероятно. Но видишь...

---

1   Блюдо из итальянской лапши.

Ров восточных ворот

Антиквар поджал губы, как будто задетый столь неуместным напоминанием, и жестом указал на тарелку Хулии:

— Твоя лазанья, наверное, совсем остыла.

— К черту лазанью. Я хочу знать, что ты об этом думаешь.

Сесар взглянул на Муньоса, но тот безучастно продолжал катать свой хлебный шарик. Тогда антиквар положил руки на край стола — симметрично по бокам тарелки — и устремил глаза на вазочку с двумя гвоздиками, белой и красной, украшавшую центр стола.

— Возможно, да, возможно, ты права. — Его брови изогнулись, как будто в душе у него боролись требуемая Хулией откровенность и те теплые чувства, которые он испытывал к ней. — Это ты хотела услышать? Ну вот, пожалуйста. Я это сказал. — Его голубые глаза взглянули на нее со спокойной нежностью, без тени сардонической усмешки, искрившейся в них все это время. — Должен сознаться, что эта история с синим «фордом» тревожит меня.

Хулия яростно воззрилась на него.

— В таком случае, можно узнать, какого черта ты тут целых полчаса изображал из себя идиота? — Она стукнула костяшками пальцев по столу. — Ладно, не говори, сама знаю. Папочка не хочет, чтобы его девочка беспокоилась, да? Конечно, мне будет спокойнее, если я спрячу голову в песок, как страус... Или как Менчу.

— Набрасываться на человека только потому, что он показался тебе подозрительным — так вопросы не решают, принцесса... А кроме того, если твои подозрения оправданны, это может оказаться даже опасным. Я имею в виду — опасным для тебя.

— При мне же был твой пистолет.

— Надеюсь, мне никогда не придется сожалеть о том, что я дал тебе этот «дерринджер». Это не игра. В реальной жизни у негодяев тоже бывают при себе пистолеты... И некоторые из этих негодяев играют в шахматы.

И, как всегда, слово «шахматы», подобно кнопке включения, вывело Муньоса из его апатии.

— В конце концов, — пробормотал он, ни к кому конкретно не обращаясь, — шахматы — это комбинация враждебных импульсов...

Оба взглянули на него с удивлением: сказанное им не имело никакого отношения к теме их разговора. А Муньос смотрел в пространство, как будто еще не совсем вернулся из долгих странствий по неведомым далям.

— Мой многоуважаемый друг, — проговорил Сесар, немного задетый этим неожиданным вмешательством, — я ничуть не сомневаюсь в абсолютной и сокрушительной правоте ваших слов, однако мы были бы счастливы, если бы вы высказались менее лаконично.

Муньос повертел в пальцах хлебный шарик. Сегодня на нем был синий пиджак давно вышедшего из моды фасона и темно-зеленый галстук; кончики воротника рубашки, мятые и не слишком чистые, торчали кверху.

— Я не знаю, что сказать вам. — Он потер подбородок тыльной стороной ладони. — Я все последние дни думаю об этом деле... — Он снова поколебался, будто ища подходящие слова. — О нашем противнике.

— Так же, полагаю, как и Хулия. Или как я. Мы все думаем об этом ничтожестве...

— Но по-разному. Вот вы назвали его *ничтоже-*

Ров восточных ворот

ством, а ведь это уже предполагает субъективную оценку... Что нам нисколько не помогает, а, напротив, может увести наше внимание в сторону от действительно важных моментов. Я стараюсь рассматривать его как бы сквозь призму того единственного, что нам известно о нем: его шахматных ходов. Я имею в виду... — Он провел пальцем по запотевшему стеклу своего нетронутого бокала и на мгновение замолчал, словно это движение отвлекло его от главной мысли его монолога. — Стиль игры отражает личность играющего... Кажется, я как-то уже говорил вам об этом.

Хулия, заинтересованная, наклонилась к нему.

— Вы хотите сказать, что в течение всех этих дней серьезно размышляли об убийце как *о личности?..* Что теперь вы его знаете лучше?

Знакомая смутная улыбка бегло скользнула по губам Муньоса. Но его взгляд — Хулия видела — был абсолютно серьезен. Этот человек никогда не иронизировал.

— Существуют различные типы шахматистов. — Он прищурил глаза, точно разглядывая что-то вдали — некий знакомый ему мир, находящийся вне стен этого ресторана. — Кроме стиля игры каждый обладает теми или иными, сугубо личными, чертами, отличающими его от других. Например, Стейниц, играя, имел привычку тихонько напевать что-нибудь из Вагнера; Морфи никогда не смотрел на своего соперника до самого решающего хода... Некоторые бормочут что-то по-латыни или какой-нибудь бессмысленный набор слов... Это просто способ снять напряжение, разрядиться. Они могут проявляться перед тем, как шахматист сделает ход, или после, у каждого по-разному. Но так поступают почти все.

— И вы тоже? — спросила Хулия.

Шахматист чуть помялся, прежде чем ответить:

— В общем-то... да.

— И что же вы говорите?

Муньос уперся взглядом в собственные руки, не перестававшие разминать хлебный шарик.

— «Поехали в Шурландию на тачке без колес».

— *«Поехали в Шурландию на тачке без колес»?..*

— Да.

— А что означает «Поехали в Шурландию на тачке без колес»?

— Да ничего. Просто я бормочу это сквозь зубы или проговариваю мысленно перед решающим ходом — прежде чем прикоснуться к фигуре.

— Но это же совершенная бессмыслица...

— Я знаю. Но эти жесты или присказки, даже бессмысленные, связаны с манерой игры. И они тоже могут послужить источником информации о характере соперника... Когда необходимо проанализировать стиль игры или характер самого игрока, любая мелочь может пригодиться. Например, Петросян был просто помешан на обороне, остро чувствовал опасность; он только и занимался тем, что выстраивал защиту от возможных атак, зачастую еще до того, как *его* противнику приходила мысль атаковать...

— Параноик, — сказала Хулия.

— Ну вот, видите, это совсем не трудно... В игре могут отражаться эгоизм, агрессивность, мания величия... Взять хотя бы Стейница: в шестьдесят лет он утверждал, что поддерживает прямую связь с Господом Богом и что может выиграть у него, дав фору в одну пешку и играя черными...

— А наш незримый соперник? — спросил Сесар,

слушавший со вниманием, так и не донеся до губ взятый со стола бокал.

— Он сильный шахматист, — не колеблясь, ответил Муньос. — А сильные шахматисты часто бывают людьми сложными... В настоящем шахматисте развивается особая интуиция на верные ходы и чувство опасности, не дающее ему совершать ошибки. Это что-то вроде инстинкта, словами не объяснишь... Когда такой игрок смотрит на доску, он видит не нечто статичное, а поле, в котором сталкивается и пересекается множество магнетических сил: в том числе и те, что он несет в себе самом. — Несколько секунд он смотрел на лежащий на скатерти хлебный шарик, затем переложил его на другое место — осторожно, словно крошечную пешку на воображаемой доске. — Он агрессивен и любит рисковать. Не воспользоваться ферзем, чтобы прикрыть своего короля... И это блестящее использование черной пешки и затем черного коня, чтобы держать под угрозой белого короля, отложив на потом, чтобы помучить нас, возможный размен ферзей... Я хочу сказать, что он...

— Или она... — перебила его Хулия.

Шахматист с сомнением пожал плечами,

— Не знаю, что и думать. Некоторые женщины хорошо играют в шахматы, но таких очень мало... В данном случае в ходах нашего противника — или противницы — проглядывает известная жестокость, а кроме того, я бы сказал, любопытство несколько садистского характера... Как у кошки, играющей с мышью.

— Давайте подведем итоги. — И Хулия начала загибать пальцы. — Наш противник, вероятно, мужчина или, что менее вероятно, женщина; личность весьма уверенная в себе, с агрессивным и жестоким характером, в котором просматривается что-то вроде садизма древних римлян, наблюдавших за боями гладиаторов. Верно?

— Думаю, да. И он любит опасность. Сразу бросается в глаза, что он отвергает классический подход к игре, согласно которому за тем, кто играет черными, закреплена роль обороняющегося. Кроме того, он обладает хорошо развитой интуицией относительно ходов соперника... Он умеет ставить себя на место другого.

Сесар сложил губы так, словно хотел восхищенно свистнуть, и взглянул на Муньоса с еще большим, чем прежде, уважением. А шахматист снова сидел с отсутствующим видом, точно его мысли опять блуждали где-то далеко-далеко.

— О чем вы думаете? — спросила Хулия.

Муньос ответил не сразу.

— Да так, ничего особенного... Зачастую на доске разыгрывается сражение не между двумя шахматными школами, а между двумя философиями... Между двумя мировоззрениями.

— Белое и черное, не так ли? — привычно, как давно заученное наизусть стихотворение, подсказал Сесар. — Добро и зло, рай и ад и все прочие восхитительные антитезы в том же роде.

— Возможно.

Муньос сопроводил свой ответ жестом, которым словно бы признавал свою неспособность проанализировать данный вопрос с научной точки зрения. Хулия взглянула на его высокий, с залысинами, лоб, на запавшие глаза. В них, пробиваясь сквозь усталость, горел тот огонек, что так завораживал ее, и она подумала: через сколько секунд или минут он снова погаснет? Когда у него вот так загорались глаза, она испытывала настоящий интерес к этому человеку, желание заглянуть ему в душу, прорваться сквозь его молчание.

— А вы какой школе принадлежите?

Вопрос, казалось, удивил шахматиста. Он протянул руку к своему бокалу, но, остановившись на полдороге, рука снова неподвижно легла на скатерть. Бокал так и стоял нетронутым там, где его поставил официант, подававший еду.

— Думаю, я не принадлежу ни к какой школе, — тихо ответил Муньос. Временами казалось, что ему невыносимо трудно или стыдно говорить о самом себе. — Наверное, я из тех, для кого шахматы — это что-то вроде лекарства... Иногда я задаю себе вопрос: как справляетесь с жизнью вы, те, кто не играет, как вам удается избавляться от безумия или тоски... Я как-то уже говорил вам: есть люди, которые играют, чтобы выиграть. Такие, как Алехин, как Ласкер, как Каспаров... Как почти все крупные мастера. Таков же, думаю, и наш незримый противник... Другие — такие, как Стейниц или Пшепюрка, — предпочитают демонстрировать верность своих теорий или делать блестящие ходы... — Он остановился, было очевидно, что тут ему волей-неволей придется сказать и о себе.

— А вы... — подсказала Хулия.

— А я... Я не агрессивен и не склонен рисковать.

— Поэтому-то вы никогда не выигрываете?

— В глубине души я думаю, что могу выигрывать. Что если я поставлю перед собой эту цель, то не проиграю ни одной партии. Но самый трудный мой соперник — это я сам. — Он легонько стукнул себя пальцем по кончику носа и склонил голову набок. — Вот однажды я прочел где-то: человек рожден не для того, чтобы разрешить загадку нашего мира, а для того, чтобы выяснить, в чем она заключается... Может быть, поэтому я и не претендую ни на какие решения. Я просто погружаюсь в партию и делаю это ради нее самой. Иногда, когда всем кажется, что я изучаю ситуацию на доске, на самом деле я просто грежу наяву; обдумываю разные ходы, свои и чужие, или забираюсь на шесть, семь или больше ходов вперед по отношению к тому, обдумыванием которого занят мой противник...

— Шахматы в чистейшем виде, — уточнил Сесар. Казалось, он против собственной воли испытывал восхищение и бросал обеспокоенный взгляд на Хулию, даже наклонившуюся поближе к шахматисту, чтобы не упустить ни одного его слова.

— Не знаю, — ответил Муньос. — Но это происходит со многими, кого я знаю. Партии могут длиться часами, и на это время всё — семья, проблемы, работа и так далее — просто выпадает из мыслей... Это происходит со всеми. Но дело в том, что одни смотрят на партию как на битву, которую они должны выиграть, для других — и для меня в том числе — это мир грез и пространственных комбинаций, где «победа» или «поражение» всего лишь слова, не имеющие никакого смысла.

Хулия вынула из лежавшей на столе пачки сигарету и постучала ее концом о стекло часов, которые носила на внутренней стороне левого запястья. Прикуривая от зажигалки, протянутой Сесаром, она взглянула на Муньоса.

— Но раньше, когда вы говорили нам о столкновении двух философий, вы имели в виду убийцу, нашего противника, играющего черными. На сей раз, похоже, вам хочется выиграть... Разве нет?

Взгляд шахматиста снова затерялся где-то в пространстве.

— Думаю, что да. На этот раз я хочу выиграть.

— Почему?

— Инстинктивно. Я шахматист. Хороший шахматист. Сейчас кто-то провоцирует меня, бросает вызов, и это обязывает меня внимательно анализировать его ходы. На самом деле у меня просто нет выбора.

Сесар усмехнулся, тоже закуривая сигарету с позолоченным фильтром.

— Воспой, о муза, — насмешливо-торжественно продекламировал он, — благородную ярость Муньоса, что гонит его покинуть родимый очаг... Наш друг наконец-то решил повоевать. До сих пор он являлся кем-то вроде иностранного советника, так что теперь я рад, что он все же решил принести присягу нашему знамени. И стать героем — *malgré lui[1]*, но все-таки героем. Жаль только, — при этих словах какая-то тень омрачила его бледный гладкий лоб, — что об этой войне никто не узнает.

Муньос с интересом взглянул на антиквара.

— Любопытно, что вы это говорите.

— Почему?

— Потому что игра в шахматы и правда является своеобразным суррогатом войны. Но в ней есть и еще одна подоплека... Я имею в виду отцеубийство. — Он обвел собеседников не слишком уверенным взглядом, будто прося их не принимать его слова чересчур всерьез. — Ведь речь идет о том, чтобы устроить шах королю, понимаете... То есть убить отца. Я бы сказал, что шахматы связаны не столько с искус-

---

1   Вопреки самому себе *(фр.)*.

ством ведения войны, сколько с искусством убивать.

Ледяное молчание повисло над столом. Сесар устремил взгляд на теперь сомкнутые губы шахматиста, чуть сощурившись, точно от дыма собственной сигареты; он держал мундштук из слоновой кости в правой руке, оперев ее локоть на левую, лежащую на столе. В его глазах читалось искреннее восхищение, как будто Муньос только что приоткрыл дверь, ведущую в страну разгадок.

— Это впечатляет, — пробормотал он.

Хулию, казалось, тоже заворожили слова шахматиста, однако, в отличие от Сесара, она смотрела не на его губы, а в глаза. Этот внешне неинтересный, незначительный человек с большими ушами, весь какой-то линялый и затюканный, отлично знал то, о чем говорил. В таинственном лабиринте, одна мысль о проникновении в который заставляла содрогаться от ужаса и бессилия, Муньос был единственным, кто умел читать его знаки, кто владел ключами, позволявшими войти в него и выйти, избежав пасти Минотавра. И там, в итальянском ресторане, сидя над тарелкой остывшей лазаньи, к которой она едва притронулась, Хулия с математической, почти шахматной точностью поняла, что этот человек в определенном смысле самый сильный из всех троих. Его рассудок не был затуманен предвзятым отношением к противнику — черному игроку, потенциальному убийце. Он подходил к разрешению загадки с холодным эгоизмом, свойственным ученым; точно так же Шерлок Холмс подходил к загадкам, которые задавал ему ужасный профессор Мориарти. Муньос собирался сыграть эту партию до конца не из чувства справедливости: им двигали мотивы не этического, а логического характера. Он намеревался сделать это, поскольку был игроком, которого судьба поставила по эту сторону доски: точно так же — Хулия содрогнулась, подумав об этом, — как могла бы поставить по другую. Черными ли, белыми ли играть, поняла она, ему все равно. Для Муньоса все дело заключалось в том, что впервые в жизни партия интересовала его настолько, что он готов был доиграть ее до последней точки.

Хулия встретилась взглядом с Сесаром и поняла, что он думает о том же самом. И именно он заговорил — мягко, тихо, словно, как и она, боясь, что блеск снова угаснет в глазах шахматиста:

— Убить короля... — Он медленно поднес мундштук ко рту и вдохнул порцию дыма. Ни больше, ни меньше, чем нужно. — Это выглядит очень интересно. Я имею в виду фрейдистскую интерпретацию этого момента. Я не знал, что в шахматах могут происходить такие ужасные вещи.

Муньос склонил голову к плечу, поглощенный созерцанием образов одному ему видимого мира.

— Обычно именно отец обучает ребенка азам игры. И мечта любого ребенка, знакомого с шахматами, — выиграть хоть одну партию у своего отца. Убить короля... Кроме того, шахматы позволяют ему вскоре обнаружить, что этот отец, этот король является наиболее слабой фигурой на доске. Он постоянно находится под угрозой, нуждается в защите, в рокировках, ходить он может только на одну клетку... Но, как ни парадоксально, эта фигура необходима в игре. До такой степени, что игра даже носит ее имя, потому что слово «шахматы» происходит от персидского «шах», что означает «король». Кстати, слово «шах» перешло почти во все языки с тем же звучанием и значением.

— А королева? — полюбопытствовала Хулия.

— Это мать, женщина. При любой атаке против короля она оказывается его наиболее надежной защитой, в ее распоряжении находятся самые многочисленные и действенные средства... Рядом с этой парой — королем и королевой — располагается слон, иначе офицер, а в Англии его именуют *bishop,* то есть епископ: он благословляет их союз и помогает им в бою. Не следует забывать и об арабском *faras* — коне, прорывающемся сквозь вражеские линии, это наш *knight,* что означает по-английски «рыцарь»... В общем-то, эта проблема существовала задолго до того, как ван Гюйс написал свою «Игру в шахматы»: люди пытались разрешить ее на протяжении вот уже тысячи четырехсот лет.

Муньос замолк, потом снова шевельнул губами, как будто собираясь добавить еще что-то. Но вместо слов за этим последовал тот намек на улыбку, которая, едва обозначившись, тут же исчезала, никогда не превращаясь в настоящую улыбку. Шахматист опустил глаза, вперив взор в лежавший на столе хлебный шарик.

— Иногда я задаю себе вопрос, — произнес он наконец, и, казалось, ему стоило огромных усилий выразить вслух то, что он думает: — Изобрел ли человек шахматы или же только открыл их?.. Может быть, шахматы — это нечто, что было всегда, с тех пор как существует Вселенная. Как целые числа.

Как во сне, услышала Хулия треск ломающейся сургучной печати и впервые точно осознала ситуацию: вокруг нее раскинулась гигантская шахматная доска, на которой были прошлое и настоящее, картина ван Гюйса и она сама, Альваро, Сесар, Монтегрифо, дон Мануэль Бельмонте и его племянники, Менчу и сам Муньос. И внезапно ее охватил такой страх, что лишь ценой физического усилия, почти заметного глазу, ей удалось сдержать крик, так и рвущийся из горла. Наверное, у нее было такое лицо, что Сесар и Муньос взглянули на нее с беспокойством.

— Я в порядке, — поспешила сказать она, несколько раз встряхнув головой, как будто это могло успокоить ее растревоженные мысли. Затем извлекла из сумочки схему с различными уровнями, содержавшимися, по словам Муньоса, в картине. — Вот, посмотрите-ка.

Шахматист некоторое время изучал схему, потом, не говоря ни слова, передал ее Сесару.

— Что скажете? — спросила девушка, обращаясь к обоим.

Сесар в задумчивости пожевал губами.

— Повод для беспокойства, похоже, есть, — сказал он. — Но, возможно, мы примешиваем к этому делу слишком много надуманного... — Он еще раз вгляделся в схему. — Я начинаю спрашивать себя: действительно ли стоит ломать над этим голову или речь идет о чем-то абсолютно тривиальном?

Хулия не ответила. Она пристально смотрела на Муньоса. Через несколько секунд шахматист положил листок бумаги на стол, достал шариковую ручку и исправил что-то на схеме, после чего передал ее Хулии.

— Теперь тут появился еще один уровень, — озабоченно проговорил он. — По крайней мере, лично вы оказались связаны с этой картиной в ничуть не меньшей степени, чем остальные персонажи:

— Так я себе это и представляла, — подтвердила девушка. — Первый и пятый уровни, не так ли?

— Один и пять — в сумме шесть. Шестой уровень, содержащий в себе все остальные. — Шахматист указал на схему. — Нравится вам это или нет, но вы уже там, внутри.

— Это значит... — Хулия смотрела на Муньоса широко раскрытыми глазами, как будто у самых ног ее внезапно распахнулась бездонная пропасть. — Это значит, что тот же самый человек, который, возможно, убил Альваро, тот же самый, который прислал нам эту карточку... что он играет с нами эту безумную шахматную партию... Партию, в которой не только я, но все мы, понимаете, *все* являемся фигурами... верно?

Шахматист, не отвечая, выдержал ее взгляд, однако в выражении его лица не было страха или огорчения: скорее, что-то вроде выжидательного любопытства, как будто из всего этого могло вырасти нечто захватывающее, что ему было бы небезынтересно понаблюдать.

— Я рад, — произнес он наконец, и обычная смутная улыбка на сей раз чуть дольше задержалась на его губах, — что вы наконец-то поняли.

Менчу продумала до последней детали как свой макияж, так и костюм. На ней были короткая, очень узкая юбка и элегантнейший жакет из черной кожи, надетый поверх кремового пуловера, обтягивающего ее бюст так, что Хулия тут же назвала это просто скандальным. Возможно, предвидя, как будет выглядеть Менчу, сама она решила в этот вечер одеться менее формально: туфли без каблука типа мокасин, джинсы и спортивная замшевая куртка, на шее — шелковый платок. Если бы Сесар увидел их, когда они выходили из «фиата» Хулии у подъезда мадридского филиала «Клэймора», он наверняка сказал бы, что они смотрятся, как мать и дочь.

Стук каблуков и аромат духов Менчу издали возвещали об их приближении, когда они шли длинным коридором к кабинету Пако Монтегрифо. В кабинете — стены в ореховых панелях, огромный стол красного дерева, ультрасовременные светильники и кресла — Монтегрифо поднялся им навстречу и подошел, чтобы поцеловать руку, сияя великолепной белозубой улыбкой, еще более яркой на фоне загорелого лица. Похоже, зубы служили ему чем-то вроде визитной карточки. Когда дамы расположились в креслах, с которых выгодно просматривалась висящая на противоположной стене дорогая картина кисти Вламинка, хозяин кабинета уселся под ней, с другой стороны стола, со скромным видом человека, искренне сожалеющего, что не может предложить гостям ничего более стоящего. Например, Рембрандта, казалось, говорил его взгляд, так и вцепившийся в Хулию после беглого и равнодушного осмотра ляжек Менчу. Или, скажем, Леонардо.

Монтегрифо перешел к делу почти сразу же, едва секретарша успела подать кофе в фарфоровых чашечках Ост-Индской компании. Менчу подсластила кофе сахарином, Хулия выпила свой, крепкий и очень горячий, без сахара, быстрыми маленькими глотками. Когда она закурила сигарету — Монтегрифо сделал заведомо бесполезную попытку подать ей огня, протянув руку с золотой зажигалкой через разделявший их широченный стол, — он уже закончил обрисовывать в общих чертах сложившуюся ситуацию. И про себя Хулия была вынуждена признать, что, ни в чем не отступая от норм самой изысканной учтивости, Монтегрифо не тратил слов и времени на второстепенные моменты.

Он изложил все максимально четко и ясно: «Клэймор» сожалеет, но не может принять условий Менчу относительно равного с фирмой распределения прибыли от продажи ван Гюйса. Одновременно его директор доводит до сведения сеньоры Менчу, что владелец картины, дон... Монтегрифо невозмутимо заглянул в свои записи, дон Мануэль Бельмонте, с ведома своих племянников, решил аннулировать ранее заключенное соглашение с доньей Менчу Роч и передать полномочия по делу с ван Гюйсом фирме «Клэймор и компания».

— Все это, — прибавил он, облокотившись на край стола и соединив кончики пальцев, — зафиксировано в нотариально заверенном документе, который лежит у него в одном из ящиков.

Сказав это, Монтегрифо скорбно взглянул на Менчу и испустил вздох, каким в свете принято выражать сочувствие.

— Вы хотите сказать... — Менчу была настолько возмущена, что чашечка кофе в ее руках звенела о блюдце, — вы грозитесь отобрать у меня картину?

Монтегрифо посмотрел по очереди на золотые запонки своей рубашки с таким видом, будто они сморозили явную глупость, затем аккуратно подтянул накрахмаленные манжеты.

— Боюсь, мы уже отобрали ее у вас, — произнес он огорченным тоном человека, вынужденного вручать вдове неоплаченные счета ее покойного мужа. — Хочу уточнить, что ваш первоначально оговоренный процент от продажной цены остается неизменным, за вычетом, естественно, расходов. «Клэймор» не собирается ничего отнимать у вас: только обезопасить себя от навязываемых вами непомерно жестких условий, многоуважаемая сеньора. — Он неторопливо достал из кармана свой серебряный портсигар и положил его на стол. — Мы у себя в «Клэйморе» не усматриваем причин для того, чтобы увеличить ваш процент. Вот и все.

— Ах, вы не усматриваете причин? — Менчу гневно глянула на Хулию, рассчитывая на поддержку в виде возмущенных восклицаний и выражений солидарности.— Причина состоит в том, Монтегрифо, что благодаря исследованию, проведенному нами, — она особо подчеркнула это слово, — цена этой картины возрастет в несколько раз... По-вашему, этого мало?

Монтегрифо чуть повернулся в сторону Хулии, вежливо, одним взглядом давая понять, что ее он никоим образом не считает причастной к этой недостойной торговле. Затем он вновь обратился к Менчу, и глаза его блеснули холодно и сурово.

— В случае, если проведенное вами исследование, — интонация, с которой он произнес слово «вами», не оставляла сомнений относительно его представлений насчет исследовательских талантов Менчу, — будет способствовать увеличению цены картины, автоматически возрастает и причитающаяся вам сумма — в соответствии с тем процентом, о котором мы с вами первоначально условились... — Тут он позволил себе снисходительно улыбнуться, после чего, снова забыв о Менчу, перевел взгляд на Хулию. — Что же касается вас, возникшая ситуация никак не ущемляет ваших интересов: совсем наоборот. «Клэймор», — адресованная ей улыбка яснее ясного говорила о том, кого конкретно в «Клэйморе» он имеет в виду, — считает, что ваше сотрудничество в этом деле исключительно ценно. Так что мы просим вас продолжать работу по реставрации ван Гюйса. Экономическая сторона не должна вас беспокоить ни в малейшей степени.

— А можно узнать, — кроме руки, державшей чашечку и блюдце, у Менчу теперь дрожала еще и нижняя губа, — каким это образом вы оказались столь хорошо осведомлены обо всем, что касается этой картины?.. Может быть, Хулия и немного наивна, но я никак не могу представить, чтобы она сидела с вами при свечах и откровенничала о своей жизни. Или я ошибаюсь?

Это был удар ниже пояса, и Хулия открыла было рот, чтобы возразить, но Монтегрифо успокоил ее движением руки.

— Видите ли, сеньора Роч... Ваша подруга отвергла кое-какие профессиональные предложения, которые я взял на себя смелость сделать ей несколько дней назад. Она изящно замаскировала свой отказ, сославшись на намерение как следует обдумать их. — Он открыл портсигар и выбрал сигарету с тщательностью человека, выполняющего весьма важную операцию. — Подробности о состоянии картины, о скрытой надписи и прочем сочла нужным сообщить мне племянница владельца. Кстати, очень обаятельный человек этот дон Мануэль... И должен сказать, — он щелкнул зажигалкой, закурил и выпустил небольшой клуб дыма, — он с явной неохотой согласился передать нам ведение дел по ван Гюйсу. По-видимому, он человек слова, потому что с удивительной настойчивостью потребовал, чтобы никто, за исключением сеньориты Хулии, не прикасался к картине до самого окончания реставрации... Во всех этих переговорах мне оказался весьма полезным союз — я бы назвал его тактическим — с племянницей дона Мануэля... Что касается сеньора Лапеньи, ее супруга, то тот перестал возражать, как только я упомянул о возможности аванса.

— Еще один Иуда, — выпалила Менчу, словно плюнув в лицо собеседнику. Монтегрифо пожал плечами.

— Думаю, что к нему применимо подобное определение. — Но смягчил это объективное высказывание, прибавив: — Среди других.

— У меня, между прочим, на руках документ, подписанный владельцем картины, — запротестовала Менчу.

— Я знаю. Но это просто ваше соглашение, изложенное на бумаге, но не оформленное юридически, тогда как мой с ним договор заверен нотариусом и племянниками сеньора Бельмонте в качестве свидетелей. Кроме того, он предусматривает разного рода гарантии, в том числе и экономического характера, такие, как внесение нами залога... Если вы позволите мне использовать выражение, которое употребил сеньор Лапенья, подписывая наш документ, против этого не попрешь, многоуважаемая сеньора.

Менчу подалась вперед, и Хулия испугалась, что чашечка кофе, которую она все еще держала в руке, сейчас полетит в Монтегрифо вместе со всем тем, что в ней еще оставалось; однако Менчу, сдержавшись, поставила чашку на стол. Она задыхалась от возмущения, и выражение ярости разом состарило ее лицо, несмотря на заботливо наложенный макияж. От резкого движения юбка у нее задралась, еще больше обнажив ляжки, и Хулия от всей души пожалела, что вынуждена присутствовать при столь неприятной сцене.

— А что будет делать «Клэймор», — срывающимся от бешенства голосом проговорила Менчу, — если я возьму и предложу картину другой фирме?

Монтегрифо рассматривал струйку дыма, поднимающуюся от его сигареты.

— Откровенно говоря, — казалось, он серьезно обдумывал угрозу Менчу, — я посоветовал бы вам не осложнять себе жизнь. Это было бы незаконно.

— Да я могу подать в суд, и вы все на несколько месяцев потонете в бумагах! Вы не сумеете выставить картину на аукцион. Такой вариант не приходил вам в голову?

Ров восточных ворот

— Разумеется, приходил. Но в этом случае пострадаете в первую очередь вы сами. — Тут он изобразил вежливую улыбку, как человек, дающий самый лучший совет, на какой только способен. — «Клэймор», как вы, несомненно, догадываетесь, располагает прекрасными адвокатами... Практически, — он помедлил пару секунд, будто сомневаясь, стоит ли продолжать, — вы рискуете потерять все. А это было бы жаль.

Менчу, резким движением рванув вниз юбку, поднялась на ноги.

— Знаешь, что я тебе скажу?.. — Дрожащие от ярости губы с трудом повиновались ей. — Ты самый большой сукин сын, с каким мне приходилось иметь дело!

Монтегрифо и Хулия также встали: она — смущенная и растерянная, он — невозмутимый.

— Я сожалею, что все так получилось, — спокойно произнес он, обращаясь к Хулии. — Я правда сожалею.

— И я тоже. — Хулия взглянула на Менчу, которая в тот момент набрасывала на плечо ремешок сумочки таким решительным движением, словно то был ремень винтовки. — Разве не можем мы все проявить хоть чуточку благоразумия?

Менчу испепелила ее взглядом.

— Вот ты и проявляй, если тебе так симпатичен этот негодяй... А я ухожу из этого разбойничьего притона.

И она выскочила за дверь, оставив ее нараспашку. Быстрый гневный стук ее каблуков отчетливо звучал в коридоре, постепенно затихая. Хулия стояла на месте, пристыженная, в нерешительности, не зная, последовать за подругой или нет. Монтегрифо, встав рядом с ней, пожал плечами.

— Женщина с характером, — проговорил он, с задумчивым видом поднося к губам сигарету.

Хулия, еще растерянная, повернулась к нему:

— Она слишком многое связывала с этой картиной... Постарайтесь понять ее.

— Я ее понимаю, — примирительно улыбнулся Монтегрифо. — Но я не терплю, чтобы меня шантажировали.

— Но и вы ведь плели интриги за ее спиной, договаривались с племянниками... Я называю это нечистой игрой.

Улыбка Монтегрифо стала еще шире. В жизни всякое бывает, словно бы хотел сказать он. Потом взглянул на дверь, через которую вышла Менчу.

— Как вы думаете, что она теперь будет делать?

Хулия покачала головой.

— Ничего. Она знает, что проиграла.

Монтегрифо, казалось, задумался.

— Честолюбие, Хулия, — это чувство абсолютно законное, — произнес он через несколько секунд. — И, когда речь идет о честолюбии, единственным грехом является поражение, а победителей, как известно, не судят. — Он снова улыбнулся, на сей раз не ей, а куда-то в пространство. — Сеньора — или сеньорита — Роч пыталась вести игру, которая ей не по плечу... Скажем так, — он выпустил колечко дыма и проследил глазами, как оно поднимается к потолку, — ее честолюбие превышало ее возможности. — Взгляд его стал жестким, и Хулия подумала, что Монтегрифо, наверное, становится опасным противником, когда отбрасывает в сторону свою безукоризненную учтивость. А может, он умеет одновременно быть и учтивым, и опасным. — Надеюсь, она не станет создавать нам новых проблем, потому что за этот грех она понесет соответствующую кару... Вы понимаете, что я имею в виду? А теперь, если вы не против, давайте поговорим о нашей картине.

Бельмонте был дома один и принял Хулию с Муньосом в гостиной. Он сидел в своем кресле на колесах у той стены, где некогда висела «Игра в шахматы». Темное прямоугольное пятно на обоях и одиноко торчащий посреди него ржавый гвоздь придавали обстановке что-то тоскливое и гнетущее, вызывая жалость к этому дому и хозяину. Бельмонте, перехватив взгляды своих гостей, грустно улыбнулся.

— Пока мне не хочется ничего вешать сюда, — пояснил он. — Пока... — Подняв худую, высохшую руку, он сделал ею жест, выражающий покорность судьбе. — Трудно сразу привыкнуть...

— Я понимаю, — с искренней симпатией сказала Хулия.

Старик медленно склонил голову.

— Да. Я знаю, что вы понимаете. — Он взглянул на Муньоса, явно ожидая, что и тот проявит сочувствие, но шахматист молчал, пустыми глазами глядя на пустую стену. — Вы с самого начала показались мне очень умной девушкой. — Он обратился к Муньосу: — Не правда ли, кабальеро?

Муньос медленно перевел взгляд со стены на старика и коротко кивнул, но не произнес ни слова. Возможно, он был поглощен своими мыслями.

Бельмонте посмотрел на Хулию.

— Что касается вашей подруги... — Он помрачнел, явно испытывая неловкость. — Я хотел бы, чтобы вы объяснили ей... Я хочу сказать, у меня не было выбора. Честное слово.

— Я прекрасно понимаю вас, не беспокойтесь. И Менчу тоже поймет.

Лицо инвалида озарилось улыбкой признательности.

— Я буду очень рад, если она поймет. На меня сильно давили... Да и предложение сеньора Монтегрифо оказалось весьма привлекательным. А кроме того, он предложил сделать хорошую рекламу картине, максимально осветить ее историю... — Он погладил свой плохо выбритый подбородок. — Должен сознаться, это тоже подействовало на меня. — Он тихонько вздохнул. — Ну и деньги, конечно...

Хулия указала на продолжавший крутиться проигрыватель:

— Вы всегда ставите Баха или это просто совпадение? В прошлый раз я тоже слышала эту музыку...

— «Приношение»? — Бельмонте, похоже, было приятно услышать это. — Я часто его слушаю. Это такое сложное и хитроумное произведение, что я до сих пор нет-нет да и открываю в нем для себя что-то неожиданное. — Он помедлил, точно вспоминая. — Известно ли вам, что существуют музыкальные темы, в которых будто бы подводится итог всей жизни?.. Это как зеркало, в которое смотришься... Вот, например, это сочинение: одна и та же тема исполняется разными голосами и в разных тональностях. Иногда даже в различном темпе, с нисходящими интервалами, а бывает, как бы с отступлением назад на несколько шагов... — Он наклонился в сторону проигрывателя и прислушался. — Вот, слышите?.. Понимаете? Начинает один голос, ведущий свою тему, затем вступает второй голос, который начинает на четыре тона выше или ниже по сравнению с первым, а первый, в свою очередь, подхватывает другую тему... Каждый голос вступает в какой-то свой, определенный момент — так же, как все происходит в жизни... А когда подключились все голоса, все правила кончаются. —

Он широко, но печально улыбнулся собеседникам. — Как видите, полная аналогия со старостью.

Муньос указал на пустую стену.

— Этот одинокий гвоздь, — несколько резко сказал он, — похоже, тоже символизирует многое.

Бельмонте внимательно посмотрел на шахматиста, потом медленно кивнул.

— Это очень верно, — подтвердил он со вздохом. — И знаете что? Иногда я ловлю себя на том, что смотрю на это место, где раньше висела картина, и мне кажется, что я по-прежнему вижу ее. Ее уже нет, но я вижу. После стольких-то лет... — Он приложил палец ко лбу. — У меня вот тут все: персонажи, вещи, все до мельчайших подробностей... Я всегда особенно любил этот пейзаж за окном и выпуклое зеркало слева, в котором отражаются игроки.

— И доска, — уточнил Муньос.

— Да, правда, и доска. Часто, особенно в самом начале, когда моя бедная Ана только получила фламандскую доску в наследство, я на своих шахматах пытался проиграть эту партию...

— Вы играете? — небрежно поинтересовался Муньос.

— Раньше играл. Теперь — практически нет... Но, знаете, мне, честно говоря, ни разу не приходило в голову играть назад... — Он на минуту задумался, постукивая ладонями по коленям. — Играть назад... А это забавно! Известно ли вам, что Бах был большим любителем музыкальных инверсий? В некоторых своих канонах он как будто переворачивает тему, обращает ее вспять, и получается мелодия, которая идет вниз всякий раз, когда оригинал идет вверх... Поначалу это, возможно, производит несколько странное впечатление, но, привыкнув, начинаешь находить все совершенно естественным. В «Приношении» даже есть канон, который исполняется наоборот по отношению к тому, как он написан. — Он взглянул на Хулию. — Кажется, я уже говорил вам, что Иоганн Себастьян был хитрецом и любителем расставлять ловушки. Его произведения полны таких ловушек. Как будто время от времени та или иная нота, модуляция или пауза говорят нам: «Во мне заключено послание, постарайся понять его».

— Как в этой картине, — сказал Муньос.

— Да. С той разницей, что музыка состоит не только из образов, расположения частей или, в данном случае, вибраций воздуха, но и из тех эмоций, которые эти вибрации порождают в мозгу человека — у каждого свои... Вы столкнулись бы с серьезными проблемами, если бы попытались приложить к музыке те методы исследования, которые использовали, разбирая эту шахматную партию... Вам пришлось бы выяснять, какая нота производит тот или иной эмоциональный эффект. Или, точнее, какие сочетания нот... Не кажется ли вам, что это гораздо труднее, чем играть в шахматы?

Муньос несколько секунд обдумывал услышанное.

— Думаю, что нет, — ответил он наконец. — Потому что общие законы логики одинаковы, к чему их ни приложи. Музыка, так же как и шахматы, имеет свои правила. Все дело в том, чтобы, изучив их, вычленить некий символ, ключ. — Он помедлил, подбирая подходящее сравнение. — Как, например, Розеттский камень[1] для египтологов. Когда имеешь этот ключ, все

---

[1] Розеттский камень — базальтовая плита с параллельным текстом 196 г. до н.э. на греческом и древнеегипетском языках. Найдена близ г. Розетта. Дешифровка текста положила начало чтению древнеегипетских иероглифов.

остальное — только вопрос труда, метода. И времени.

Бельмонте насмешливо сощурился.

— Вы так полагаете?.. Вы действительно считаете, что все скрытые послания поддаются расшифровке?.. Что всегда возможно найти точное решение, если руководствоваться системой?

— Я уверен в этом. Ибо существует универсальная система, общие законы, позволяющие доказать то, что доказуемо, отбросить то, что может и должно быть отброшено.

Старик скептически покачал головой.

— Я абсолютно не согласен с вами, вы уж простите. Я считаю, что все эти разделения, классификации, системы, которым мы приписываем вселенский характер, надуманны и произвольны... Нет ни одной, что не содержала бы в себе своего собственного отрицания. Это говорит вам старик, проживший долгую жизнь.

Муньос поерзал в кресле, блуждая глазами по комнате. Похоже, он был не в восторге от направления, которое приняла беседа, однако Хулии показалось, что ему не хочется и менять тему. Она знала: этот человек ничего не говорит просто так, поэтому решила, что, поддерживая этот разговор, он наверняка преследует какую-то цель. Может быть, Бельмонте тоже имеет некое отношение к фигурам, которые он изучает, чтобы найти разгадку тайны.

— Это спорный вопрос, — произнес наконец шахматист. — Вселенная изобилует, например, доказуемыми вещами, и их бесконечное множество: первичные числа, шахматные комбинации...

— Вы действительно верите в это?.. Что все на свете доказуемо? Поверьте мне, человеку, бывшему музыкантом, — старик со спокойным презрением указал на свои ноги, — или остающемуся им, несмотря на превратности судьбы, что никакая система не является полной. И что доказуемость — понятие гораздо менее надежное, чем истина.

— Истина — это как оптимальный ход в шахматах: он существует, но его надо искать. Если располагаешь достаточным временем, он всегда доказуем.

При этих словах Бельмонте лукаво усмехнулся.

— Я бы сказал, что этот идеальный ход — не суть важно, как его назвать, идеальным ходом или просто истиной, — возможно, существует. Но не всегда его можно доказать. И что любая система, пытающаяся сделать это, ограничена и относительна. Забросьте моего ван Гюйса на Марс или на планету X и посмотрите, сумеет ли там кто-нибудь решить вашу задачу. Даже более того: пошлите туда вот эту пластинку, которую сейчас слышите. А для полноты впечатления предварительно разбейте ее на куски. Какое значение будет тогда содержаться в ней?.. А уж коль скоро вы, по-видимому, испытываете склонность к точным наукам, позвольте напомнить, что сумма внутренних углов треугольника в евклидовой геометрии составляет сто восемьдесят градусов, в эллиптической эта цифра больше, в гиперболической — меньше... Дело в том, что не существует единой системы, не существует аксиом. Системы не сходны даже внутри системы... Вы любитель решать парадоксы? Парадоксов полны не только музыка и живопись, но и, как я полагаю, шахматы. Вот, посмотрите. — Он протянул руку к столу, взял карандаш и листок бумаги и набросал несколько строк, после чего протянул листок Муньосу. — Пожалуйста, прочтите это.

Муньос прочел вслух:

— «Фраза, которую я сейчас пишу, — та же самая,

которую вы сейчас читаете»... — Он удивленно взглянул на Бельмонте: — И что же?

— Подумайте-ка. Я написал эту фразу полторы минуты назад, а вы прочли ее только сорок секунд назад. То есть мое «пишу» и ваше «читаю» относятся к различным моментам. Однако на бумаге первое «сейчас» и второе «сейчас», несомненно, являются одним и тем же моментом. Следовательно, данное высказывание, будучи реальным с одной стороны, с другой стороны недействительно... Или мы выносим за скобки понятие времени?.. Разве это не великолепный пример парадокса?.. Вижу, что на это вам нечего ответить. То же самое происходит с подлинной подоплекой загадок, заключенных в моем ван Гюйсе или в чем угодно другом... Кто или что вам говорит, что ваше решение задачи верно? Ваша интуиция и ваша система? Хорошо. Но какой высшей системой вы располагаете, чтобы доказать, что ваша интуиция и ваша система верны? А какой системой вы можете подтвердить верность этих двух систем?.. Вы шахматист, так что, полагаю, вам покажутся интересными вот эти стихи...

И Бельмонте продекламировал, четко и раздельно выговаривая слова:

Сидящий пред доской с фигурою в руке
Игрок — сказал Омар — сам пленник на доске,
Из клеток светлых дней и тьмы ночей сложенной.

Всевышний направляет руку игрока.
Но кем же движима Всевышнего рука,
Сплетающая нить времен, страстей, агоний?..

— Весь мир — это огромный парадокс, — закончил старик. — И я приглашаю вас доказать обратное. Принимаете вызов?

Взглянув на Муньоса, Хулия заметила, что он пристально смотрит на Бельмонте. Голова шахматиста склонилась к плечу, глаза были тусклы, лицо выражало растерянность и недоумение.

Хулия выпила несколько порций водки с лимоном, и теперь музыка — мягко звучащий джаз, поставленный на минимальную громкость, так что он больше походил на слабый шелест, исходивший из темных углов едва освещенной комнаты, — окружала ее, как нежная ласка, приглушенная, успокаивающая, дарящая внутреннее равновесие и неожиданную ясность мысли. Как будто все — ночь, музыка, тени, пятна неяркого света, даже ощущение удобства и уюта в затылке, покоящемся на валике кожаного дивана, — соединилось в полной гармонии, в которой даже самый маленький из расположенных вокруг предметов, даже самая смутная мысль находили себе четко определенное место в мозгу или в пространстве, укладываясь с геометрической точностью в восприятии и сознании. Ничто, даже самые мрачные воспоминания не могли сейчас разрушить покоя, царившего в душе девушки. Впервые за последнее время она испытывала это ощущение равновесия и отдавалась ему целиком и полностью. Даже телефонный звонок, исполненный безмолвной угрозы, к чему она уже привыкла, не сумел бы разбить этих магических чар. И, лежа с закрытыми глазами, чуть покачивая головой в такт музыке, Хулия улыбнулась себе самой. В такие минуты, как эта, было очень просто жить с собой в мире.

Она лениво приоткрыла глаза. В полумраке улыбнулось ей навстречу ярко раскрашенное лицо готической мадонны, заглядевшейся куда-то в глубь минувших веков. На запачканном краской ширазском ковре, прислоненная к ножке стола, стояла картина в овальной раме, с наполовину снятым лаком — романтический андалусский пейзаж, мирный, навевающий легкую грусть: спокойно текущая река где-нибудь в окрестностях Севильи, берега, заросшие пышной зеленью, лодка и в отдалении — небольшая рощица. А в самом центре комнаты, битком набитой резными деревянными шкатулками, рамами, бронзовыми статуэтками, тюбиками с краской, флаконами с растворителем, картинами, висящими на стенах и стоящими на полу, книгами по искусству, пластинками, керамикой (в углу на столике виднелась наполовину отреставрированная фигура Христа), одним словом, посреди всего этого, в некоем странном, случайном, но сразу бросающемся в глаза пересечении линий и перспектив возвышалась фламандская доска, доминируя над кажущимся беспорядком студии, так напоминавшим обстановку аукциона или антикварного магазина. Приглушенный свет, падавший из прихожей, ложился на картину узким прямоугольником, и этого было довольно для того, чтобы Хулия со своего места могла видеть ее достаточно отчетливо, хотя и сквозь дымку обманчивой светотени. Девушка лежала, одетая только в черный шерстяной свитер, свободный и длинный — немного выше колен, закинув одну на другую голые босые ноги. В потолочное окно мелко постукивал дождь, но в комнате было не холодно благодаря включенным радиаторам.

Не отрывая глаз от картины, Хулия протянула руку, на ощупь ища пачку сигарет, лежавшую на ковре, рядом со стаканом и бутылкой из гравированного стекла. Найдя то, что искала, она положила пачку себе на живот, медленно вытянула одну сигарету, сунула ее в рот, но так и не зажгла. В этот момент ей не нужно было даже курить.

Золотые буквы недавно открытой надписи поблескивали в полумраке. То была трудная, скрупулезная работа, прерывавшаяся буквально каждые несколько минут: нужно было сфотографировать весь процесс, фазу за фазой. Но понемногу из-под слоя медной зелени, смешанной со смолой, все ярче выступал аурипигмент готических букв, впервые открывавшихся взору с тех пор, как пятьсот лет назад Питер ван Гюйс закрасил их, чтобы еще надежнее сокрыть тайну.

И вот теперь надпись была видна целиком: *Quis necavit equitem.* Хулия предпочла бы оставить все как есть, поскольку для подтверждения существования надписи хватило бы и рентгеновских снимков, однако Пако Монтегрифо настоял на ее раскрытии: по его словам, это подогревало интерес клиентов к картине. В скором времени фламандская доска должна была предстать перед глазами аукционистов, коллекционеров, историков... Навсегда кончалось ее скромное существование в четырех стенах (если не считать недолгого периода в музее Прадо). Еще немного — и вокруг нее закипят споры, о ней будут писать статьи, научные диссертации, специальные материалы, как тот, что уже почти написан Хулией... Даже сам автор, старый фламандский художник, не мог себе представить, что его творение ожидает подобная слава. Что же до Фердинанда Альтенхоффена, то, донесись эхо этой славы до того бельгийского или французского монастыря, где, наверное, покоятся его кости, они, без сомнения, заплясали бы от радости под своей пыльной плитой. В конце концов, его память теперь должным образом реабилитирована. Специалистам придется заново переписать пару строк в учебниках истории.

Хулия всмотрелась в картину. Почти весь верхний слой окислившегося лака был уже снят, а вместе с ним исчезла и желтизна, приглушавшая первоначальные цвета и оттенки. Теперь, без тусклого лака и с ярко сияющей надписью, картина точно светилась в полумраке сочной живостью красок и тонкостью полутонов. Контуры фигур были невероятно четки и чисты, и все в этой домашней — как ни странно, домашней, бытовой, подумала Хулия, — сценке было так гармонично, настолько красноречиво повествовало о стиле и обычаях той эпохи, что, несомненно, цена фламандской доски на аукционе должна достигнуть астрономических высот.

Домашняя бытовая сценка: именно так определялся жанр картины. И ничто в ней не наводило на мысль о безмолвной драме, разыгравшейся между этими двумя важными рыцарями, играющими в шахматы, и дамой в черном, с опущенными глазами, тихо читающей у стрельчатого окна. О драме, гнездящейся в глубине этой почти идиллической сценки, подобно тому, как глубоко в земле под прекрасным цветком прячется его безобразный, скрюченный корень.

Хулия в очередной раз вглядывалась в профиль Роже Аррасского, склонившегося над доской, поглощенного этой партией, ставкой в которой была его жизнь и во время которой, по сути дела, он был уже мертв. В своих доспехах он выглядел тем же воином, каким был когда-то. Может быть, вот в этих же самых латах, а может, в других, потемневших от долгой службы, тех самых, в которых изобразил его старый живописец скачущим бок о бок с дьяволом, он сопровождал ее в новый дом, к брачному ложу, предписанному ей интересами государства. Хулия увидела ясно, как наяву, Беатрису, еще юную девушку, моложе, чем на картине, без этих горьких складок у рта; увидела, как она выглядывает из окошка портшеза, как под приглушенное хихиканье няньки-наперсницы, путешествующей вместе с ней, чуть раздвигает занавески, чтобы бросить восхищенный взгляд на блестящего рыцаря, чья слава достигла бургундского двора раньше, чем он сам, на ближайшего друга ее будущего мужа, на этого молодого человека, который после сражений с английским львом под лилиями французских знамен обрел мир и покой рядом с другом своего детства. И увидела, как широко раскрытые голубые глаза юной герцогини на миг встретились со спокойными усталыми глазами рыцаря.

Не может быть, чтобы между ними никогда не было ничего, кроме этого взгляда. Сама не зная почему, наверное, по какой-то прихоти воображения — как будто часы, проведенные в работе над картиной, таинственной нитью связали ее с этим кусочком прошлого — Хулия смотрела на изображенную ван Гюйсом сцену так, словно сама прожила ее, рядом с этими людьми, испытав вместе с ними все, что было им послано судьбой и историей. В круглом зеркале на нарисованной стене, отражавшем двоих играющих, отражалась и она, подобно тому, как в «Менинах»[1] виднеются в зеркале образы короля и королевы, глядящих — из картины или внутрь нее? — на сцену, изображенную Веласкесом, или в «Семействе Ар-

---

1 «Менины» — знаменитая картина испанского художника Веласкеса (1599—1660).

нольфини» зеркало отражает присутствие и пристальный, все подмечающий взгляд ван Эйка.

Хулия улыбнулась в темноте и решила наконец зажечь сигарету. Пламя спички на мгновение ослепило ее, заслонив собой картину, потом мало-помалу глазная сетчатка снова начала воспринимать всю сцену, персонажей, цвета. Теперь Хулия была уверена: она сама находилась там — всегда, с самого начала, с той самой секунды, как в голове ван Гюйса возник зрительный образ «Игры в шахматы». Еще до того, как старый фламандец начал смешивать карбонат кальция и костный клей, чтобы загрунтовать доску под будущую картину.

Беатриса, герцогиня Остенбургская. Звуки мандолины, на которой играет какой-то паж у стены, только добавляют печали ее взгляду, обращенному к книге. Она вспоминает детство и юность, проведенные в Бургундии, свои надежды, свои мечты. В окне, обрамляющем чистейшую голубизну фламандского неба, виднеется каменная капитель с изображением святого Георгия, пронзающего копьем змея. Тело поверженного чудовища кольцами извивается под копытами коня, однако от беспощадного взгляда художника, наблюдающего эту сцену, — а также и от взгляда Хулии, наблюдающей за художником, — не укрылось, что время унесло с собой верхний конец копья и что на месте правой ноги святого, несомненно обутой когда-то в сапог с острой шпорой, торчит бесформенный обрубок. Одним словом, с мерзким змеем расправляется святой Георгий, наполовину разоруженный и хромой, с каменным щитом, изгрызенным ветрами и дождями. Но, может быть, именно поэтому Хулия испытывает какое-то теплое чувство к этому рыцарю, странным образом напоминающему ей героическую фигурку одноногого оловянного солдатика.

Беатриса Остенбургская — которая, несмотря на замужество, по своему происхождению и голосу крови никогда не переставала быть Бургундской, — читает. Читает любопытную книгу в кожаном переплете, украшенном серебряными гвоздиками, с шелковой лентой в качестве закладки и великолепно расписанными заглавными буквами, каждая из которых представляет собой многоцветную миниатюру: книгу, озаглавленную «Поэма о розе и рыцаре». На ней не указано имя автора, однако всем известно, что она была написана почти десять лет назад при дворе Карла Валуа, короля Франции, остенбургским рыцарем по имени Роже Аррасский.

> В саду госпожи моей светлой
> Росою осыпаны розы.
> Каплет она на рассвете
> С их лепестков, точно слезы.
> А завтра, на поле боя,
> Тою же влагой жемчужной
> Она мое сердце омоет,
> И очи мои, и оружье...

Временами она поднимает от книги голубые глаза, наполненные синевой фламандского неба, чтобы взглянуть на двух мужчин, играющих в шахматы за столом. Ее супруг размышляет, оперевшись на стол левым локтем, а пальцы его рассеянно поигрывают орденом Золотого руна, присланным ему в качестве свадебного подарка дядей будущей жены, Филиппом Добрым, с тех пор он носит его на шее, на тяжелой золотой цепи. Фердинанд Остенбургский колеблется, протягивает руку к фигуре, прикасается к ней, но отнимает руку и бросает извиняющийся взгляд на Роже Аррасского, спокойно, с учтивой улыбкой наблюдающего за ним. «Раз прикоснулись — надо ходить, монсеньор». В его негромких словах звучит дружеская ирония, и Фердинанд Остенбургский, слегка пристыженный, пожимает плечами и делает ход той же фигурой, потому что знает: его соперник в игре — больше чем просто придворный, это друг, самый близкий, какой у него есть. И он откидывается на спинку кресла, испытывая, несмотря на все проблемы, смутное ощущение счастья: все-таки хорошо иметь рядом человека, иногда напоминающего, что и для герцогов существуют определенные правила.

Звуки мандолины плывут над садом и достигают другого окна, которое не видно отсюда. За ним Питер ван Гюйс, придворный живописец, трудится над доской из трех дубовых плашек, которые его помощник только что промазал клеем. Старый мастер пока не уверен, для чего он использует эту доску. Может, для картины на религиозную тему, что давненько уже вертится у него в голове: Дева Мария, юная, почти девочка, льет кровавые слезы, с болью глядя на свои пустые руки, сложенные так, словно они обнимают ребенка. Но, подумав хорошенько, ван Гюйс качает головой и сокрушенно вздыхает. Он знает, что никогда не напишет этой картины. Никто не поймет ее так, как должно, а ему в свое время уже приходилось иметь дело с инквизицией; его старое тело больше не выдержит пыток. Ногтями с въевшейся краской он почесывает лысину под шерстяной шапочкой. Стареет он, стареет и знает это: маловато стало приходить конкретных идей — все больше смутные призраки, порожденные воображением. Чтобы отогнать их, он на мгновение закрывает утомленные глаза и, снова открыв их, всматривается в доску в ожидании идеи, которая сумеет оживить ее. В саду звучит мандолина: не иначе как влюбленный паж изливает свою тоску. Живописец улыбается про себя и, окунув кисть в глиняный горшок, продолжает тонкими слоями накладывать грунтовку — сверху вниз, по направлению волокон древесины. Время от времени он смотрит в окно, наполняя глаза светом, и мысленно благодарит теплый солнечный луч, который, косо проникая в комнату, согревает его старые кости.

Роже Аррасский что-то негромко сказал, и герцог смеется, довольный, так как только что отыграл у него коня. А Беатрисе Остенбургской — или Бургундской — музыка кажется невыносимо печальной. И она уже готова послать одну из своих камеристок к пажу с приказом замолчать, но не делает этого, ибо улавливает в грустных нотах точное эхо той тоски, что живет в ее собственном сердце. Сливается с музыкой тихий разговор двух мужчин, играющих в шахматы, а у нее, Беатрисы Остенбургской, изнывает душа от красоты строк, которых касаются ее пальцы. И в ее голубых глазах каплями росы — той самой, что омывает лепестки роз и латы рыцаря, — мерцают слезы, когда, подняв глаза, она встречается со взглядом Хулии, молча наблюдающей за ней из полумрака. Она думает, что взгляд этой темноглазой, похожей на жительниц южных стран девушки, напоминающей ей портреты, привозимые из Италии, — это всего лишь отражение ее собственного пристального и горестного взгляда на затуманенной поверхности далекого зеркала. Тогда Беатрисе Остенбургской — или Бургундской — начинает казаться, что она находится не в своей комнате, а по другую сторону темного стекла, и оттуда смотрит на себя саму, сидящую под готической капителью с облупившимся святым Георгием, у окна, обрамляющего кусок неба, чья синева контрастирует с чернотой ее бархатного платья. И она понимает, что никакая исповедь не смоет ее греха.

X

Синяя машина

— Это был грязный трюк, —
сказал Гарун визирю. —
Покажи-ка мне другой, честный.
Р. Смаллиэн

Сесар мрачно выгнул бровь под широкими полями шляпы, покачивая на руке зонтик, затем оглянулся по сторонам с выражением презрения, приправленного изысканнейшей скукой: то было его убежище в моменты, когда действительность подтверждала его худшие опасения. А на сей раз она предоставляла ему повод более чем достаточный: в это утро рынок Растро выглядел совсем не гостеприимно. Серое небо грозило дождем, и хозяева лавочек и прилавков, образующих рынок, принимали срочные меры от возможного ливня. Кое-где едва можно было пробраться между палатками из-за толкотни, хлопанья брезента и свисающих отовсюду грязных пластиковых пакетов.

— На самом деле, — сказал Сесар Хулии, приглядывавшейся к паре затейливо изогнутых латунных подсвечников, стоявших на расстеленном прямо на земле одеяле, — мы просто теряем время. Я уже давным-давно не нахожу здесь ничего стоящего.

Это было не совсем так, и Хулия знала об этом. Время от времени Сесар своим наметанным глазом антиквара высматривал среди кучи мусора, составляющей старый рынок, среди этого огромного кладбища иллюзий, выброшенных на улицу волнами безымянных кораблекрушений, какую-нибудь забытую жемчужину, какое-нибудь маленькое сокровище, которое судьбе было угодно скрывать от других глаз: хрустальный бокал восемнадцатого века, старинную раму, крошечную фарфоровую пиалу. А однажды в паршивой лавчонке, набитой книгами и старыми журналами, он нашел две титульные страницы, изящно расписанные вручную каким-то канувшим в неизвестность монахом тринадцатого века. Хулия отреставрировала находку, и Сесар продал ее за сумму, которую вполне можно было назвать небольшим состоянием.

Они медленно продвигались вверх по улице, к той части рынка, где вдоль двух-трех длинных зданий с облупившимися стенами и в мрачных внутренних двориках, соединенных между собой коридорами с железной оградой, размещалась большая часть антикварных магазинчиков, которые можно было считать достаточно серьезными, хотя даже к ним Сесар относился со скептической осторожностью.

— В котором часу ты встречаешься со своим поставщиком?

Переложив в правую руку зонт — изящный и баснословно дорогой, с великолепной точеной серебряной ручкой, — Сесар отодвинул манжет рукава, чтобы взглянуть на свои золотые часы. Он выглядел очень элегантно в широкополой фетровой шляпе табачного цвета, с шелковой лентой вокруг тульи, и накинутом на плечи пальто из верблюжьей шерсти. Под расстегнутым воротом шелковой рубашки виднелся, как всегда, дивной красоты шейный платок. Словом, Сесар был верен себе: во всем доходя до грани, он, однако же, никогда не переступал ее.

— Через пятнадцать минут. У нас еще есть время.

Они заглянули в несколько лавочек. Под насмешливым взглядом Сесара Хулия выбрала себе деревянную расписную тарелку, украшенную грубовато намалеванным, пожелтевшим от времени сельским пейзажем: телега, запряженная волами, на окаймленной деревьями дороге.

— Но ты же не собираешься покупать это, дражайшая моя, — чуть ли не по слогам выговорил антиквар, тщательно модулируя неодобрительную интонацию. — Это недостойно тебя... Что? Ты даже не торгуешься?

Хулия открыла висевшую на плече сумочку и достала кошелек, не обращая внимания на протесты Сесара.

— Не понимаю, что тебе не нравится, — сказала она, пока ей заворачивали покупку в страницы какого-то иллюстрированного журнала. — Ты же всегда говорил, что люди comme il faut[1] никогда не торгуются: или платят сразу же, или удаляются с гордо поднятой головой.

— В данном случае это правило не годится. — Сесар огляделся по сторонам с выражением профессионального пренебрежения и поморщился, сочтя чересчур уж плебейским вид всех этих дешевых лавчонок. — Здесь, с такими людьми — нет.

Хулия засунула сверток в сумку.

— В любом случае, ты мог бы сделать красивый жест и подарить ее мне... Когда я была маленькой, ты покупал мне все, что мне хотелось.

— Когда ты была маленькой, я слишком баловал тебя. А кроме того, я не собираюсь платить за столь вульгарные вещи.

— Ты просто стал скупердяем. С возрастом.

---

1   Буквально: такие, как надо, то есть приличные *(фр.)*.

— Умолкни, змея. — Поля шляпы закрыли лицо антиквара, когда он наклонил голову, чтобы закурить, у витрины магазинчика, где были выставлены пыльные куклы разных эпох. — Ни слова больше, или я вычеркну тебя из моего завещания.

Хулия смотрела снизу, как он поднимается по лестнице: прямой, исполненный достоинства, чуть приподняв левую руку, держащую мундштук слоновой кости, с тем томным, презрительно-скучающим видом, какой он частенько напускал на себя, — видом человека, не ожидающего ничего особенного в конце своего пути, однако из чисто эстетических соображений считающего себя обязанным пройти этот путь по-королевски. Как Карл Стюарт[1], всходящий на эшафот так, словно он оказывает великую милость палачу, уже приготовившийся произнести *Remember*[2] и опустить голову под топор таким образом, чтобы зрители увидели его в профиль, как на монетах с его изображением.

Крепко прижав сумочку локтем к боку — мера предосторожности от воришек, — Хулия бродила среди магазинчиков и прилавков. В этой части рынка было слишком много народу, поэтому она решила вернуться назад, к лестнице, выходившей одной стороной на площадь и главную улицу рынка. Сверху они казались густой россыпью брезентовых крыш и полотняных навесов, между которыми, как муравьи, двигались и копошились люди.

Хулия собиралась снова встретиться с Сесаром через час, в маленьком кафе на площади, зажатом между лавкой, торговавшей разными морскими при-

---

1   Карл I Стюарт (1600—1649) — король Англии, казненный во время революции.

2   Помните *(англ.)*.

борами, и будкой старьевщика, специализировавшегося на военной одежде и регалиях. Облокотившись о перила, она зажгла сигарету «Честерфилд» и долго курила, не меняя позы, разглядывала людей внизу. Под самой лестницей, устроившись на краю каменного фонтана, в котором плавали бумажки, огрызки яблок и пустые жестянки из-под пива, парень в пончо, с длинными светлыми волосами, наигрывал на примитивной тростниковой флейте мелодии индейцев Южной Америки. Хулия несколько секунд прислушивалась к музыке, затем снова начала бесцельно водить глазами по рынку, шум которого смутно доносился до нее, приглушенный расстоянием, на котором она находилась. Стояла так, пока не докурила сигарету, а потом спустилась по лестнице и остановилась перед витриной с куклами. Там были куклы голые и одетые в живописные крестьянские костюмы и в изысканно-романтические туалеты, включавшие в себя перчатки, шляпки и зонтики. Некоторые из них изображали девочек, другие — женщин. У них были лица детские, грубые, наивные, лукавые... Их руки и ноги, приподнятые под разными углами, застыли в неподвижности, словно застигнутые ледяным дыханием времени, прошедшего с того дня, когда их выбрасывали, или продавали, или когда умирали сами их владелицы. Девочки, которые в конце концов стали женщинами, подумала Хулия, красивыми и некрасивыми, которые потом, может быть, любили или были любимы. Они ласкали эти тряпичные, картонные или фарфоровые тельца руками, сейчас превращавшимися или уже превратившимися в кладбищенскую пыль. Но все эти куклы пережили своих хозяек; безмолвные, неподвижные свидетельницы, они хранят в сетчатке своих нарисованных глаз интимные домашние сценки, давно стершиеся во времени и в памяти ныне живущих людей. Выцветшие картины, еле различимые сквозь печальную мглу забвения, минуты семейного тепла, детские песенки, объятия, исполненные любви. А еще слезы и разочарования, мечты, разбившиеся в прах, упадок и тоску. А может быть, в них таится зло? Было нечто пугающее в этом множестве стеклянных и фарфоровых глаз, смотревших на нее не мигая, с выражением той священной мудрости, что является привилегией одного лишь времени; неподвижных глаз, глядевших с бледных восковых или картонных лиц поверх одеяний, которые годы осыпали своей пылью, приглушив цвета тканей и белизну кружев. И еще пугали шевелюры, причесанные или растрепанные, сделанные из настоящих волос — от этой мысли Хулия содрогнулась, — когда-то принадлежавших живым женщинам. По грустной ассоциации она вспомнила кусочек стихотворения, которое много лет назад слышала от Сесара:

> Если бы возможно было кудри
> всех умерших женщин сохранить...

Ей с трудом удалось отвести глаза от витрины, в стекле которой, над ее головой, отражались надвигающиеся на город тучи. А повернувшись, чтобы продолжить свой путь, она увидела Макса. Она почти столкнулась с ним на середине лестницы. На нем была толстая матросская куртка с поднятым воротником, подпиравшим косичку, в которую он собирал свои длинные волосы, глаза опущены, как у человека, пытающегося избежать нежелательной встречи.

— Вот так сюрприз! — проговорил он, улыбаясь своей самоуверенной хищноватой улыбкой, сводившей с ума Менчу, после чего произнес пару банальностей насчет переменчивой погоды и количества народа на рынке. Вначале он ничего не говорил относительно причины своего прихода сюда, но Хулия заметила в нем некоторую настороженность: он словно опасался чего-то или кого-то. Возможно, Менчу, поскольку, как он пояснил позже, они договорились встретиться поблизости от этого места. Кажется, речь шла о покупке по случаю каких-то рам, которые после надлежащей реставрации (Хулия сама неоднократно занималась подобной работой) могли быть с успехом использованы в галерее Роч.

Макс был несимпатичен Хулии, и она объясняла это ощущением неловкости, которое всегда испытывала в его присутствии. Даже если отвлечься от отношений, соединявших его с ее подругой, в нем было нечто неприятное; она почувствовала это с первого момента их знакомства. Сесар, наделенный тонкой, безошибочной, почти женской интуицией, говорил, что в Максе на фоне прекрасно скроенного тела есть что-то неопределенное, низкое, проглядывающее в неискренней манере улыбаться и в дерзости, с какой он смотрел на Хулию. Встречаться глазами с Максом было не слишком приятно, но, когда Хулия, отведя глаза, уже забывала о его взгляде, она вдруг снова чувствовала его на себе: хитрый, подстерегающий, уклончивый и одновременно неотрывный. Это был не взгляд «вообще», который, поблуждав без определенной цели по окружающей обстановке, спокойно возвращается к тому же человеку или предмету (так смотрел Пако Монтегрифо), а один из тех, которые ощущаешь на себе почти физически — так он пристален, когда смотрящий думает, что его никто не замечает, но который скользит прочь при малейшем признаке внимания к нему. «Взгляд человека, собирающегося, как минимум, украсть у тебя кошелек», — сказал однажды Сесар, имея в виду любовника Менчу. И Хулия, которая, услышав эти слова, изобразила на лице неодобрение, про себя не могла не признать их правоты и точности.

Были и еще кое-какие неприятные моменты. Хулия знала, что в этих взглядах просвечивает нечто большее, чем простое любопытство. Уверенный в своей физической привлекательности, Макс в отсутствие Менчу или за ее спиной зачастую вел себя вполне определенным образом. Любые сомнения, какие могли возникнуть на этот счет, рассеяла одна вечеринка в доме Менчу. Время было за полночь, и разговор становился все более ленивым, когда хозяйка ненадолго вышла из комнаты, чтобы принести льда. Макс, наклонившись к столику с напитками, взял стакан Хулии и отпил из него. Вот, собственно, и все, и на том бы дело и кончилось, но Макс, ставя стакан на стол, взглянул, облизывая губы, прямо в глаза Хулии и цинично усмехнулся: жаль, мол, что нет времени на большее. Разумеется, Менчу ни о чем не знала, а Хулия скорее отрезала бы себе язык, чем заговорила с ней об этом. К тому же весь эпизод, пересказанный вслух, выглядел бы просто смешным. Начиная с того вечера она всегда держалась с Максом подчеркнуто презрительно, что выражалось в манере говорить с ним, когда это оказывалось неизбежным. Преднамеренно холодно, чтобы сразу установить дистанцию, когда они случайно встречались, вот как сегодня, лоб в лоб и без свидетелей.

— У меня еще уйма времени до встречи с Менчу, — сказал он, так и тыча в лицо Хулии своей самодовольной улыбкой, которую она так ненавидела. — Не хочешь выпить рюмочку?

Она пристально взглянула на него, нарочито медленно выговаривая слова:

— Я жду Сесара.

Улыбка Макса стала еще шире. Он прекрасно знал, что и антиквар ему не симпатизирует.

— Жаль, жаль, — пробормотал он. — Нам с тобой так редко удается встречаться вот так, как сейчас... Я имею в виду — наедине.

Хулия только подняла брови и огляделась вокруг, как будто Сесар должен был вот-вот появиться. Проследив за ее взглядом, Макс пожал плечами под своей матросской курткой.

— Мы с Менчу договорились встретиться вон там, возле статуи солдата, через полчаса. Если хочешь, потом, попозже, можем пойти выпить что-нибудь. — И после преднамеренно затянутой паузы многозначительно закончил: — Вчетвером.

— Посмотрим, что скажет Сесар.

Она смотрела ему вслед, на широкую спину, покачивающуюся среди толпы, пока не потеряла его из виду. Так же, как и при других встречах с Максом, она испытывала неловкость и досаду оттого, что не сумела должным образом поставить его на место: как будто, несмотря на ее отказ, ему все-таки удалось на шаг приблизиться к миру, принадлежащему только ей, как тогда, в случае со стаканом. Сердитая на себя, хотя и не зная точно, в чем себя упрекнуть, она закурила другую сигарету и глубоко, раздраженно затянулась. «Бывают моменты, — подумала она, — когда я бы отдала что угодно, лишь бы стать достаточно сильной, чтобы без особых проблем расквасить Максу эту его смазливую морду, морду сытого жеребца».

Прежде чем зайти в кафе, она с четверть часа бродила по рынку, прислушиваясь к выкрикам продавцов и разговорам вокруг, чтобы отвлечься от своих дум,

Синяя машина

однако морщинки на лбу у нее не разглаживались, взгляд по-прежнему был обращен внутрь себя. О Максе она уже забыла, но мысли ее шли по замкнутому кругу. Фламандская доска, смерть Альваро, шахматная партия — мысли об этом все время возвращались, как наваждение, и ставили перед ней вопросы, ответа на которые она найти не могла. Вероятно, и невидимый игрок также находился здесь, поблизости, среди этих людей, наблюдая за ней и исподволь планируя свой следующий ход. Опасливо оглянувшись вокруг, Хулия нащупала сквозь кожу лежавшей на коленях сумочки пистолет Сесара. Это был абсурд, доходящий до жестокости. Или жестокость, доходящая до абсурда.

Пол в кафе был деревянный, столики — допотопные: мрамор и кованое железо. Хулия попросила стакан лимонада и сидела, глядя в затуманенное стекло, тихо-тихо, пока не увидела сквозь покрывавшие его мельчайшие капельки нечетко обрисовавшийся силуэт антиквара. Тогда она рванулась к нему навстречу, словно ища утешения, да и на самом деле это было почти так.

— Ты все хорошеешь, — встретил ее шутливым комплиментом Сесар, остановившись посреди улицы и уперев руки в бока. — Как только тебе это удается, девочка?

— Ладно, угомонись. — Она вцепилась в его руку с невыразимым ощущением облегчения. — Мы не виделись всего час.

— Вот об этом и речь, принцесса. — Антиквар понизил голос, точно собираясь сообщить некую тайну. — Из всех известных мне женщин ты единственная, которая способна стать еще красивее всего за шестьдесят минут... Если ты обладаешь каким-то секретом, как это делается, то нам следовало бы запатентовать его. Честное слово.

— Идиот.

— Красавица.

Они направились вниз по улице, к тому месту, где стояла машина Хулии. По дороге Сесар рассказывал ей об успешной операции, которую ему только что удалось провернуть: речь шла о картине «Скорбящая Божия Матерь», которая вполне может сойти за работу Мурильо[1], если покупатель окажется не слишком требовательным, и о секретере в стиле «Бидермейер», с личным клеймом Виринихена, датированном 1832 годом, правда, состояние его оставляет желать лучшего, но зато это подлинник, и хороший столяр-краснодеревщик сумеет привести его в порядок. Одним словом, весьма удачные приобретения, причем по вполне разумной цене.

— Особенно секретер, принцесса. — Сесар, довольный совершенной сделкой, покачивал зонтик на руке. — Ты же знаешь, есть такой социальный класс — да благословит его Господь, — который просто жить не может без кровати, принадлежавшей Евгении Монтихо[2], или бюро, на котором Талейран[3] подписывал свои фальшивки... А еще есть новая *буржуазия,* состоящая из *parvenus,* для которых, когда они вознамериваются подражать этому классу, самым вожделенным символом их триумфа является Бидермейер... Они вот прямо так приходят к тебе и требуют

---

1 Мурильо Бартоломе Эстебан (1618—1682) — знаменитый испанский художник.
2 Монтихо Евгения Мария де (1826—1920) — испанская графиня, супруга императора Франции Наполеона III.
3 Талейран Шарль Морис (1754—1838) — французский политик и дипломат, известный своим двурушничеством.

Синяя машина

Бидермейера, не уточняя, чего конкретно хотят: стол ли, шкаф ли — им все равно. Им требуется Бидермейер, сколько бы это ни стоило. Некоторые даже слепо верят, что бедный господин Бидермейер — лицо историческое, и страшно удивляются, видя на мебели другую подпись... Сначала они растерянно улыбаются, потом начинают подталкивать друг друга локтями и тут же задают вопрос: а нет ли у меня другого, *настоящего* Бидермейера... — Антиквар вздохнул, несомненно, в знак сожаления о тяжелых временах. — Если бы не их чековые книжки, честное слово, я многим говорил бы *chez les grecs[1]*.

— Иногда, насколько мне помнится, ты именно так и поступал.

Сесар испустил еще один вздох, придав лицу горестное выражение:

— Бывало, бывало, дорогая. Меня частенько подводит характер: временами я не справляюсь со своими скандальными наклонностями... Как доктор Джекилл и мистер Хайд. Спасает то, что теперь почти никто не владеет французским достаточно хорошо.

Они подошли к машине Хулии, припаркованной в каком-то переулке, в тот момент, когда девушка рассказывала о своей встрече с Максом. При одном упоминании этого имени Сесар нахмурил брови под кокетливо заломленными полями шляпы.

— Я рад, что не столкнулся с этим альфонсом,— сердито заметил он. — Что, он по-прежнему делает тебе коварные намеки?

— Да в общем-то почти нет. Думаю, в глубине души он побаивается, что Менчу узнает.

---

1   Часть идиоматического выражения: Va te faire voir chez les grecs — Пошел ты... Катись ты... *(фр.)*.

— И перестанет кормить и одевать: вот что его больше всего пугает, подонка этакого. — Сесар обошел машину, направляясь к правой дверце, и вдруг остановился: — Смотри-ка! Нас оштрафовали.

— Не может быть!

— Сама посмотри. Вон за дворник засунута бумажка. — Антиквар раздраженно стукнул кончиком зонта об асфальт. — Это же надо — посреди рынка! И полиция хороша: вместо того чтобы ловить преступников и всякую шушеру, как, собственно, ей и положено, занимается тем, что развешивает уведомления о штрафе... Какой позор! — И повторил громко, вызывающе оглядываясь по сторонам: — Какой позор!

Хулия отодвинула пустой баллончик из-под аэрозоля, оставленный кем-то на капоте машины, и взяла бумажку: точнее, не бумажку, а кусочек плотного картона размером с визитную карточку. И застыла на месте, как громом пораженная. Заметив это, Сесар взглянул ей в лицо и, встревоженный, почти подбежал к ней:

— Девочка, ты так побледнела... Что с тобой?

Прошло несколько секунд, прежде чем она смогла ответить, а когда заговорила, то не узнала собственного голоса. Она испытывала невыносимое желание броситься бежать — все равно куда, лишь бы там было тепло и надежно, чтобы можно было спрятать голову, закрыть глаза и почувствовать себя в безопасности.

— Это не штраф, Сесар.

Она держала в пальцах карточку, и у антиквара вырвалось ругательство, абсолютно невообразимое в устах такого воспитанного человека, как он. Потому что на карточке со зловещим лаконизмом, машинописным шрифтом, уже хорошо знакомым обоим, значилось:

...a7 : Лb6.

Хулия, точно оглушенная, оглянулась, чувствуя, что у нее начинает кружиться голова. Переулок был безлюден. Единственным человеком, находившимся поблизости, была торговка образками и распятиями, сидевшая на складном стульчике метрах в двадцати от машины и явно отдававшая все свое внимание людям, проходившим мимо ее товара, разложенного прямо на земле.

— Он был здесь, Сесар... Ты понимаешь?.. Он был здесь.

Она сама почувствовала, что в ее голосе нет удивления: только страх. И — осознание этого накатывало на нее волнами отчаяния — то был уже не страх перед неожиданным, а сковывающий ужас, окрашенный мрачной покорностью судьбе; как будто таинственный игрок, его близкое и угрожающее присутствие превратились для нее в некое неизбежное проклятие, жить с которым ей предстояло до конца своих дней. «Даже если, — вдруг отчетливо и горько подумала она, — жить мне еще долго».

Сесар, переменившись в лице, вертел в руках карточку. От возмущения он мог только бормотать:

— Ах, негодяй... Мерзавец... Подонок...

Внезапно мысли Хулии переключились на баллон от аэрозоля, стоявший на капоте «фиата». Она взяла его, чувствуя, что двигается, как во сне, и с некоторым трудом, но все же сумела вникнуть в то, что было написано на его этикетке. Недоуменно покачав головой, она протянула баллон Сесару. Еще одна нелепица.

— Что это? — спросил антиквар.

— Спрей для починки проколов в шинах... Надо надеть его головку на ниппель. Это такая белая паста, которая заклеивает прокол изнутри.

— А что этот спрей делает на твоем «фиате»?

— Хотела бы я это знать.

Они принялись осматривать шины. Обе левые оказались в полном порядке, и Хулия обошла машину, чтобы проверить остальные две. И тут вроде бы все было в порядке, но, когда Хулия уже собиралась забросить баллончик куда-нибудь подальше, ее внимание привлекла одна деталь: на ниппеле правого заднего колеса крышечка была отвинчена, а на ее месте виднелся пузырек белой пасты.

— Кто-то подкачивал эту шину, — заключил Сесар, растерянно переводя взгляд с колеса на пустой баллон. — Может, она проколота?

— Нет. Когда мы оставили здесь машину, никаких проколов не было, — ответила девушка, и они переглянулись, исполненные недобрых предчувствий.

— Лучше не трогай ее, — посоветовал Сесар.

Продавщица образков не заметила ничего. Народу тут ходит много, так что нужен глаз да глаз, пояснила она, поправляя лежащие на земле распятия, иконки Богородицы и святого Панкратия. В сторону переулка она и не смотрела. Может, и проходил кто, но немного: человека три-четыре за последний час.

— А вам никто особенно не запомнился? — Сесар, сняв шляпу, наклонился поближе к торговке: пальто, наброшенное на плечи, зонтик под мышкой — вот настоящий кабальеро, наверное, подумала женщина, хотя, возможно, этот шелковый платок на шее и выглядел несколько вызывающе на человеке его возраста.

— Да вроде нет... — Торговка поплотнее заверну-

Синяя машина

лась в свою шерстяную шаль и нахмурила брови, силясь припомнить. — Кажется, проходила какая-то сеньора... И пара молодых людей.

— Как они выглядели?

— Ну вы же знаете, как они все выглядят. Кожаные куртки, джинсы...

В голове у Хулии зашевелилась совершенно нелепая идея. В конце концов, за последние дни границы возможного значительно расширились.

— А вы не видели никого в матросской куртке? Молодого человека лет двадцати восьми — тридцати, высокого, волосы собраны в косичку.

...Макса торговка не припоминала. А вот на женщину обратила внимание, потому что та остановилась перед ней, разглядывая товар, и она подумала, что эта сеньора собирается что-нибудь купить. Она была светловолосая, средних лет, хорошо одета. Но чтобы такая дама хулиганила около чужой машины — нет, вот это уж нет, она явно не из таких. На ней был плащ.

— И солнечные очки?

— Да.

Сесар серьезно взглянул на Хулию.

— Сегодня нет солнца, — сказал он.

— Я вижу.

— Может, это та самая, что посылала тебе документы. — Сесар сделал паузу, и взгляд его стал жестким. — Или Менчу, — закончил он.

— Не говори глупостей.

Антиквар покачал головой, приглядываясь к проходившим мимо людям.

— Ты права. Но ведь ты-то сама подумала о Максе.

— Макс... это другое дело. — Помрачнев, Хулия окинула взглядом улицу: а вдруг там все еще бродит Макс или блондинка в плаще? И от того, что она увидела, не только слова застыли у нее на устах, но и сама она содрогнулась, как от удара. Нигде не было женщины, которая соответствовала бы описанию торговки, но на углу, среди брезентовых и пластиковых крыш палаток, виднелся припаркованный автомобиль. Синий автомобиль.

На таком расстоянии Хулия не могла определить, «форд» это или нет, но внутри у нее словно что-то взорвалось. Отойдя от продавщицы образков, она, к удивлению Сесара, сделала несколько шагов по тротуару и, обойдя столики двух-трех торговок с разложенной на них разной чепухой, остановилась, неотрывно глядя в сторону угла. Она даже привстала на цыпочки. Да, это был синий «форд» с затемненными стеклами. Номера Хулия не могла рассмотреть, но — сумбурно мелькало у нее в голове — слишком уж много совпадений для одного утра: Макс, Менчу, картонная карточка, заткнутая за дворник ветрового стекла, пустой баллончик, женщина в плаще, а теперь еще и эта машина, уже давно превратившаяся в основной образ ее кошмаров. Она почувствовала, что у нее начинают дрожать руки, и сунула их в карманы куртки. Она услышала за спиной приближающиеся шаги антиквара, и это придало ей храбрости.

— Это та машина, Сесар. Понимаешь?.. Кто бы это ни был, он там, внутри.

Сесар ничего не ответил. Он медленно снял шляпу, вероятно, сочтя, что она неуместна при том, что сейчас могло произойти, и посмотрел на Хулию. Никогда еще она не любила его так, как в эту минуту: с этими плотно сжатыми тонкими губами, решительно устремленным вперед подбородком, прищуренными голубыми глазами, в которых вдруг появился непривычный суровый блеск. Все его худое, тщательно выбритое лицо было напряжено, на впалых щеках, по бокам нижней челюсти, ходили желваки. Он может быть гомосексуалистом, прочла Хулия в этих глазах, он может быть человеком с безупречными манерами, абсолютно не склонным к насилию, но уж никак не трусом. Во всяком случае, если дело касается его принцессы.

— Подожди меня здесь, — сказал он.

— Нет. Мы пойдем вместе. — Она с нежностью взглянула на него. Однажды она поцеловала его в губы — шутливо, играя, как в детстве. В настоящий момент ей захотелось сделать это еще раз, — но теперь уже безо всяких игр. — Ты и я, мы с тобой.

Она сунула руку в сумочку и постучала пальцами по «дерринджеру». Сесар невозмутимо, спокойно, словно собираясь выбрать прогулочную трость, сунул зонтик под мышку и, подойдя к одной из палаток, взял с прилавка внушительных размеров железную кочергу.

— С вашего разрешения, — бросил он оторопевшему торговцу, суя ему в руку первую попавшуюся купюру, вынутую из бумажника. Затем спокойно повернулся к Хулии:

— Один раз в жизни, дорогая, позволь мне пройти первым.

И они направились к машине, укрываясь за палатками, чтобы не быть замеченными: Хулия — с правой рукой, глубоко засунутой в сумочку, Сесар — с кочергой в правой, шляпой и зонтом в левой руке. Сердце девушки колотилось изо всех сил, когда она разглядела номерной знак машины. Сомнений больше не было: синий «форд», темные стекла, буквы ТН. Во рту у нее было сухо, желудок словно бы сжался. Ей мельком припомнилось: те же самые ощущения испытывал капитан Питер Блад перед абордажем.

Они добрались до угла, и там все произошло очень быстро. Тот, кто сидел в машине, опустил стекло со стороны водителя, чтобы выбросить окурок. Сесар бросил на тротуар зонтик и шляпу, поднял кочергу и двинулся в обход машины к ее левой стороне, готовый, если нужно, перебить всех пиратов или кто бы там ни оказался. Хулия, стиснув зубы и чувствуя, как кровь стучит в висках, рванулась вперед, выхватила из сумочки пистолет и сунула его в окошечко прежде, чем стекло успело подняться. Дуло пистолета чуть не уперлось в незнакомое Хулии лицо — молодое, бородатое, с испуганно вытаращенными глазами. Человек, сидевший рядом с водителем, так и подпрыгнул на сиденье, когда Сесар, рванув другую дверцу, угрожающе занес над его головой кочергу.

— Выходите! Выходите! — крикнула Хулия, едва владея собой.

Бородатый, изменившись в лице, умоляющим жестом вскинул руки с растопыренными пальцами.

— Успокойтесь, сеньорита! — пробормотал он. — Ради Бога, успокойтесь... Мы из полиции!

— Должен признать, — сказал инспектор Фейхоо, складывая руки на своем письменном столе, — что мы пока не слишком продвинулись в этом деле...

Он не закончил фразу и кротко улыбнулся Сесару, как будто неэффективность работы полиции могла как-то оправдать отсутствие успехов. В своем узком кругу мы с вами, светские люди — казалось, говорил его взгляд, — можем позволить себе немножко конструктивной самокритики.

Но Сесар, похоже, не собирался спускать дело на тормозах.

— Это, — проговорил он с глубочайшим презрением, — просто более изящный способ выразить то, что другие называют полной некомпетентностью.

Эти слова, судя по тому, как разом полиняла улыбка инспектора, сильно задели его. Даже под его длинными мексиканскими усами было видно, как зубы прикусили нижнюю губу. Он взглянул на Сесара, потом на Хулию и нервно постучал по столу концом своей дешевой шариковой ручки. Поскольку это был Сесар, особенно кипятиться ему не следовало, и все трое знали почему.

— У полиции свои методы.

То были не более чем слова, и Сесар всем своим видом показал, что ему это отлично известно. Тот факт, что он имел кое-какие дела с Фейхоо, отнюдь не обязывал его выказывать инспектору свою симпатию. Тем более теперь, уличив его в нечистой игре.

— Если эти методы заключаются в том, чтобы устанавливать слежку за Хулией, в то время как какой-то сумасшедший посылает ей карточки без подписи, то я предпочитаю не высказывать вслух моего мнения об этих методах... — Он повернулся к девушке, но снова через плечо глянул на полицейского: — У меня просто в голове не укладывается, как вы додумались подозревать ее в убийстве профессора Ортеги... Почему вы не занялись моей персоной?

— Мы занимались и вами. — Полицейского явно коробило от дерзости Сесара, и он с трудом заставлял себя говорить спокойно. — Вообще мы занимались абсолютно всеми. — Он растопырил ладони, как бы признавая совершенную — и весьма крупную — ошибку. — К сожалению, такова наша работа.

— И вам удалось что-нибудь выяснить?

— С прискорбием вынужден сознаться, что нет.— Фейхоо под пиджаком почесал себе подмышку и неловко поерзал на стуле. — Если уж до конца откровенно, то мы ничуть не продвинулись... Медики тоже никак не придут к единому мнению относительно причины смерти Альваро Ортеги. Мы надеемся — если, конечно, преступник действительно существует,— на то, что он совершит какой-нибудь промах.

— И поэтому вы взялись следить за мной? — спросила Хулия, все еще не в силах успокоиться. Она сидела, прижимая к себе сумочку, с дымящейся сигаретой в руке. — Чтобы проверить, не совершу ли этот промах я?

Полицейский угрюмо посмотрел на нее.

— Вы не должны принимать все так близко к сердцу. Просто так полагается... Обычная полицейская тактика.

Сесар поднял бровь.

— Если это тактика, то она не кажется особо многообещающей. Да и быстрой тоже.

Фейхоо сглотнул слюну, и сарказм антиквара ему тоже пришлось проглотить. Вот сейчас, злорадно подумала Хулия, он, наверное, проклинает свои тайные коммерческие отношения с Сесаром. Ведь стоит только Сесару сказать пару лишних слов в одном-двух соответствующих местах — и безо всяких прямых обвинений, безо всякой бумажной волокиты, быстро и тихо, как это делается на определенном уровне, главный инспектор окажется в темном кабинетике какого-нибудь безвестного провинциального полицейского участка. Так и закончится его карьера: бумаги, бумаги и никаких прибавок к жалованью.

— Единственное, в чем я могу уверить вас,— проговорил он наконец, по-видимому переварив часть обиды, тогда как остальная, судя по выражению его лица, комом застряла в желудке, — так в том, что мы будем продолжать наше расследование... — И неохотно добавил, точно вспомнив что-то: — Разумеется, сеньорита будет находиться под особой охраной.

— Ни в коем случае, — запротестовала Хулия. Унижения Фейхоо было недостаточно, чтобы заставить ее забыть о своем. — Пожалуйста, больше никаких синих «фордов». Хватит.

— Речь идет о вашей безопасности, сеньорита.

— Вы уже видели, я вполне способна сама защитить себя.

Полицейский отвел взгляд. Наверное, у него еще саднило горло от той ругани, которую он обрушил несколько минут назад на двух инспекторов, так по-дурацки попавшихся при исполнении служебных обязанностей. «Панолис! — орал он. — Домингерос, мать твою за ногу!.. Вы меня подставили, сукины дети! Я вам устрою хорошую жизнь!..» Сесар и Хулия все слышали из-за закрытой двери, пока ожидали в коридоре полицейского участка.

— Насчет этого, — наконец заговорил он после долгого размышления. Заметно было, что в нем происходила ожесточенная внутренняя борьба — между долгом и собственными интересами — и что эти последние в конце концов победили. — Принимая во внимание обстоятельства, я не думаю, что... Я хочу сказать, этот пистолет... — Он снова сглотнул слюну и взглянул на Сесара. — В общем-то, штука это старинная, не то что современное оружие... А у вас, поскольку вы антиквар, имеется соответствующее разрешение... — Он уставился на стол перед собой. Наверняка он размышлял о последней вещи — часах восемнадцатого века, — за которую несколько недель назад получил от Сесара кругленькую сумму. — Со своей же стороны — я говорю и от имени обоих инспекторов, оказавшихся...

хм... — он опять кривовато, примирительно улыбнул-ся, — я хочу сказать, что мы готовы оставить в сторо-не подробности случившегося. Вы, дон Сесар, получи-те назад свой «дерринджер», ну и, разумеется, по-стараетесь в дальнейшем относиться к нему более бережно. А сеньорита будет держать нас в курсе всех событий и, само собой, если что, немедленно звонить нам. И чтобы уж, пожалуйста, никаких пистолетов... Я понятно излагаю?

— Абсолютно, — сказал Сесар.

— Хорошо. — Уступка в вопросе о пистолете, по-хоже, примирила его с самим собой, так что он взгля-нул на Хулию уже менее напряженно. — Что же каса-ется вашего колеса, хотелось бы знать, собираетесь ли вы подавать заявление.

Хулия удивленно вскинула брови.

— Заявление?.. На кого?

Инспектор ответил не сразу, точно надеясь, что она поймет его без слов:

— На неизвестное лицо или лица... виновные в покушении на убийство.

— Убийство Альваро?

— Нет, ваше. — Из-под мексиканских усов опять показались зубы. — Потому что, кто бы ни посылал вам эти карточки, на уме у него явно нечто иное, чем игра в шахматы. Спрей, который накачали вам в шину, предварительно спустив ее, можно купить в любом «Автосервисе»... Но в ваш баллончик с помо-щью шприца впрыснули бензин... Такая смесь — бен-зин, газ и это пластическое вещество, которое содер-жится в баллоне, — при определенной температуре взрывается, и еще как... Вы проехали бы несколько сот метров, шина нагрелась бы и шарахнула прямо под бензобаком. Машина сгорела бы, как свечка, и вы

Синяя машина

вместе с ней... — Он рассказывал это с улыбкой, явно наслаждаясь возможностью хоть таким образом взять маленький реванш за пережитое унижение. — Ужасно, правда?

Шахматист появился в магазине Сесара через час, с мокрой головой и торчащими над поднятым воротником плаща ушами. Он похож на тощего бездомного пса, подумала Хулия, глядя, как он отряхивает дождевые капли в вестибюльчике, среди ковров, фарфора и картин, на которые ему не хватило бы даже годового жалованья. Муньос пожал ей руку — коротко, сухо, без намека на сердечность: простое прикосновение, не обязывающее ровным счетом ни к чему, — кивком головы поздоровался с Сесаром и бесстрастно, не мигая и только стараясь держать свои промокшие ботинки подальше от ковров, выслушал рассказ об утреннем происшествии на рынке Растро. Временами он делал легкое движение подбородком сверху вниз, словно бы подтверждая сказанное, но с таким видом, как будто вся эта история с синим «фордом» и кочергой Сесара совершенно не интересовала его. Его тусклые глаза оживились лишь тогда, когда Хулия достала из сумочки карточку с записью хода и положила ее перед ним. Через несколько минут, разложив свою шахматную доску, с которой он в последние дни не расставался, и расставив фигуры, он уже изучал их новое расположение.

— Одного я не понимаю, — заметила Хулия, глядя на доску через его плечо. — Зачем они оставили баллончик на капоте? Ведь там мы не могли не заметить его... Разве что этому человеку пришлось поспешно ретироваться.

— Возможно, это было просто предупреждение, —

предположил Сесар, сидевший в своем любимом кожаном кресле у витража в свинцовом переплете.— Предупреждение, надо сказать, весьма дурного тона.

— А ей пришлось здорово потрудиться, правда? Подготовить баллончик, спустить шину, снова накачать ее... Не считая того, что кто-нибудь мог заметить ее, когда она все это проделывала. — Хулия перечисляла, загибая пальцы, с недоверчивой улыбкой. — Вообще все это выглядит довольно смешно. — И в этот момент ее улыбка сменилась выражением удивления: — Вы слышите?.. Я уже дошла до того, что говорю о нашем невидимом сопернике в женском роде... Эта таинственная дама в плаще не выходит у меня из головы.

— Возможно, мы уж слишком далеко заходим в своих предположениях, — заметил Сесар. — Подумай-ка сама: сегодня по Растро вполне могли бродить десятки блондинок в плащах. И некоторые из них, наверное, были еще и в темных очках... Но насчет пустого баллончика ты права. Оставить его там, на капоте, на виду у всех... Полный гротеск.

— Может быть, и не совсем так, — произнес в этот момент Муньос, и оба, прервав свой разговор, уставились на него. Шахматист сидел на табурете у низенького столика, на котором была разложена его доска. Он снял плащ и пиджак и остался в рубашке: мятой, купленной явно в дешевом магазине готовой одежды; слишком длинные рукава были заложены и зашиты над локтями широкими поперечными складками. Он вставил свою короткую реплику, не отводя глаз от доски, не оторвав от колен лежавших на них ладоней. И Хулия, сидевшая рядом, заметила, что уголок его рта почти неуловимо изогнулся, придавая лицу столь хорошо знакомое ей выражение — то ли молчаливого размышления, то ли неопределенной улыбки. И она поняла, что Муньосу удалось расшифровать новый ход.

Шахматист вытянул палец по направлению к пешке, стоящей на a7, но так и не коснулся ее.

— Черная пешка, которая была на a7, берет белую ладью на b6... — сказал он, показывая собеседникам ситуацию на доске. — Это наш соперник указал в своей карточке.

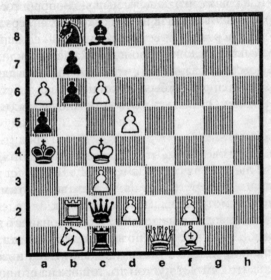

— И что это значит? — спросила Хулия.

Муньос помедлил несколько секунд, прежде чем ответить:

— Это значит, что он отказывается от другого хода, которого мы до некоторой степени опасались. Я имею в виду, что он не собирается брать белую королеву на e1 черной ладьей, которая стоит на c1... Этот ход неизбежно привел бы к размену ферзей... королев. — Он поднял глаза от фигур на Хулию. — Со всеми вытекающими отсюда последствиями.

Хулия вытаращила глаза.

— То есть он не собирается *есть меня?*

Шахматист неопределенно пожал плечами.

— Можно истолковать и таким образом.— Он задумался, глядя на белую королеву.— В таком случае, похоже, он хочет нам сказать: «Я могу убить, но сделаю это тогда, когда захочу».

— Как кошка, играющая с мышью, — пробормотал Сесар, обрушивая кулак на ручку кресла. —Мерзавец!

— Или мерзавка, — вставила Хулия.

Антиквар недоверчиво пощелкал языком.

— Вовсе необязательно, что эта женщина в плаще, если это именно она была в том переулке, действует сама по себе. Она может быть чьей-нибудь сообщницей.

— Да, но чьей?

— Хотел бы я знать это, дорогая.

— В любом случае, — заметил Муньос, — если вы ненадолго отвлечетесь от дамы в плаще и повнимательнее посмотрите на карточку, вы сможете сделать еще один вывод относительно личности нашего противника... — Он поочередно взглянул на обоих и, пожав плечами, кивком указал на доску, словно желая сказать, что считает пустой тратой времени поиски ответов вне шахматной сферы. — Мы уже знаем, что он склонен к разным вывертам, но оказывается, что он (или она) — личность еще и весьма самонадеянная... С большим самомнением. В общем-то, он пытается подшутить над нами... — Он снова кивнул на доску, приглашая собеседников повнимательнее присмотреться к расположению фигур. — Вот, взгляните... Выражаясь практически, с чисто шахматной точки зрения, взятие белой королевы — ход плохой... Белым не осталось бы ничего иного, кроме как согласиться на размен ферзей и съесть черную королеву белой ладьей, стоящей на b2, а это поставило бы черных в весьма тяжелое положение. С этого момента единственным выходом для них было бы двинуть черную ладью с e1 на e4, создавая угрозу белому королю... Но он защитился бы простым ходом своей пешки с d2 на d4. После этого, когда черный король оказался бы окруженным вражескими фигурами и помощи ждать ему было бы неоткуда, все неизбежно окончилось бы шахом и матом. И проигрышем черных.

— Значит, — помолчав, заговорила Хулия, — вся эта история с баллоном на капоте и угроза белой королеве — это просто так, мыльный пузырь?

— Это меня абсолютно не удивило бы.

— Почему?

— Потому что наш враг выбрал тот ход, который я сам сделал бы на его месте: съесть белую ладью на b6 пешкой, стоявшей на a7. Это уменьшает давление белых на черного короля, который находится в очень трудном положении. — Он с восхищением покачал головой. — Я уже говорил вам, мы имеем дело с классным шахматистом.

— А теперь что? — спросил Сесар.

Муньос провел рукой по лбу и погрузился в размышления.

— Теперь у нас есть две возможности... Вероятно, нам следовало бы съесть черную королеву, но это может вынудить нашего противника к аналогичному ответному ходу, — он взглянул на Хулию, — а мне этого совсем не хочется. Давайте не будем заставлять его делать то, чего он пока не сделал... — Он снова покивал головой, как будто находя подтверждение своим мыслям в белых и черных клетках. — Самое любопытное в этом деле то, что он уверен, что мы будем рассуждать именно так. Но это достаточно сложно, потому что я вижу ходы, которые он делает и посылает нам, а он может только догадываться о моих... К тому же он еще и направляет их. Ведь, по сути, до сих пор мы все время делаем лишь то, что он заставляет нас делать.

— У нас есть возможность выбора? — спросила Хулия.

— Пока нет. А что будет дальше — посмотрим.

— Каков же будет наш следующий ход?

— Слоном. Мы двинем его с f1 на d3 и этим поставим под угрозу его ферзя.

— А как поступит он... или она?

Муньос долго не отвечал. Он сидел неподвижно, уставившись взглядом в доску, и как будто вовсе не слышал вопроса.

— В шахматах, — наконец произнес он, — предвидение тоже имеет свои пределы... Лучший из возможных или вероятных ходов тот, который ставит противника в наиболее невыгодное положение. Поэтому для того чтобы рассчитать целесообразность очередного хода, нужно просто представить себе, что вы его сделали, и дальше остается проанализировать партию с точки зрения противника. То есть думать своей собственной головой, но поставив себя на его место. С этой позиции вы предугадываете возможный ход и тут же превращаетесь в противника своего противника. То есть опять становитесь самим собой. И так все время, до бесконечности, насколько вам позволяют ваши способности... В общем, я хочу сказать, что знаю, до какого уровня дошел я сам, но не знаю, до какого уровня дошел он.

— Но если руководствоваться этими соображениями, — заговорила Хулия, — то, вероятнее всего, он

Синяя машина
_____

изберет тот ход, который причинит нам наибольший вред. Вам так не кажется?

Муньос почесал в затылке. Потом — очень медленно — передвинул белого слона на клетку d3, совсем рядом с черной королевой, и, казалось, снова погрузился в глубокое раздумье, анализируя новую ситуацию, сложившуюся на доске.

— Как бы он ни поступил, — проговорил наконец Муньос, и лицо его омрачилось, — я уверен, что он отыграет у нас эту фигуру.

_____

XI

Аналитический подход

Не будьте глупцом. Знамени не может быть,
поэтому оно не может развеваться.
Это развевается ветер.
Д. Р. Хофштадтер

Внезапно раздавшийся телефонный звонок заставил ее вздрогнуть. Не торопясь она сняла тампон, пропитанный растворителем, с того участка картины, над которым сейчас трудилась (проклятая чешуйка лака ни за что не желала отставать в одном месте от полы кафтана Фердинанда Остенбургского), и взяла пинцет в зубы. Потом недоверчиво взглянула на телефон, стоявший на ковре у ее ног, и подумала: если она снимет трубку, не придется ли ей опять слушать долгое, прерываемое лишь помехами на линии молчание, что стало для нее почти привычным за последнюю пару недель. Поначалу она просто держала трубку возле уха, ничего не говоря и с нетерпением ожидая хоть какого-нибудь звука — хотя бы дыхания, — который свидетельствовал бы о присутствии на другом конце провода живого человека, даже если мысль об этом человеке страшила ее. Но слышала только пустоту, гробовое молчание. Она обрадовалась бы, кажется, даже такому сомнительному утешению, как щелчок в трубке, означающий разъединение, но таинственная личность, звонившая ей, всегда оказывалась терпеливее: сколько бы Хулия ни держала трубку, первой клала ее все-таки она. А ее так называемого собеседника, кем бы он ни был, похоже, вовсе не беспокоило, что полиция, извещенная Хулией, может установить на ее телефоне определитель. Хуже всего было то, что он и не подозревал о собственной безопасности. Хулия никому ничего не рассказывала об этих ночных звонках: даже Сесару, не говоря уж о Муньосе. Почему-то (она сама не знала почему) они казались ей чем-то постыдным, унизительным; они вторгались в уединение ее дома, в ее ночь, в ее тишину, которые она так любила, пока не начался этот кошмар. Они напоминали ей принятые в каких-то культах ритуальные изнасилования, повторяющиеся ежедневно, без слов, без протестов.

Подняв трубку лишь после шестого звонка, она с облегчением услышала голос Менчу. Но спокойствие длилось всего несколько мгновений: ее подруга, судя по всему, порядочно накачалась алкоголем, и дай-то Бог, с тревогой подумала Хулия, чтобы только алкоголем. Почти крича, чтобы заглушить окружавший ее гул голосов и громкую музыку, и произнося отчетливо лишь половину фраз, Менчу сообщила, что находится в «Стефенсе», затем последовала запутанная история, где фигурировали имена Макса, ван Гюйса и Монтегрифо. Хулия не поняла ни слова, а когда попросила подругу рассказать все еще раз, Менчу расхохоталась пьяным, истерическим смехом, после чего повесила трубку.

На улице было сыро, холодно и туманно. Вздрагивая в своем полушубке, Хулия подбежала к краю тротуара и остановила такси. Огни ночного города скользили по ее лицу, на мгновение ослепляя; таксист оказался разговорчивым, и Хулия рассеянно кивала в ответ на его болтовню, совсем к ней не прислушиваясь. Потом она откинула голову на спинку сиденья и закрыла глаза. Перед тем как выйти из дому, она включила систему охранной сигнализации, заперла на два оборота решетку перед дверью квартиры, а в подъезде не смогла удержаться от беглого взгляда на щиток домофона, боясь обнаружить там новую карточку. Но в этот вечер посланий не было. Невидимый игрок еще обдумывал следующий ход.

В «Стефенсе» было многолюдно. Первым, кого увидела Хулия, войдя, оказался Сесар, сидевший на одном из диванов в компании Серхио. Антиквар говорил что-то на ухо юноше, а тот кивал в ответ, встряхивая забавно растрепавшейся светлой шевелюрой. Сесар сидел, закинув ногу на ногу, на колене покоилась рука с дымящейся сигаретой, а другой рукой он, видимо подчеркивая свои слова, делал изящные жесты в воздухе в непосредственной близости от руки своего юного протеже, хотя и не касался ее. Заметив Хулию, он тут же поднялся и пошел ей навстречу. Казалось, он нимало не удивился, увидев ее здесь в столь поздний час, без макияжа, в джинсах и полушубке, более подходящем для вылазок на природу.

— Она там, — сообщил он, махнув рукой в глубь зала. — На задних диванах. — Его вовсе не беспокоило, а, скорее, слегка забавляло состояние Менчу.

— Она много выпила?

— О, она тянула вино, как греческая губка. И боюсь, что, кроме того, усиленно заправлялась своим белым порошком... Слишком уж часто она посещала дамский туалет, чтобы отправлять там только естественные потребности. — Он взглянул на тлеющий кончик своей сигареты и ехидно усмехнулся. — Недавно она тут устроила скандал: влепила пощечину

Аналитический подход

Монтегрифо прямо посреди бара... Представляешь, дорогая? Это было нечто поистине... — он посмаковал слово, прежде чем произнести его тоном ценителя и знатока, — восхитительное.

— А Монтегрифо?

Улыбка антиквара превратилась в жестокую усмешку.

— Он был великолепен, дорогая. Почти божествен. Он вышел, преисполненный достоинства, будто палку проглотил. Ну, ты знаешь, как он это умеет. А под руку вел весьма привлекательную блондинку — может быть, немного вульгарную, но очень мило одетую. Она, бедняга, просто пылала и задыхалась, да и было от чего. — Он усмехнулся с тонким злорадством. — Должен сказать, принцесса, что этот ваш аукционист умеет владеть собой. Снес пощечину глазом не моргнув — в самом прямом смысле, как супермены в фильмах. Интересный тип... Должен признать, что он был на высоте. Произвел на меня впечатление.

— А где Макс?

— Здесь я его не видел, о чем весьма сожалею. — На губах антиквара опять заиграла злорадная улыбка. — Вот это было бы по-настоящему забавно. Просто венец всему.

Оставив Сесара, Хулия направилась в глубь зала. На ходу здороваясь со знакомыми, она оглядывалась по сторонам, пока не увидела Менчу, полулежавшую на одном из диванов в полном одиночестве, с мутным взором, слишком высоко задравшейся короткой юбкой и спущенной петлей на чулке. Выглядела она на добрый десяток лет старше обычного.

— Менчу!

Она взглянула на Хулию, не узнавая, бормоча что-то несвязное и бессмысленно улыбаясь. Потом помотала головой туда-сюда и засмеялась коротким пьяным смехом.

— Ты пропустила такое зрелище, — с трудом выговорила она, не переставая смеяться. — Представляешь, этот козел стоит посреди бара, а половина морды у него багровая, как помидор... — Она сделала попытку сесть попрямее и начала тереть покрасневший нос, не замечая любопытных и возмущенных взглядов, которые бросали на нее сидящие за ближайшими столиками. — Надутый кретин.

Хулия чувствовала, что все присутствующие в зале смотрят на них, слышала шепоток комментариев. Сама того не желая, она покраснела.

— Ты в состоянии выйти отсюда?

— Думаю, да... Но погоди, дай я тебе расскажу...

— Потом расскажешь. А сейчас пошли.

Менчу с трудом поднялась на ноги, неуклюже оправила юбку. Хулия накинула ей на плечи пальто и помогла относительно достойно добраться до двери. Сесар, так и не садившийся после разговора с Хулией, приблизился к ним.

— Все в порядке?

— Да. Думаю, я одна справлюсь.

— Точно?

— Точно. Завтра увидимся.

Менчу, пьяно покачиваясь, стояла на тротуаре, пытаясь поймать такси. Кто-то из окошка проезжавшей машины крикнул ей какую-то гадость.

— Отвези меня домой, Хулия... Пожалуйста.

— К тебе или ко мне?

Менчу посмотрела на нее так, будто с трудом узнавала. Она двигалась, как лунатик.

— К тебе.

— А Макс?

Аналитический подход

— Кончился Макс... Мы поцапались... Все кончилось.

Она остановила такси, и Менчу свернулась в комочек на заднем сиденье. Потом начала плакать. Хулия обняла ее за плечи, чувствуя, как та вся содрогается от рыданий. Такси затормозило у светофора, и пятно света из какой-то витрины легло на искаженное, с размазанной косметикой лицо владелицы галереи Роч.

— Прости меня... Я просто...

Хулии было стыдно, неловко. Все это выглядело жалко и смешно. Проклятый Макс, выругалась она про себя. Будь прокляты все они.

— Не говори глупостей, — раздраженно остановила она подругу.

Она взглянула на спину таксиста, с любопытством наблюдавшего за ними в зеркальце, и, повернувшись к Менчу, вдруг уловила в ее глазах необычное выражение: на краткий миг они показались ей вполне ясными, осмысленными. Как будто в мозгу Менчу оставался какой-то уголок, куда не сумели проникнуть пары наркотика и алкоголя. Хулия с удивлением перехватила ее взгляд — темный, глубокий, исполненный некоего скрытого значения, до такой степени не соответствующий ее состоянию, что Хулия даже растерялась. А Менчу снова заговорила, и слова ее были еще более невнятны.

— Ты ничего не понимаешь... — бормотала она, мотая головой, как раненое и страдающее животное. — Но будь что будет... Я хочу, чтобы ты знала...

Она вдруг замолчала, будто прикусила себе язык, и взгляд ее растворился в тенях, когда такси тронулось. А Хулия сидела задумчивая и недоумевающая. Слишком уж много всего для одного вечера. Только не хватает, подумала она с глубоким вздохом, испытывая смутное предчувствие, не предвещавшее ничего хорошего, найти еще одну карточку в решетке домофона.

Но в этот вечер новых карточек она не получила, так что смогла спокойно заняться Менчу, у которой, похоже, в голове был полный туман. Она приготовила ей две чашки крепкого кофе, заставила выпить их и уложила подругу на диван. Сама села рядом с ней и, мало-помалу, проявляя максимум терпения и временами чувствуя себя психоаналитиком, сумела вычленить из бессвязного бормотания и долгих пауз информацию о том, что произошло. Максу, неблагодарному Максу взбрело в голову отправиться путешествовать в самый неподходящей момент: собрался лететь в Португалию, якобы в связи с какой-то работой. Менчу пребывала в плохом настроении, когда он заговорил об этом, и обозвала его эгоистом и дезертиром. Они крупно повздорили, но, вместо того чтобы, как обычно, искать примирения с ней в постели, он хлопнул дверью. Менчу не знала, собирается он возвращаться или нет, но в тот момент ей было на это глубоко наплевать. Не желая оставаться в одиночестве, она отправилась в «Стефенс». Несколько порций кокаина помогли ей развеяться и привели в состояние агрессивной эйфории... Она сидела в уголке бара, попивая очень сухое мартини и забыв о Максе, и строила глазки одному красавчику. И вот, когда тот уже начал кое-что соображать, знак этого вечера внезапно переменился: в баре появился Пако Монтегрифо в компании одной из этих увешанных драгоценностями фифочек, с которыми его видели время от времени... Память о стычке с ним

Аналитический подход

была еще слишком свежа, а ирония, какую она уловила в учтивом поклоне аукциониста, как пишут в романах, еще больше разбередила рану. Вот она и вмазала ему — от души, со всего размаху. Он, бедняга, остолбенел... Потом был большой скандал. Тем все и кончилось. Занавес.

Менчу уснула часа в два ночи. Хулия накрыла подругу одеялом и некоторое время сидела рядом, охраняя ее беспокойный сон. Время от времени Менчу начинала метаться и, не разжимая губ, бормотать что-то неразборчивое; растрепавшиеся волосы прилипали к ее лбу, к щекам. Хулия смотрела на морщины вокруг ее рта, на глаза, под которыми размытая слезами и потом тушь растеклась черными кругами. Сейчас Менчу была похожа на немолодую куртизанку после бурно проведенной ночи. Сесар, глядя на нее, наверняка отпустил бы что-нибудь язвительное, однако Хулии в этот момент не хотелось даже мысленно слышать его высказываний. И она взмолилась про себя: пусть, когда наступит мой черед, мне хватит смирения, чтобы состариться достойно... Она вздохнула сквозь зубы, сжимавшие незажженную сигарету. Наверное, это ужасно: когда грянет час кораблекрушения, не иметь под рукой надежной лодки, чтобы спасти свою шкуру. Точнее, кожу... Только сейчас она отчетливо осознала, что по возрасту Менчу вполне годится ей в матери. И от этой мысли ей вдруг стало стыдно, как будто она воспользовалась сном подруги, чтобы каким-то неясным самой себе образом предать ее.

Она выпила остатки остывшего кофе и закурила. Дождь опять стучал по стеклам потолочного окна, это звук одиночества, грустно подумала девушка. Шум дождя напомнил ей о другом дожде, шедшем год назад, когда закончились ее отношения с Альваро и она поняла, что внутри у нее что-то сломалось навсегда, как механизм, который уже невозможно починить. И еще она поняла, что с того момента ощущение одиночества, горькое и одновременно сладкое, поселившееся в сердце, будет ее неразлучным спутником на всех дорогах, которые ей еще предстоит пройти, и во все дни, что ей еще остается прожить на этом свете, под небом, где, хохоча, умирают боги. В ту ночь она тоже, съежившись, долго сидела под дождем: под дождем душа, окутанная горячим облаком пара, и ее слезы мешались со струями воды, потоком лившейся на мокрые волосы, закрывавшие лицо, на голое тело. Эти струи, теплые, чистые, под которыми она просидела почти час, унесли с собой Альваро — за год до его физической смерти, реальной и окончательной. И по какой-то странной иронии, к которой так склонна судьба, сам Альваро окончил свое существование вот так же — в ванне, с открытыми глазами и разможженным затылком, под душем. Под дождем.

Она прогнала от себя это воспоминание. Хулия увидела, как оно рассеивается среди теней студии вместе с выдохнутой струей дыма. Потом она подумала о Сесаре и медленно покачала головой в такт воображаемой меланхолической музыке. В этот момент она испытывала желание положить голову ему на плечо, закрыть глаза, вдохнуть слабый, такой знакомый с самого детства запах табака и мирры... Сесар. И пережить вместе с ним те истории, в которых всегда знаешь заранее, что конец будет хорошим.

Она снова затянулась сигаретным дымом и долго не выдыхала его: ей хотелось затуманить себе голову, чтобы мысли улетели далеко-далеко. Куда ушли времена сказок со счастливым концом, такие несов-

Аналитический подход

местимые с трезвым взглядом на мир?.. Иногда бывало очень тяжело видеть свое отражение в зеркале, чувствуя себя навеки изгнанной из Страны Никогда.

Она погасила свет и, продолжая курить, уселась на ковре, напротив фламандской доски, очертания и краски которой угадывала в темноте. Долго сидела она так (сигарета уже давно успела потухнуть), видя в своем воображении персонажей картины, прислушиваясь к отдаленным звукам их жизни, кипевшей вокруг этой шахматной партии, продолжающейся до сих пор во времени и в пространстве, как медленный беспощадный стук старинных часов, созданных столетия назад. И никому не дано предвидеть тот день и час, когда они остановятся. И Хулия забыла обо всем — о Менчу, о тоске по ушедшему — и ощутила уже знакомую дрожь: от страха и одновременно от какого-то извращенного предвкушения дальнейшего. Как в детстве, когда она сворачивалась клубочком на коленях у Сесара, чтобы послушать очередную историю. В конце концов, может быть, Джеймс Крюк и не затерялся навсегда в тумане прошлого. Может быть, теперь он просто играл в шахматы.

Когда Хулия проснулась, Менчу еще спала. Она оделась, стараясь не шуметь, положила на стол ключи от квартиры и вышла, осторожно закрыв за собой дверь. Время уже близилось к десяти, но вчерашний дождь оставил после себя в воздухе какую-то грязную муть — смесь тумана и городских испарений, которая размывала серые контуры зданий и придавала движущимся с зажженными фарами машинам призрачный вид. Отражения их огней бесконечно дробились на сыром асфальте на множество светлых точек, и Хулия, шагавшая, глубоко засунув руки в карманы плаща, ощущала вокруг себя некий сказочный, сияющий ореол.

Бельмонте принял ее, сидя в своем кресле на колесиках, в той же самой гостиной, где на стене еще сохранялся след от висевшей на ней когда-то фламандской доски. Как всегда, из проигрывателя лилась музыка Баха, и Хулия, доставая из сумки свои бумаги, подумала: не иначе как старик ставит эту пластинку всякий раз, когда готовится к ее визиту. Бельмонте посетовал на отсутствие Муньоса — шахматиста-математика, как выразился он с иронией, не ускользнувшей от внимания девушки,— после чего внимательно просмотрел подготовленную Хулией сопроводительную записку к картине: все исторические данные, заключительные выводы Муньоса о загадке Роже Аррасского, фотоснимки различных стадий реставрации, а также только что изданную фирмой «Клэймор» цветную брошюру, посвященную картине и предстоящему аукциону. Он читал молча, удовлетворенно кивая. Временами он поднимал голову, чтобы бросить на Хулию восхищенный взгляд, затем снова погружался в чтение.

— Великолепно, — произнес он наконец, закрывая папку. — Вы просто необыкновенная девушка.

— Но ведь тут работала не только я. Вы же знаете, сколько людей участвовали в этом: Пако Монтегрифо, Менчу Роч, Муньос... — Она чуть замялась. — Мы обращались и к искусствоведам.

— Вы имеете в виду покойного профессора Ортегу?

Хулия взглянула на него с удивлением.

— Я не знала, что вам об этом известно.

Старик мрачно усмехнулся.

— Да вот известно. Когда его нашли мертвым, по-

лиция связалась со мной и моими племянниками...
К нам приходил инспектор, не помню его имени...
Такой толстый, с длинными усами.

— Это Фейхоо. Главный инспектор Фейхоо. — Она
неловко отвела взгляд. Черт бы его побрал вместе с
усами. Проклятый недотепа. — ...Но вы ничего не говорили мне об этом, когда я приходила в прошлый раз.

— Я ждал, что вы сами мне обо всем расскажете. И
подумал: раз не говорит, значит, у нее есть на то свои
причины.

Старик произнес это с чуть заметным холодком,
и Хулия поняла, что вот-вот лишится союзника.

— Я думала... Теперь я жалею, что не рассказала.
Честное слово, жалею. Просто не хотелось волновать
вас этими историями. Все-таки вы...

— Вы имеете в виду мой возраст и мое здоровье? —
Бельмонте сложил на животе костлявые, в темных
пятнышках руки. — Или вы опасались, что это повлияет на дальнейшую судьбу картины?

Девушка покачала головой, не зная, что ответить.
Потом пожала плечами и улыбнулась — смущенно и
как можно более искренне, отлично понимая, что
только такой ответ удовлетворит старика.

— Что я могу сказать вам? — пробормотала она,
убедившись, что попала в цель, когда Бельмонте, в
свою очередь, улыбнулся ей, принимая приглашение
к сообщничеству.

— Не переживайте. Жизнь — штука сложная, а че-
ловеческие отношения еще сложнее.

— Уверяю вас, что...

— Не уверяйте, не надо. Мы говорили о профес-
соре Ортеге... Это был несчастный случай?

— Думаю, да, — солгала Хулия. — По крайней мере,
так я поняла.

Старик устремил взгляд на свои руки. Невозможно было понять, верит он ей или нет.

— Все равно это ужасно... Правда? — Он посмотрел на Хулию серьезно и печально, а в глубине его глаз она прочла смутную тревогу. — Эти вещи — я имею в виду смерть — всегда производят на меня впечатление. А в моем возрасте, казалось бы, должно быть наоборот... Любопытно, что, вопреки всякой логике, человек цепляется за свое земное существование тем упорнее, чем меньше ему осталось жить.

На какое-то мгновение Хулии захотелось рассказать ему все то, о чем он еще не знал: о существовании таинственного шахматиста, об угрозах, о страхе, темной лапой сжимающем ей сердце. Со стены, как проклятие, неотрывно смотрел на нее прямоугольный след от картины старого ван Гюйса, с ржавым гвоздем посередине, и этот пустой взгляд словно предсказывал беду. Но она почувствовала, что у нее нет сил пускаться сейчас в объяснения. А кроме того, она боялась, что ее рассказ еще больше — и понапрасну — встревожит старика.

— Вам не о чем беспокоиться, — снова, стараясь говорить как можно увереннее, солгала она. — Все под контролем. И картина тоже.

Они обменялись еще одной улыбкой, правда, на сей раз несколько принужденной. Хулия по-прежнему не знала, верит ей Бельмонте или нет. После секундного молчания инвалид откинулся на спинку своего кресла и нахмурился.

— Что касается картины, то я хотел сказать вам кое-что... — Он остановился и чуть задумался, прежде чем продолжать. — На следующий день после того, как вы приходили сюда с вашим другом-шахматистом, я много думал относительно содержания карти-

Аналитический подход

ны... Помните, мы с ним еще поспорили? Насчет того, что понять какую-либо систему возможно только с помощью другой. Чтобы понять эту другую, необходима третья, более сложная, и так до бесконечности... Я тогда цитировал стихи Борхеса о шахматах: «Всевышний направляет руку игрока. Но кем же движима Всевышнего рука?..» Так вот, представьте себе, я пришел к выводу, что в этой картине есть что-то вроде этого. Нечто, содержащее себя самое и, кроме того, повторяющее себя самое, заставляющее зрителя постоянно возвращаться к исходной точке... По-моему, настоящий ключ к пониманию «Игры в шахматы» дает не линейный подход, не движение вперед, все дальше и дальше от начала, а... не знаю, как поточнее выразить... эта картина словно бы раз за разом возвращается к одному и тому же, ведя созерцающего ее внутрь самой себя... Вы меня понимаете?

Хулия кивнула, жадно внимая словам старика. То, что она сейчас услышала, было подтверждением — только сформулированным и высказанным вслух — того, что она чувствовала интуитивно. Она вспомнила схему, которую сама начертила: шесть уровней, содержащихся один в другом, вечное возвращение к исходной точке, картины внутри картины.

— Я понимаю вас лучше, чем вы думаете, — сказала она. — Эта картина как будто подтверждает самое себя.

Бельмонте неуверенно покачал головой.

— Подтверждает? Это не совсем то, что я имел в виду. — Он с минуту размышлял, потом сделал бровями движение, наверное долженствующее означать, что он не желает иметь дело с непонятными ему вещами. — Я имел в виду другое... — Он кивнул в сторону проигрывателя: — Вот, послушайте-ка Баха.

— Да, у вас, как всегда, Бах.

Бельмонте улыбнулся.

— Сегодня в мои планы не входило тревожить Иоганна Себастьяна, но я все же решил поставить его — в вашу честь. Так вот, обратите внимание: это сочинение состоит из двух частей, и каждая из них повторяется. Тоника первой части — «соль», а заканчивается она в тональности «ре»... Чувствуете? Теперь дальше: кажется, что пьеса кончилась в этой тональности, но вдруг этот хитрец Бах одним прыжком опять перебрасывает нас к началу, где тоникой опять является «соль», а потом снова переходит в тональность «ре». Мы даже не успеваем понять, каким образом, но это повторяется раз за разом... Что вы об этом скажете?

— Скажу, что это потрясающе. — Хулия внимательно прислушивалась к аккордам музыки. — Это как кольцо, из которого не вырвешься... Как на картинах и рисунках Эшера, где река течет, низвергается вниз, образуя водопад, а потом необъяснимым образом вдруг оказывается у собственного истока... Или как лестница, ведущая в никуда, к началу себя самой.

Бельмонте, довольный, закивал.

— Вот-вот. И все это можно проиграть в различных ключах. — Он взглянул на пустой прямоугольник на стене. — Самое трудное, думаю, состоит в том, чтобы понять, в какой точке этих кругов ты находишься.

— Вы правы. Боюсь, мне пришлось бы слишком долго объяснять, но во всем, что происходит с этой картиной и вокруг нее, действительно присутствует нечто из того, о чем вы сейчас говорили. Когда думаешь, что история закончена, она начинается снова, хотя и развивается в ином направлении. Или это только кажется, что в ином... Потому что, возможно, мы не сдвигаемся с места.

XI

Аналитический подход

Бельмонте пожал плечами:

— Это парадокс, разрешить который должны вы и ваш друг-шахматист. Я ведь не располагаю теми данными, какими располагаете вы. А кроме того, как вам известно, я всего лишь любитель. Я даже не сумел додуматься, что эту партию следует играть назад. — Он долгим взглядом посмотрел на Хулию. — А принимая во внимание Баха, это для меня и вовсе не простительно.

Девушка сунула руку в карман за сигаретами, размышляя об этих неожиданных, новых для нее истолкованиях. Как нитки от клубка, подумала она. Слишком много ниток для одного клубка.

— Кроме меня и полицейских, к вам за последнее время приходил кто-нибудь с разговорами о картине?.. Или о шахматах?..

Старик ответил не сразу, точно стараясь угадать, что скрывается за этим вопросом. Потом пожал плечами:

— Нет. Ни о том, ни о другом. Пока была жива моя жена, к нам приходило много народу: она была намного общительнее меня. Но после ее смерти я поддерживал отношения только с несколькими друзьями. Например, с Эстебаном Кано. Вы слишком молоды, чтобы знать это имя, а он в свое время был известным скрипачом... Но Эстебан умер — зимой будет два года... Честно говоря, моя маленькая стариковская компания сильно поредела, я — один из немногих, кто еще жив. — Он улыбнулся слабой покорной улыбкой. — Один хороший друг у меня остался — Пеле. Пепин Перес Хименес, тоже на пенсии, как и я, но все еще похаживает в казино, а иногда приходит ко мне сыграть партию-другую. Но ему уже почти семьдесят, и у него начинает болеть голова, когда он играет более получаса. А он был сильным шахматистом... До сих пор иногда играет со мной. Или с моей племянницей.

Хулия, доставававшая из пачки сигарету, замерла. А когда снова зашевелилась, то продолжила свое занятие очень медленно, как будто резкое или нетерпеливое движение могло спугнуть то, что она услышала.

— Ваша племянница играет в шахматы?

— Лола?.. Да, и довольно прилично. — Инвалид улыбнулся с каким-то странным выражением, словно сожалея, что достоинства его племянницы не распространяются и на другие стороны жизни.— Я сам учил ее играть — много лет назад. Но она превзошла своего учителя.

Хулия старалась сохранять спокойствие: нелегкая задача. Она заставила себя медленно зажечь сигарету, сделала две медленные затяжки, медленно выдохнула дым и только тогда заговорила снова. Она чувствовала, как сердце стремительно колотится у нее в груди. Выстрел наугад.

— Что думает ваша племянница о картине?.. Она была согласна, когда вы решили продать ее?

— О, она была просто в восторге. А ее муж — еще больше. — В словах старика прозвучала нотка горечи. — Думаю, Альфонсо уже рассчитал, на какой номер рулетки поставить каждый сентаво, вырученный за ван Гюйса.

— Но их ведь еще нет у него, — уточнила Хулия, пристально глядя на Бельмонте.

Инвалид невозмутимо выдержал ее взгляд, но долго не отвечал. Потом в его светлых влажных глазах мелькнуло — и исчезло — что-то жесткое.

— В мое время, — проговорил он неожиданно добродушно, и Хулия уже не улавливала в его глазах ничего, кроме кроткой иронии, — говорили так: не следует продавать лисью шкуру прежде, чем подстрелишь лису...

Хулия протянула ему пачку сигарет.

— Ваша племянница когда-нибудь говорила что-либо о тайне, связанной с этой картиной, с ее персонажами или с этой шахматной партией?

— Не припоминаю. — Старик глубоко затянулся табачным дымом. — Вы были первой, кто заговорил об этих вещах. А мы до того момента смотрели на нее, как на любую другую картину. Ну, может, не совсем как на любую другую, но не обнаруживали в ней ничего из ряда вон выходящего... А уж тем более таинственного. — Он задумчиво посмотрел на прямоугольник на стене. — Казалось, в ней все на виду.

— А вы не знаете, в тот момент или до того, как Альфонсо познакомил вас с Менчу Роч, ваша племянница ни с кем не договаривалась о продаже картины?

Бельмонте нахмурился. Похоже, возможность такого поворота событий была ему крайне неприятна.

— Надеюсь, что нет. В конце концов, картина-то была моя. — Он взглянул на кончик сигареты взглядом умирающего, которого готовят к последнему причастию, и улыбнулся хитроватой улыбкой, исполненной мудрого лукавства. — Она и до сих пор моя.

— Можно задать вам еще один вопрос, дон Мануэль?

— Вам все можно.

— Вы не слышали, ваши племянники не говорили когда-нибудь о том, что консультировались со специалистом в области истории искусства?

— По-моему, нет. Не помню. Но думаю, что такую информацию я не забыл бы... — Он был явно заинтригован, и в глазах его снова появилась настороженность. — Ведь этим занимался профессор Ортега, верно? Я имею в виду — историей искусства. Надеюсь, вы не хотите сказать, что...

Хулия мысленно скомандовала себе придержать коня. Она зашла слишком далеко и постаралась выкрутиться при помощи самой ослепительной из своих улыбок.

— Я не имела в виду конкретно Альваро Ортегу. Ведь, кроме него, есть и другие специалисты в этой области...Довольно логично предположить, что ваша племянница делала попытки выяснить стоимость картины, ее историю...

Бельмонте некоторое время задумчиво рассматривал свои руки, усыпанные коричневыми пятнышками старости.

— Она никогда не упоминала об этом. Но, думаю, если что — она сказала бы мне. Мы с ней частенько говорили о фламандской доске. Особенно когда разыгрывали партию, изображенную ван Гюйсом... Конечно, мы играли ее, как обычно, то есть вперед. И знаете что?.. На первый взгляд кажется, что преимущество на стороне белых, но Лола всегда выигрывала черными.

Хулия почти час брела в тумане куда глаза глядят, силясь привести в порядок свои мысли. Волосы и лицо ее покрылись мелкими капельками воды. Она очнулась, проходя мимо отеля «Палас», где швейцар в цилиндре и ливрее с золотыми галунами маячил под навесом крыльца, закутанный в плащ, придававший ему сходство с жителем Лондона восемнадцатого века. Вот и туман кстати, подумала Хулия, только не хватает, чтобы сейчас подкатил кеб с неярко горящим среди сырой мглы фонарем и из него вышел

Аналитический подход

Шерлок Холмс, худой и высокий, в сопровождении верного доктора Ватсона. А где-то, прячась в сером тумане, их, наверное, поджидает зловещий профессор Мориарти. Наполеон преступного мира. Гений зла.

Что-то в последнее время очень многие занялись игрой в шахматы. Похоже, у каждого второго есть свои причины интересоваться творением ван Гюйса. Слишком много портретов в этой проклятой картине.

Муньос. Он единственный из всех, с кем она познакомилась *после* того, как начались тайны. В мучительные часы, когда она ворочалась в постели не в силах уснуть, только его она не связывала с образами этого кошмара. Муньос по одну сторону клубка, а все остальные фигуры, все остальные персонажи — по другую. Однако даже и в нем она не могла быть уверена. Действительно, она познакомилась с ним *после* того, как началась первая тайна, но *до* того, как вся эта история вернулась к своей исходной точке и началась снова, уже в иной тональности. А кто мог бы сказать с уверенностью, что гибель Альваро напрямую связана с существованием таинственного шахматиста.

Хулия сделала еще несколько шагов и остановилась, ощущая на лице влагу от окружавшего ее тумана. В общем-то, быть уверенной она могла только в самой себе. И лишь на это ей и придется рассчитывать в дальнейшем. На это — и на пистолет, лежащий в сумочке.

Она направилась в шахматный клуб. Вестибюль был полон опилок, зонтов, пальто и плащей. Пахло сыростью, табачным дымом и еще чем-то особым, чем всегда пахнет в местах, посещаемых исключительно мужчинами. Она поздоровалась с Сифуэнтесом, директором клуба, так и кинувшимся ей навстречу, и, слыша, как утихает шепот, вызванный ее появлением, принялась шарить взглядом по игровым столам, пока за одним из них не обнаружила Муньоса. Он сидел, весь сосредоточившись на игре, опираясь локтем на ручку кресла и подперев ладонью подбородок, неподвижный, как сфинкс. Его противник, молодой человек в толстых очках, нервно облизывал губы, бросая беспокойные взгляды на Муньоса, точно опасаясь, что тот с минуты на минуту разрушит сложную королевскую защиту, которую, судя по его тревоге и измученному виду, ему стоило огромного труда выстроить.

Муньос выглядел спокойным, отрешенным, как всегда, и его неподвижные глаза, казалось, не столько изучали доску, сколько были просто устремлены на нее. Может быть, он сейчас грезил, блуждая мыслями за тысячу километров от разворачивающейся перед ним игры (Хулия помнила, как он рассказывал об этом), пока его математический мозг плел и расплетал бесконечные возможные и невозможные комбинации. Трое или четверо любопытных, стоя вокруг стола, изучали партию, вероятно, с большим интересом, чем сами играющие, время от времени делая негромко замечания относительно целесообразности того или иного хода. По напряжению, царившему вокруг этого стола, было ясно, что от Муньоса ждут какого-нибудь решительного хода, который обернется смертельным ударом для молодого человека в очках. И становилось понятно, отчего так нервничает юноша, чьи глаза, увеличенные линзами, взирали на соперника с таким выражением, с каким, наверное, раб на арене римского цирка в ожидании появления свирепых львов безмолвно молил о милосердии облаченного в пурпур всемогущего императора.

Аналитический подход

В этот момент Муньос поднял глаза и увидел Хулию. Несколько секунд он пристально смотрел на нее, словно не узнавая, потом медленно пришел в себя — с некоторым удивлением, как человек, только что очнувшийся от сна или возвратившийся после долгого путешествия. Взгляд его ожил, и он слегка кивнул девушке в знак приветствия. Затем он еще раз взглянул на доску, как бы проверяя, все ли фигуры находятся на своих местах, и решительно, без колебаний — не второпях, не по наитию — передвинул пешку. Шепот разочарования поднялся вокруг стола, а молодой человек в очках сначала воззрился на него с удивлением, как осужденный, в последнюю минуту вдруг получивший помилование, потом расплылся в довольной улыбке.

— После этого хода все сведется к ничьей, — заметил один из зрителей.

Муньос, вставая из-за стола, пожал плечами.

— Да, — ответил он, уже не глядя на доску. — Но при ходе слоном на d7 через пять ходов был бы мат.

Он отошел от стола, направляясь к Хулии, а за его спиной любители принялись анализировать ход, о котором он только что упомянул. Когда он приблизился, девушка едва заметно кивнула в сторону этой группы.

— Они, наверное, всем сердцем ненавидят вас, — шепнула она. Шахматист склонил голову набок, лицо его приобрело выражение, которое можно было истолковать и как слабую улыбку, и как презрительную гримасу.

— Думаю, да, — ответил он, снимая с вешалки свой плащ. — Они всегда слетаются, как стервятники, в надежде увидеть, как кто-нибудь растерзает меня в пух и прах.

— Но вы ведь позволяете обыгрывать себя... Для них это, наверное, унизительно.

— Мне все равно. — В его тоне не прозвучало ни самоуверенности, ни гордости: только вполне объективное презрение. — Они ни за что на свете не пропустят ни одной моей партии.

Дойдя до музея Прадо, окутанного серым туманом, девушка замедлила шаг и начала рассказывать о своем разговоре с Бельмонте. Муньос слушал молча, он не произнес ни слова даже тогда, когда Хулия поведала о шахматных наклонностях племянницы дона Мануэля. Казалось, шахматист не замечал сырости. Он шел неторопливо, внимательно прислушиваясь к словам собеседницы; плащ его был не застегнут, узел галстука, как обычно, спущен, голова склонена к плечу, а глаза устремлены на носки давненько не чищенных ботинок.

— Как-то раз вы меня спросили, есть ли на свете женщины, которые играют в шахматы... — заговорил он наконец. — И я ответил, что, хотя шахматы — мужская игра, некоторые женщины играют в них довольно неплохо. Но они являются исключением.

— Исключением, подтверждающим правило, я полагаю.

Муньос наморщил лоб.

— Вы не правы, если так полагаете. Исключение не подтверждает, а делает недействительным или разрушает любое правило... Поэтому следует быть весьма осторожным с индукциями. Я говорю, что *обычно* женщины плохо играют в шахматы, а не что все женщины играют плохо. Понимаете?

— Понимаю.

— Это не опровергает тот факт, что на практике достижения женщин в шахматах не слишком высоки... Вот пример, чтобы вам стало понятнее: в Советском Союзе, где шахматы являются чуть ли не национальной игрой, только одна женщина, Вера Менчик[1], достигла гроссмейстерского уровня.

— Почему же так?

— Может быть, шахматы требуют чересчур большого равнодушия к внешнему миру. — Он приостановился и взглянул на Хулию. — Что собой представляет эта Лола Бельмонте?

Девушка ненадолго задумалась, прежде чем ответить:

— Не знаю, что и сказать. Несимпатичная. Пожалуй, любит подавлять и господствовать... Агрессивная. Жаль, что ее не было дома в тот раз, когда вы ходили туда вместе со мной.

Они стояли у какого-то фонтана, в центре которого, венчая собой чашу, возвышалась статуя, смутно видневшаяся в туманной мгле. Казалось, она угрожающе нависает над их головами. Муньос провел рукой по волосам, ото лба к затылку, посмотрел на мокрую ладонь и вытер ее о плащ.

— Агрессивность, внутренняя или внешняя, — сказал он, — характерна для многих игроков. — Он коротко улыбнулся, не уточняя, включает или нет он себя в эту категорию. — А шахматист обычно отождествляет себя с человеком, в чем-то ущемленным, притесняемым... Нападение на короля — предмет главных стремлений в шахматной игре, — то есть покушение на власть, является чем-то вроде освобождения от этого состояния. И с этой точки зрения шахматы действительно могут интересовать женщину... — По губам

---

1   Менчик Вера (1906—1944) — первая чемпионка мира по
     шахматам (с 1927), по национальности чешка. С 1921 г. жила
     в Лондоне. — *Прим. ред.*

Муньоса снова скользнула беглая улыбка. — Во время игры оттуда, где ты находишься, люди кажутся очень маленькими.

— Вы обнаружили что-то в этом роде в ходах нашего противника?

— На этот вопрос трудно ответить. Мне нужно иметь больше информации. Больше ходов. Например, женщины обычно любят играть слонами... — По мере того как Муньос углублялся в подробности, его лицо все больше оживлялось. — Не знаю почему, но характер этих фигур, которые могут ходить на любое поле по диагоналям, наиболее женский из всех. — Он взмахнул рукой, как будто сам не слишком-то верил собственным словам и решил стереть их прямо в воздухе. — Но до настоящего момента черные слоны не играли важной роли в нашей партии... Как видите, у нас много красивых теорий, от которых нет никакого толку. Наша проблема точно такая же, как те, что возникают на доске: мы можем только формулировать гипотезы, делать предположения, но не прикасаясь к фигурам.

— Значит, у вас есть какая-то гипотеза?.. Иногда начинает казаться, что вы уже пришли к определенным выводам, но не хотите сообщать о них нам.

Муньос склонил голову набок, как делал всякий раз, когда перед ним возникал трудный вопрос.

— Это довольно сложно, — ответил он после короткого колебания. — У меня в голове вертится пара идей, но проблема моя заключается в том, о чем я только что говорил вам... В шахматах нельзя доказать ничего, пока не сделан ход, а когда он сделан, исправить его невозможно.

Они снова неторопливо зашагали мимо каменных скамеек и живых изгородей, контуры которых, размытые туманом, терялись из виду уже в нескольких шагах. Хулия тихо вздохнула.

— Скажи кто-нибудь, что мне предстоит идти по следу возможного убийцы, да еще на шахматной доске, я решила бы, что этот человек сошел с ума. Бесповоротно.

— Я уже однажды говорил вам, что между шахматами и полицейским расследованием есть много общего. — Муньос снова протянул руку вперед, как будто собираясь сделать ход невидимой фигурой. — Ведь еще до дедуктивного метода Конан Дойля был метод Дюпена, героя По.

— Вы имеет в виду Эдгара Аллана По?.. Только не говорите мне, что он тоже играл в шахматы.

— Он очень увлекался ими. Самым знаменитым эпизодом его биографии в шахматном плане было изучение автомата, известного под названием «Игрок из Мелцела», который почти никогда не проигрывал... По посвятил ему один из своих трудов, вышедший где-то в тридцатых годах прошлого века. Чтобы разгадать его тайну, он разработал восемнадцать аналитических подходов и в результате пришел к выводу, что внутри автомата должен быть спрятан человек.

— Так вы занимаетесь тем же самым? Ищете спрятанного человека?

— Я пытаюсь, но это не гарантирует успеха. Я ведь не Эдгар По.

— Надеюсь, что вам удастся. Судя по тому, что вы мне рассказываете... Вы — моя единственная надежда.

Муньос передернул плечами и помедлил с ответом.

— Я не хочу, чтобы вы слишком обольщались, — сказал он через несколько шагов. — Когда я начинал играть в шахматы, случались моменты, когда я был уверен, что не проиграю ни одной партии... Тогда, пребывая в состоянии полной эйфории, я оказывался побежденным, и поражение заставляло меня спуститься с небес на землю. — Он сощурил глаза, как будто всматриваясь в кого-то, скрытого туманом. — Дело в том, что всегда найдется игрок сильнее тебя. Поэтому для здоровья весьма полезно пребывать в неизвестности.

— А мне эта неизвестность кажется ужасной.

— У вас есть на это причины. Какой бы ожесточенной ни была игра, любой шахматист всегда знает, что крови в этой битве не прольется. В конце концов, думает он в утешение себе, это всего лишь игра... Но в вашем случае все обстоит иначе.

— А вы?.. Как вы думаете, ему известно, какую роль играете во всем этом вы?

Муньос опять сделал уклончивый жест.

— Не знаю, известно ли ему, кто я. Но он уверен в том, что кто-то способен истолковать его ходы. Иначе игра потеряла бы смысл.

— Думаю, нам следовало бы сходить к Лоле Бельмонте.

— Согласен.

Хулия посмотрела на часы.

— Мы недалеко от моего дома, так что прежде приглашаю вас на чашку кофе. У меня там Менчу, и, наверное, она уже проснулась. У нее проблемы.

— Серьезные?

— Похоже, что так, и вчера она вела себя весьма странно. Я хочу, чтобы вы познакомились с ней. — Хулия с озабоченным видом подумала секунду-другую. — Особенно теперь.

Они пересекли проспект. Машины в тумане дви-

Аналитический подход

гались медленно, слепя прохожих зажженными фарами.

— Если все это устроила Лола Бельмонте, — неожиданно сказала Хулия, — я способна убить ее собственными руками.

Муньос взглянул на нее с удивлением.

— Если считать, что теория агрессивности верна, — проговорил он, и она уловила в его устремленных на нее глазах уважение, к которому примешивалось любопытство, — то из вас вышла бы великолепная шахматистка. Если бы вы решили заняться шахматами.

— А я уже и занимаюсь, — ответила Хулия, с упреком глядя на расплывающиеся в тумане тени. — Я уже давно занимаюсь. И черт меня побери, если мне это нравится.

Она вставила ключ в замок решетки и повернула его два раза. Муньос ждал рядом, на площадке. Он снял свой плащ и, сложив, перебросил через руку.

— У меня, наверное, дикий беспорядок, — сказала Хулия. — Утром я ничего не успела прибрать...

— Не беспокойтесь. Главное — это кофе.

Хулия вошла в студию и, оставив сумочку на стуле, отдернула большую штору потолочного окна. Мутный свет ненастного дня проник в комнату, наполнив ее серостью, не способной добраться до самых дальних ее углов.

— Слишком темно, — сказала Хулия, протягивая руку к выключателю. Но тут она заметила выражение удивления на лице Муньоса и, поддаваясь внезапно нахлынувшей панике, взглянула туда же, куда был устремлен его взгляд.

— Куда вы переставили картину? — спросил шахматист.

Хулия не ответила. Внутри нее, в самой глубине,

что-то взорвалось, и она осталась неподвижной, широко открытыми глазами глядя на пустой мольберт.

— Менчу, — пробормотала она спустя несколько секунд, чувствуя, что все начинает кружиться вокруг нее. — Она же предупреждала меня вчера, а до меня не дошло!..

Желудок скрутил спазм, и она ощутила во рту горький вкус желчи. Она бессмысленно посмотрела на Муньоса и, не в силах сдержать подступающую рвоту, рванулась к ванной, но ноги у нее подкосились, и она остановилась в коридорчике, тяжело навалившись на косяк двери, ведущей в спальню. И тут она увидела Менчу. Та лежала на полу у кровати, лицом кверху, и платок, которым ее задушили, еще стягивал ее шею. Юбка у нее задралась до самой талии, а между ног торчала бутылка с яркой этикеткой.

XII

Королева,
конь, слон

*На шахматных досках борются люди,
а не безжизненные деревянные фигуры.*
Эм. Ласкер

Следователь отдал распоряжение унести труп только в семь, когда уже стемнело. Всю вторую половину дня в доме толклись полицейские, разные официальные лица, в коридоре и спальне то и дело полыхали вспышки фотоаппаратов. Наконец Менчу вынесли — на носилках, упакованную в белый пластиковый чехол с длинной молнией, — и от нее остался только силуэт, очерченный мелом на полу равнодушной рукой одного из инспекторов — того самого, что сидел за рулем «форда», когда Хулия схватилась за пистолет на рынке Растро.

Главный инспектор Фейхоо ушел последним. Он проторчал у Хулии почти час, уточняя до мельчайших подробностей показания, данные ею, Муньосом и Сесаром (который примчался, как только ему сообщили о случившемся) незадолго до его прихода. Никогда в жизни не прикасавшийся к шахматам, инспектор был явно растерян. Слушая объяснения Муньоса, он взирал на него, как на некую диковину, с серьезным и подозрительным видом кивая в такт его словам, и время от времени оглядывался на Сесара и Хулию, как будто мысленно задавая себе вопрос: а не вешает ли мне на уши эта троица какую-то круто замешанную лапшу? Иногда он что-то записывал в блокноте, без всякой нужды поправлял узел галстука и доставал из кармана, чтобы мельком взглянуть на нее, картонную карточку, найденную рядом с телом Менчу. На ней были напечатаны на машинке три строчки букв, цифр и непонятных знаков. После попытки Муньоса растолковать их значение главному инспектору, у того нещадно разболелась голова. Вообще вся эта история казалась ему весьма странной, а что его главным образом интересовало — так это подробности ссоры, случившейся накануне вечером между владелицей галереи Роч и ее... хм... женихом. Потому что — люди, специально отряженные на поиски последнего, сообщили об этом ближе к вечеру — Максимо Ольмедилья Санчес, двадцати восьми лет, холостой, по профессии — фотомодель, исчез, и о местонахождении его ничего не известно. Важная деталь: два свидетеля — шофер такси и консьерж соседнего дома — показали, что видели молодого человека с похожими внешними данными выходящим из подъезда дома Хулии между полуднем и четвертью первого. А Менчу, согласно предварительному заключению судебного медика, была задушена, находясь лицом к убийце, который предварительно нанес ей по передней части шеи удар, оказавшийся смертельным, между одиннадцатью часами утра и полуднем. Что же касается бутылки, засунутой горлышком во влагалище жертвы (джин «Бифитер», на три четверти полна), главный инспектор Фейхоо — доставивший себе удовольствие несколько раз, не смягчая выражений, напомнить о ней своим собеседникам в отместку за их

Королева, конь, слон

шахматную галиматью, — считал ее важным доказательством того, что причины преступления могли быть сексуального характера. В конце концов, убитая — тут главный инспектор сдвинул брови и придал своему лицу выражение, соответствующее обстоятельствам, — не отличалась, как сами сеньорита Хулия и дон Сесар только что объяснили ему, безупречными моральными качествами. Что же до предположительной связи между убийством сеньориты Роч и гибелью профессора Ортеги, теперь она могла считаться вполне очевидной ввиду исчезновения картины. Он дал еще несколько разъяснений, со вниманием выслушал ответы Хулии, Муньоса и Сесара на свои новые вопросы, а в заключение назначил всем троим явиться утром в полицейский участок.

— А вы, сеньорита, можете не тревожиться за свою безопасность, — прибавил он, задержавшись в передней и глядя на Хулию с важным видом начальника, вполне владеющего ситуацией. — Мы теперь знаем, кого нам искать. Спокойной ночи.

Закрыв за ним дверь, Хулия прислонилась к ней спиной и посмотрела на обоих своих друзей. Глаза ее теперь были спокойны, но под ними залегли глубокие темные круги. Она много плакала от горя и ярости, мучительно сознавая собственное бессилие. Сначала плакала молча, когда они с Муньосом обнаружили тело Менчу. Потом, когда появился Сесар, с изменившимся от тревоги и волнения лицом, она прижалась к нему, как в детстве, и разрыдалась, уже не сдерживаясь, цепляясь руками за его плечи и захлебываясь слезами, а антиквар, обняв ее, гладил по голове и шептал на ухо бесполезные слова утешения. Не только смерть подруги привела девушку в такое состояние. Это сказалось, как пробормотала она сама, судорожно всхлипывая, сквозь ливень обжигающих лицо слез, невыносимое напряжение всех последних дней, унизительное сознание того, что убийца продолжает играть их жизнями абсолютно безнаказанно, уверенный в своей власти над ними.

Полицейский допрос, несмотря на всю свою тягостность, оказал на нее положительное действие, вернув ей чувство реальности. Идиотское упорство, с каким Фейхоо отказывался признать очевидное, фальшивая снисходительность, с которой он кивал, не понимая ничего и даже не делая попыток понять, в ответ на подробные объяснения о происшедшем, данные ему всеми троими, ясно показали Хулии, что с его стороны многого ожидать не приходится. Телефонный звонок инспектора, отправленного домой к Максу, и появление двух свидетелей окончательно утвердили Фейхоо в его типично полицейской идее: самый простой мотив является и самым вероятным. Он согласился, что вся эта шахматная история довольно интересна и что, несомненно, она во многом дополняет подробности случившегося. Но что касается сути дела, то это, простите, просто смешно… Такая важная деталь, как бутылка, окончательно расставила все точки над «i». Чистой воды криминальная патология. Ибо, сеньоры, что бы там ни писали в детективных романах, истина — она всегда на виду.

— Теперь уже нет никаких сомнений, — сказала Хулия. Шаги полицейского еще доносились с лестницы. — Альваро был убит, так же как и Менчу. Кто-то уже давно следит за этой картиной.

Муньос, стоя у стола с засунутыми в карманы пид-

Королева, конь, слон

жака руками, смотрел на листок бумаги, на котором, как только удалился Фейхоо, он записал то, что было на карточке, найденной возле трупа Менчу. Сесар сидел на диване, где Менчу провела свою последнюю ночь, и со все еще потрясенным видом смотрел на опустевший мольберт. Услышав слова Хулии, он покачал головой.

— Это не Макс, — проговорил он после короткого размышления. — Абсолютно невозможно, чтобы этот недоумок сумел все так организовать...

— Но он был здесь. Во всяком случае, на лестнице.

Антиквар пожал плечами в знак смирения перед очевидным, но без особой убежденности.

— Значит, тут замешан кто-то еще... Если Макс был, скажем так, рабочей силой, то этот «кто-то» дергал за ниточки. — Он медленно поднял руку и поднес указательный палец ко лбу. — И голова у него работает совсем не плохо.

— Таинственный игрок. И он выиграл партию.

— Пока нет, — сказал Муньос, и оба взглянули на него с удивлением.

— Картина ведь теперь у него, — возразила Хулия. — Если это не называется «выиграть»...

Шахматист поднял глаза от лежащих на столе бумаг, и девушке показалось, что его расширенные зрачки, хотя и устремленные на нее, видят вовсе не эти четыре стены со всем, что в них есть, а блуждают по некоему таинственному, далекому пространству, населенному сложными математическими и шахматными комбинациями.

— С картиной или без картины, но партия продолжается, — возвестил Муньос, показывая им листок бумаги, на котором стояло:

```
                    ...Ф : Л
      Фe7? — — — Фb3+
      Kpd4? — — — b7 : c6
```

' — На этот раз,— принялся объяснять он,— убийца указывает не один ход, а целых три.— Он подошел к своему плащу, висевшему на спинке стула, и достал из кармана походные шахматы. — Первый из них отчетливо просматривается: Ф : Л, то есть черный ферзь съедает белую ладью... Эта ладья олицетворяла Менчу Роч — точно так же, как в этой партии белый конь олицетворял нашего друга Альваро, а на картине — Роже Аррасского.— Давая пояснения, Муньос в то же время ловко и привычно расставлял фигуры на доске. — Таким образом, до настоящего момента эта черная королева съела две фигуры из находящихся в игре. А на практике,— он коротко взглянул на Сесара и Хулию, подошедших поближе, чтобы лучше видеть доску,— взятие двух фигур выливается в два убийства... Наш противник отождествляет себя с черным ферзем, когда же какая-либо другая черная фигура берет белую — как это случилось два хода назад, когда мы потеряли первую белую ладью, — то ничего особенного не происходит. По крайней мере, насколько нам известно.

— А зачем вы поставили эти вопросительные знаки после двух ближайших ходов белых? — спросила Хулия, пальцем указывая на листок.

— Это не я. Они уже стояли на карточке: убийца предвидит два наших следующих хода. Полагаю, эти вопросительные знаки — нечто вроде приглашения сделать именно эти ходы... «Если вы сделаете это, то я сделаю вот что», говорит он нам. И, таким образом,— он передвинул несколько фигур, — партия будет выглядеть так:

Королева, конь, слон

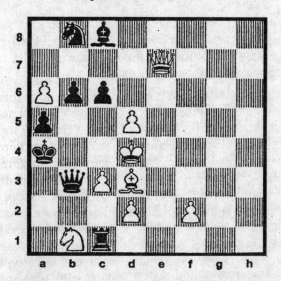

— Как вы сами можете видеть, произошли важные изменения. Взяв ладью на b2, черные предвидели, что мы сделаем оптимальный в данной ситуации ход: переведем нашу белую королеву с e1 на e7. Это дает нам преимущество: линию диагональной защиты, угрожающую черному королю, движения которого и так довольно ощутимо ограничивают белые конь, слон и пешка, находящиеся поблизости от него... Считая делом решенным, что мы сыграем именно так, как мы сейчас сыграли, черный ферзь переходит с b2 на b3, чтобы подкрепить своего короля и поставить под угрозу шаха белого короля, которому ничего больше не остается, кроме как перейти — как мы и сделали — на соседнее поле справа, убегая с c4 на d4, подальше от ферзя...

— Это третий шах, который он нам устраивает, — заметил Сесар.

— Да. И это можно истолковать по-разному... Например: за третьим шахом следует поражение, и как раз на третьем шахе убийца выкрадывает картину. Кажется, я понемногу начинаю узнавать его. Даже его своеобразное чувство юмора.

— А что теперь? — спросила Хулия.

— Теперь черные съедят нашу белую пешку, стоящую на c6, своей пешкой с клетки b7. Этот ход прикрыт черным конем, находящимся на b8... Дальше наш черед ходить, но противник в своей записке не предлагает нам никаких вариантов... Он как будто хочет сказать: теперь ответственность за то, как вы надумаете поступить, лежит на вас, а не на мне.

— А как мы собираемся поступить? — задал вопрос Сесар.

— У нас только один перспективный вариант: продолжать игру нашей королевой. — При этих словах шахматист взглянул на Хулию. — Но, поступая так, мы рискуем потерять ее.

Хулия пожала плечами. Единственное, чего она желала, — это чтобы поскорее наступил финал, сколь бы великим ни был риск.

— Будем ходить королевой, — сказала она.

Сесар, заложив руки за спину, наклонился над доской — точно так же, как делал, пытаясь рассмотреть поближе какое-нибудь старинное фарфоровое изделие, относительно качества которого у него не было твердой уверенности.

— Этот белый конь, стоящий на b1, тоже выглядит плоховато, — негромко сказал он, обращаясь к Муньосу. — Как вы считаете?

— Да. Сомневаюсь, чтобы черные позволили ему долго оставаться здесь. Своим присутствием он создает им угрозу с тыла, будучи главным подспорьем для атаки белой королевы... Как и белый слон на d3. Эти две

Королева, конь, слон

фигуры, вместе с королевой, являются решающими.

Мужчины молча переглянулись, и Хулия ощутила между ними импульс взаимной симпатии, которой никогда не замечала раньше. Это было как безмолвная солидарность двух уже смирившихся с неизбежным спартанцев в Фермопильском ущелье, уловивших среди прочих звуков приближающийся шум персидских колесниц.

— Я отдал бы что угодно, чтобы узнать, кого из нас олицетворяет каждая из этих фигур... — заметил Сесар, поднимая бровь. Его губы изогнулись в бледной улыбке. — Честно говоря, не хотелось бы узнать себя в этом коне.

Муньос поднял палец.

— Это рыцарь, не забывайте: *Knight*. Это звание более почетно.

— Я не имел в виду звание. — Сесар с озабоченным видом рассматривал фигуру. — Вокруг этого коня, рыцаря или как вам будет угодно, даже в воздухе пахнет порохом.

— И я так думаю.

— Это вы или я?

— Понятия не имею.

— Откровенно сознаюсь вам: я предпочел бы, чтобы меня на этой доске представлял слон.

Муньос задумчиво свесил голову набок, не отрывая глаз от доски.

— Я тоже. Он находится в большей безопасности, чем конь.

— Вот это я и имел в виду, дорогой мой.

— Что ж, желаю, чтобы вам повезло.

— И я вам также. Пусть последний погасит свет.

За этим диалогом последовало продолжительное молчание. Его нарушила Хулия, обратившись к Муньосу:

— Раз уж сейчас наша очередь делать ход, каким он будет?.. Вы говорили насчет белой королевы...

Шахматист скользнул взглядом по доске, впрочем, без особого внимания. Все возможные комбинации уже были проанализированы его работающим, как машина, мозгом.

— Сначала я подумывал о том, чтобы взять черную пешку на c6 нашей пешкой c d5, но это значило бы предоставить противнику слишком большую передышку... Так что мы передвинем нашу королеву c e7 на e4. Тогда ближайшим ходом мы просто отведем короля и сможем устроить шах черному королю. Наш первый шах.

Сесар собственноручно передвинул белую королеву на соседнюю с королем клетку. Хулия заметила, что, несмотря на все усилия антиквара казаться спокойным, его пальцы при этом слегка дрожали.

— Да, все именно так, – утвердительно кивнул Муньос, и все трое снова воззрились на доску.

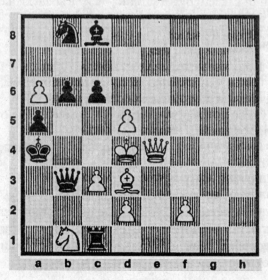

Королева, конь, слон

— А как теперь поступит он? — спросила Хулия.

Муньос, скрестив руки на груди и не отводя глаз от доски, на несколько мгновений задумался. Но когда последовал ответ, Хулии стало ясно, что он обдумывал не ход, а целесообразность его разъяснения.

— У него есть несколько возможностей, — уклончиво проговорил он. — Какие-то из них более интересные, какие-то — менее... Первые также и более опасны. Начиная с этого момента партия разветвляется, как дерево; имеется как минимум четыре варианта. Одни из них грозят впутать нас в длинную и сложную игру, что, возможно, входит в намерения нашего противника... Другие могли бы решить исход партии в четыре-пять ходов.

— А каково ваше мнение? — спросил Сесар.

— Свое мнение я предпочел бы пока держать при себе. Сейчас ход черных.

Он собрал фигуры, сложил доску и опять сунул ее в карман плаща. Хулия смотрела на него с любопытством.

— То, что вы недавно говорили, весьма странно... Я имею в виду чувство юмора убийцы. Вы сказали, что начали даже понимать его... Вы действительно находите во всем этом нечто юмористическое?

Шахматист ответил не сразу.

— Можете называть это юмором, иронией или как вам будет угодно... — произнес он наконец. — Но любовь нашего врага к игре слов бесспорна. — Он положил руку на лежащий на столе листок бумаги. — Видите ли, есть нечто, чего вы пока еще не поняли... Убийца, используя знаки Ф: Л, устанавливает связь между гибелью вашей подруги и ладьей, съеденной черной королевой. Ведь фамилия Менчу была Роч, не так ли? А это слово, так же, как и английское *rook*[1], может быть истолковано как *roca* — скала, но, кроме того, еще и как *roque* — тура: так иногда в шахматах называют ладью.

— Утром приходили из полиции. — Лола Бельмонте смотрела на Хулию и Муньоса так, словно лично на них возлагала ответственность за это событие. — Все это просто... — Она поискала подходящее слово, но, так и не найдя его, обернулась к мужу за подсказкой.

— Весьма неприятно, — произнес Альфонсо и снова вернулся к прежнему занятию — откровенному разглядыванию бюста Хулии. Было очевидно, что полиция полицией, а он только что поднялся с постели. Темные круги под припухшими со сна веками придавали ему вид потрепанного бонвивана.

— Не просто весьма неприятно! — Лола Бельмонте наконец нашла соответствующий термин и даже подалась вперед на стуле всем своим сухим, костлявым телом. — Это был просто *позор:* знаете ли вы такого-то, знакомы ли вы с такой-то... И все это с таким видом, как будто мы и есть преступники.

— А мы вовсе не преступники, — с циничной серьезностью вставил ее муж.

— Не болтай глупостей! — Лола Бельмонте метнула на него злобный взгляд. — У нас тут серьезный разговор.

Альфонсо издал короткий смешок сквозь зубы.

— У нас тут треп и пустая потеря времени. Единственная реальность заключается в том, что картина пропала, а вместе с ней — и наши деньги.

— *Мои* деньги, Альфонсо, — заметил Бельмонте

---

1 Ладья *(англ.).*

Королева, конь, слон

со своего инвалидного кресла. — Если ты не против.

— Ну, это просто я так выразился, дядя Маноло.

— Тогда выражайся соответственно.

Хулия помешала ложечкой в своей чашке. Кофе был холодный, и она подумала: интересно, Лолита подала его таким нарочно? Правда, они с Муньосом явились к Бельмонте неожиданно, незадолго до полудня, якобы для того, чтобы поставить дона Мануэля и его семейство в известность о случившемся.

— Вы полагаете, картина найдется? — спросил старик. Он встретил их в домашнем свитере и тапочках, однако с искренней любезностью, несколько компенсировавшей недоброжелательство и холодность его племянницы. Теперь, сидя с чашечкой кофе на коленях, он выглядел подавленным, просто убитым. Известие об исчезновении картины и смерти Менчу было для него настоящим потрясением.

— Делом занимается полиция, — ответила Хулия. — Они найдут картину, я уверена.

— Насколько мне известно, существует черный рынок, где торгуют произведениями искусства. Фламандскую доску могут продать за границу.

— Да. Но полиция располагает подробным ее описанием. Да и я сама передала им несколько фотографий. Так что вывезти ее из страны будет нелегко.

— Не понимаю, как этим людям удалось войти в вашу квартиру... Полицейский сказал мне, что у вас там стоит решетка и электронная сигнализация.

— Может быть, Менчу сама открыла дверь. Главный подозреваемый — это Макс, ее жених. Имеются свидетели, видевшие, как он выходил из подъезда.

— Знаем мы этого жениха, — буркнула Лола Бельмонте. — Они на днях заходили вместе. Такой высокий красивый парень. Я тогда еще подумала: уж чересчур красивый... Надеюсь, его скоро поймают, и он получит по заслугам. Для нас, — она взглянула на пустой прямоугольник на стене, — эта потеря просто невосполнима.

— По крайней мере, мы сможем получить страховку, — сказал Альфонсо, улыбаясь Хулии, как лис, обхаживающий курятник. — Благодаря предусмотрительности этой очаровательной девушки. — Тут он вспомнил кое о чем и поспешил придать своему лицу соответствующее выражение: — Хотя, конечно, это не вернет к жизни вашу подругу...

Лола Бельмонте сердито взглянула на Хулию.

— Ну, знаешь ли, если бы картина еще и не была застрахована... — Она говорила, презрительно выпячивая нижнюю губу. — Но сеньор Монтегрифо говорит, что по сравнению с тем, что за нее можно было выручить, эта страховка — просто курам на смех.

— Вы уже говорили с Пако Монтегрифо? — поинтересовалась Хулия.

— Да. Он позвонил рано утром. Практически он вытащил нас из постели своим звонком. Поэтому, когда появилась полиция, мы были уже в курсе событий... Монтегрифо — настоящий кабальеро. — Она бросила на мужа взгляд, исполненный плохо скрытой укоризны. — Я же говорила: это дело с самого начала пошло не так, как надо.

Альфонсо жестом дал понять, что он умывает руки.

— Предложение бедняжки Менчу было вполне приемлемым, — сказал он. — Я не виноват, если потом все осложнилось. Да и, в конце концов, последнее слово всегда оставалось за дядей Маноло. — Он преувеличенно уважительным полупоклоном-полукивком указал на инвалида. — Не правда ли?

— Об этом будет отдельный разговор, — отрезала племянница.

Бельмонте взглянул на нее поверх чашки, которую в этот момент подносил к губам, и Хулия уловила в его глазах знакомый сдержанный блеск.

— Картина пока что является моей собственностью, Лолита, — проговорил старик, аккуратно вытерев губы вытащенным из кармана мятым носовым платком. — Хорошо ли шло дело, плохо ли, украли картину или нет, это касается *меня*. — Некоторое время он молчал, как будто размышляя над этим, потом его глаза встретились с глазами Хулии, и в них была искренняя симпатия. — Что касается этой девушки, — он ободряюще улыбнулся ей, словно это она нуждалась в поддержке, — я уверен, что ее поведение и действия в данной истории безупречны... — Он повернулся к Муньосу, который еще ни разу не раскрыл рта. — Вам не кажется?

Шахматист сидел в своем кресле, вытянув ноги и сплетя пальцы под подбородком. Услышав вопрос, он заморгал, точно не сразу *сумел* оторваться от каких-то сложных размышлений, и склонил голову набок.

— Вне всякого сомнения, — ответил он.

— Вы по-прежнему считаете, что любую тайну возможно разгадать, руководствуясь математическими законами?

— Да.

Этот короткий диалог кое о чем напомнил Хулии.

— Что-то сегодня не слышно Баха, — заметила она.

— После того, что случилось с вашей подругой, а также после исчезновения картины, думаю, сегодня музыка неуместна. — Бельмонте словно на несколько мгновений унесся мыслью куда-то далеко, потом загадочно улыбнулся. — Как бы то ни было, тишина, молчание ничуть не менее важны, чем организованные звуки... Как вы считаете, сеньор Муньос?

И на этот раз шахматист согласился со своим собеседником.

— Это верно, — сказал он, и чувствовалось, что слова старого музыканта вызвали у него интерес. — Наверное, это как на фотографических негативах. Фон, на котором, казалось бы, нет никакого изображения, также несет информацию... А что, то же самое и у Баха?

— Разумеется. У Баха имеются отрицательные звуковые пространства, периоды молчания, не менее красноречивые, чем ноты, аккорды, темп и так далее... А вы, значит, занимаетесь еще и изучением незаполненных пространств в ваших логических системах?

— Конечно. Это все равно что взглянуть на то же самое с другой точки. Временами это похоже на сад: смотришь с одного места — и не видишь никакой упорядоченности, а посмотришь с другого — и оказывается, что он спланирован в строгом геометрическом порядке.

— Боюсь, — произнес Альфонсо, язвительно окидывая взглядом обоих, — что для меня час еще слишком ранний, чтобы участвовать в столь ученых беседах. — И, поднявшись, ленивой походкой направился к бару. — Кто-нибудь желает рюмочку?

Ему никто не ответил, и Альфонсо, пожав плечами, принялся готовить себе виски со льдом. Потом облокотился на сервант и, подняв стакан, кивнул в сторону Хулии.

— А в этой истории с садом что-то есть, — подытожил он, поднося стакан к губам.

Муньос, казалось, не слышавший этого замечания,

Королева, конь, слон

теперь смотрел на Лолу Бельмонте. Его неподвижность напоминала неподвижность охотника, подстерегающего добычу, только глаза его оживляло уже так хорошо знакомое Хулии выражение пристального внимания и размышления: единственный признак того, что под кажущимся безразличием этого человека к чему бы то ни было, кроме шахмат, скрываются острый ум, живой дух и чуткий интерес к событиям, совершающимся во внешнем мире. Он собирается сделать ход, удовлетворенно подумала девушка, чувствуя себя в надежных руках, и отпила глоток холодного кофе, чтобы скрыть невольно появившуюся на губах сообщническую улыбку.

— Думаю, — медленно проговорил Муньос, на сей раз обращаясь к племяннице дона Мануэля, — что и для вас это явилось тяжелым ударом.

— Само собой. — Лола Бельмонте взглянула на дядю с еще большим укором. — Эта картина стоит целое состояние.

— Я имел в виду не только экономическую сторону дела. Ведь вы, кажется, разыгрывали эту партию... Вы увлекаетесь шахматами?

— Да, немного.

Ее муж поднял свой стакан с виски.

— Вообще-то она играет превосходно. Мне ни разу не удавалось у нее выиграть. — Потом, немного поразмыслив над тем, что сказал, подмигнул: — Хотя игрок я далеко не блестящий, — и отпил большой глоток.

Лола Бельмонте подозрительно смотрела на Муньоса. У нее вид одновременно святоши и хищницы, подумала наблюдавшая за ней Хулия: эти слишком длинные юбки, эти тонкие костлявые руки, похожие на когтистые лапы, этот твердый взгляд, крючковатый нос, агрессивно устремленный вперед подбородок... Она заметила, как напряжены сухожилия на тыльной стороне ладоней Лолы, как побелели костяшки пальцев, словно готовых вцепиться во что-нибудь. Опасная гарпия, сказала она себе, злобная и надменная. Совсем не трудно было представить, как она смакует сплетни и разные словесные гадости, как изливает на других собственные комплексы и разочарования. Ущемленная личность, зажатая в тисках обстоятельств. Атака против короля как критическое отношение ко всякой власти, которая не есть она сама; жестокость и расчетливость, сведение счетов с чем угодно и с кем угодно... С дядей, с мужем... Может быть, с целым светом. Фламандская доска как навязчивая идея, живущая в этом болезненном, нетерпимом мозгу. И эти худые нервные руки: в них достаточно силы, чтобы убить ударом в затылок, чтобы задушить шелковым платком... Хулия легко представила себе ее в плаще и солнечных очках. Однако ей никак не удавалось усмотреть какую-либо связь между Лолой Бельмонте и Максом. Это уже попахивало абсурдом.

— Не так уж часто, — продолжал между тем Муньос, — встречаешь женщин, играющих в шахматы.

— А я вот играю. — Лола Бельмонте, похоже, насторожилась, изготовилась к обороне. — Вы что — не одобряете этого?

— Напротив. По-моему, это прекрасно... На шахматной доске можно воплощать то, что на практике — я имею в виду реальную жизнь — оказывается невозможным... Как вы думаете?

Она сделала неопределенный жест, как человек, никогда не задававшийся подобным вопросом:

— Может быть. Я всегда смотрела на шахматы просто как на игру. Как на способ провести время.

Королева, конь, слон

— И думаю, что вы обладаете большими способностями к этой игре. Действительно не совсем обычное явление — женщина, хорошо играющая в шахматы...

— Женщина способна делать хорошо все, что угодно. Другой вопрос, что нам это не дозволяется.

Муньос уголком рта изобразил ободряющую улыбку.

— Вы любите играть черными? Обычно им приходится довольствоваться оборонительными действиями... Инициативой владеют белые.

— Это чушь собачья. Я не понимаю, почему черные должны покорно сидеть и смотреть, как белые надвигаются на них. Это как в той знаменитой поговорке: мол, место женщины — на кухне.— Она прямо-таки испепелила мужа презрительным взглядом.— Почему-то все считают, что всему голова — мужчина.

— А разве не так? — с легкой улыбкой полюбопытствовал Муньос. — Например, в партии, нарисованной на картине, исходная позиция вроде бы показывает преимущество белых. Черный король под угрозой. А черная королева поначалу просто бесполезна.

— В этой партии черный король ничего не значит. Вся ответственность ложится на королеву. На королеву и на пешки. Эта партия выигрывается действиями королевы и пешек.

Муньос пошарил в кармане и достал листок бумаги.

— Вы не проигрывали вот этот вариант?

Лола Бельмонте с явным недоумением взглянула сначала на собеседника, затем на листок, который он протянул ей. Глаза Муньоса поблуждали по комнате и в какой-то момент, как бы случайно, встретились с глазами Хулии. Отлично сыграно, прочел он во взгляде девушки, но выражение его лица осталось по-прежнему непроницаемым.

— Думаю, что да, — сказала через некоторое время Лола Бельмонте. — Белые отвечают пешкой на пешку, ферзь рядом с королем, на следующем ходу будет шах... — Она удовлетворенно посмотрела на шахматиста. — Тут белые решились на ход ферзем, и, похоже, это правильный вариант.

Муньос утвердительно кивнул головой:

— Согласен с вами. Но меня больше интересует следующий ход черных. Что бы вы сделали?

Лола Бельмонте подозрительно прищурилась. По-видимому, она пыталась уяснить себе истинную цель этих расспросов. Потом она вернула листок Муньосу.

— Я уже давненько не играла эту партию, но помню по меньшей мере три варианта: черная ладья берет коня, что приводит к довольно скучной победе белых за счет действий пешек и королевы... Другой вариант: кажется, отдается конь за пешку или же слон берет пешку... В общем, возможностей великое множество. — Она взглянула на Хулию, потом опять на Муньоса. — Но я не понимаю, какое это может иметь отношение...

— Как вам удается, — невозмутимо перебил ее Муньос, — выигрывать черными?.. Не скажете ли вы мне, как шахматист шахматисту, в какой именно момент вы достигаете перевеса?

Лола Бельмонте высокомерно пожала плечами.

— Мы можем сыграть, когда вам будет угодно. Так вы и узнаете.

— Буду очень рад и ловлю вас на слове. Но есть один вариант, о котором вы не упомянули, может

Королева, конь, слон

быть, просто забыли. Вариант, предполагающий размен ферзей. — Он сделал короткое движение рукой, точно сметая фигуры с воображаемой доски. — Вы знаете, что я имею в виду?

— Конечно, знаю. Когда черный ферзь съедает пешку на d5, размен ферзей приобретает решающее значение. — На лице Лолы Бельмонте заиграла жестокая торжествующая улыбка. — И черные выигрывают. — Ее глаза хищной птицы на миг с презрением остановились на муже и снова устремились на Хулию. — Жаль, что вы не играете в шахматы, сеньорита.

— И что вы думаете? — спросила Хулия, как только они оказались на улице.

Муньос наклонил голову набок. Он шагал по правую руку от Хулии, по внешнему краю тротуара, губы его были плотно сжаты, отсутствующий взгляд временами чуть задерживался на лицах идущих навстречу прохожих. Девушка заметила, что шахматист не горит желанием отвечать на вопрос.

— Технически, — проговорил он наконец с явной неохотой, — это могла бы быть она. Она знает все возможности этой партии, а кроме того, хорошо играет. Я бы сказал: довольно хорошо.

— Кажется, вы не очень убеждены...

— Есть кое-какие детали, которые не вписываются.

— Но она приближается к тому представлению, которое у нас сложилось о *нем*. Она наизусть знает партию с картины. Она обладает достаточной силой, чтобы убить человека — мужчину или женщину — и в ней есть нечто такое, от чего в ее присутствии становится неуютно... — Девушка сдвинула брови, вспоминая, что еще добавить к описанию

Лолы Бельмонте. — Похоже, она плохой человек. Кроме того, она относится ко мне с повышенной антипатией, а почему — не понимаю... Ведь, если верить тому, что она говорит насчет женщин, я, в общем-то, довольно точно соответствую ее идеалу: независимая, свободная от семейных уз, с определенной долей уверенности в себе... Современная, как выразился бы дон Мануэль.

— Может быть, именно из-за этого она и испытывает к вам неприязнь. Потому что вы таковы, какой она хотела, но не сумела стать... У меня не очень хорошая память на все эти сказки, которые так любите вы и Сесар, но все же мне помнится, что злая ведьма в конце концов возненавидела свое зеркало.

Несмотря на малоподходящие обстоятельства, Хулия рассмеялась.

— Возможно, что и так... Мне бы это никогда не пришло в голову.

— Ну так вот я вам подсказал. — Муньос полуулыбнулся. — Постарайтесь в ближайшие дни не есть яблок.

— Ничего. Со мной ведь два моих принца. Вы и Сесар. Слон и конь, так, кажется?

Муньос перестал улыбаться.

— Это не игра, Хулия, — сказал он, чуть помедлив. — Не забывайте об этом.

— Я не забываю. — Она взяла его под руку и почувствовала, как он едва ощутимо напрягся. Похоже, он испытывал неловкость, но она не убрала своей руки. Ей становился все более симпатичен этот странный, неуклюжий и молчаливый чудак. Шерлок Муньос и Хулия Ватсон, подумала она, смеясь про себя, ее вдруг охватила безудержная веселость, пригасило которую лишь внезапное воспоминание о Менчу.

Королева, конь, слон

— О чем вы думаете? — спросила она шахматиста.

— Да все об этой племяннице.

— И я тоже. Она и правда до мелочей соответствует тому, что — или кого — мы ищем... Хотя, судя по всему, вы не слишком убеждены в этом.

— Я не сказал, что это не она была той женщиной в плаще. Я говорю только, что не узнаю в ней нашего таинственного противника...

— Но некоторые вещи ведь совпадают! Вам не кажется странным, что, будучи лицом весьма заинтересованным, всего через несколько часов после того, как у нее похитили картину, стоящую целое состояние, она вдруг забыла о своем возмущении и начала преспокойно говорить на шахматные темы? — Хулия отпустила руку Муньоса и остановилась перед ним, глядя прямо в глаза. — Или она великая лицемерка, или шахматы значат для нее гораздо больше, чем кажется. В любом случае она оказывается фигурой подозрительной. Может быть, она все время притворялась. С момента звонка Монтегрифо у нее было более чем достаточно времени, чтобы, понимая, что полиция непременно явится к ней, подготовить то, что вы называете линией обороны.

Муньос кивнул.

— В самом деле, это возможно. В конце концов, она шахматистка. А шахматист умеет пользоваться различными средствами. Особенно когда речь идет о выходе из сложных ситуаций...

Некоторое время он шел молча, уставившись на носки ботинок. Потом поднял глаза на Хулию и отрицательно покачал головой.

— Не думаю, чтобы это была она. Я всегда представлял себе, что, когда мы с *ним* окажемся лицом к лицу, я испытаю какое-то особое чувство. А сейчас я ничего не чувствую.

— А вам не приходило в голову, что, вероятно, вы уж чересчур идеализируете нашего врага? — после минутного колебания задала вопрос Хулия. — Разве не может случиться, что, будучи разочарованным действительностью, вы отказываетесь верить фактам?

Муньос остановился и бесстрастно взглянул на девушку. Его сощуренные глаза сейчас ничего не выражали.

— Да, я думал об этом, — негромко сказал он, не отводя от нее тусклого взгляда. — И я не исключаю такой возможности.

Несмотря на лаконизм шахматиста, Хулия поняла, что есть что-то еще. Его молчание, его склоненная к плечу голова, этот невидящий взгляд, затерянный в каких-то недоступных ей пространствах, внушили ей уверенность, что мысли его заняты чем-то другим, ничего общего не имеющим с Лолой Бельмонте.

— До чего еще вы додумались? — спросила она, не в силах сдержать любопытства. — Вы что — обнаружили там что-то еще, о чем не хотите говорить со мной?

Муньос не ответил.

Они зашли в магазин Сесара, чтобы в подробностях описать ему свое посещение дома Бельмонте. Антиквар ожидал их с беспокойством и, едва услышав звон колокольчика, поспешил навстречу, чтобы сообщить новость:

— Задержали Макса. Сегодня утром, в аэропорту. Полчаса назад звонили из полиции... Он в участке возле музея Прадо, Хулия. И хочет видеть тебя.

— Почему именно меня?

Сесар пожал плечами, словно желая сказать: я могу знать многое о голубом китайском фарфоре или о живописи девятнадцатого века, но психология альфонсов, да и преступников вообще, пока еще не стала одной из моих специальностей.

— А что с картиной? — спросил Муньос. — Вы не в курсе, ее не нашли?

— Сильно сомневаюсь. — Голубые глаза антиквара излучали беспокойство. — Думаю, именно в этом и заключается проблема.

Инспектор Фейхоо, похоже, не испытывал особого восторга от новой встречи с Хулией. Он принял ее в своем кабинете, под портретом короля и календарем Управления государственной безопасности. Было заметно, что настроение у него отвратительное. Не приглашая посетительницу сесть, он сразу перешел к делу.

— Это не совсем соответствует нашим правилам, — сухо заговорил он, — потому что речь идет о человеке, которого подозревают в двух убийствах... Но он настаивает: говорит, что не станет давать официальные показания, пока не повидается с вами. И его адвокат, — казалось, он вот-вот не удержится и выскажет вслух все, что думает о представителях этой профессии, — тоже согласен.

— Как его нашли?

— Это было нетрудно. Вчера вечером мы разослали его приметы повсюду, в том числе на контрольно-пропускные пункты на границах и в аэропорты. Сегодня утром он был опознан пограничниками в аэропорту Барахас, откуда собирался вылететь в Лиссабон по фальшивому паспорту. При задержании он не оказал сопротивления.

— Он сказал вам, где картина?

— Он не сказал абсолютно ничего. — Фейхоо поднял толстый указательный палец с квадратным ногтем. — Ну, разумеется, кроме того, что он невиновен. Такие заявления нам здесь частенько приходится выслушивать: это нечто вроде обязательной программы. Но когда я предъявил ему показания свидетелей — таксиста и консьержа, он сломался. И начал просить адвоката... Тогда же он потребовал и встречи с вами.

Сделав приглашающий жест в сторону двери, он вывел ее из кабинета и провел по коридору до другой двери, охраняемой полицейским в форме.

— Я буду здесь — на случай, если понадоблюсь. Он настаивал на том, чтобы встретиться с вами без свидетелей.

Дверь за спиной девушки заперли на ключ. Макс сидел на одном из двух стульев, привинченных к полу с обеих сторон стоявшего посередине комнаты деревянного стола. Окон в комнате не было, не было и другой мебели: только грязные стены, покрытые чем-то вроде больших матрацев. На Максе был мятый свитер, рубашка с расстегнутым воротом, волосы растрепаны, косичка расплетена, несколько длинных прядей свисали ему на глаза и уши. Руки, лежавшие на столе, были скованы наручниками.

— Здравствуй, Макс.

Он поднял голову и долгим взглядом посмотрел на Хулию. Под глазами у него были темные круги, он выглядел растерянным, утомленным, как после долгой и трудной работы, так и не принесшей желанного результата.

— Наконец-то хоть одно дружеское лицо,— произнес он с усталой иронией и кивнул в сторону второго стула.

Хулия предложила ему сигарету, которую он закурил с жадностью, приблизив лицо к протянутой ею зажигалке.

— Зачем ты хотел меня видеть, Макс?

Прежде чем ответить, он некоторое время смотрел на нее. Что-то он тяжеловато дышит, отметила про себя Хулия. Он больше не походил на молодого красавца волка, скорее, на загнанного в свою нору кролика, слышащего приближение хоря. Может быть, полицейские били его, подумала про себя Хулия. Хотя синяков вроде не видно. Нет, теперь уже больше не бьют задержанных. Больше не бьют.

— Я хочу предупредить тебя, — сказал он.

— Предупредить меня?

Макс ответил не сразу. Он курил со скованными руками, держа сигарету перед лицом.

— Она была уже мертва, Хулия, — тихо проговорил он. — Это не я. Когда я вошел в твою квартиру, она была уже мертва.

— Как тебе удалось войти? Это она открыла тебе дверь?

— Я же сказал, она была мертва... во второй раз.

— Во второй раз? Значит, был еще и первый?

Положив локти на стол, Макс стряхнул пепел с сигареты и подпер небритый подбородок большими пальцами обеих рук.

— Погоди...— Он почти выдохнул это слово; казалось, он смертельно устал. — Лучше я расскажу все с самого начала... — Он снова поднес к губам сигарету, затянулся и, прищурив глаза, выпустил струю дыма. — Ты знаешь, как Менчу обозлилась на Монтегрифо. Она металась по дому, как зверь в клетке, ругалась, угрожала... Кричала: «Он ограбил меня, он ограбил меня!» Я постарался успокоить ее, мы стали говорить более разумно. И мне пришла в голову одна идея.

— Какая идея?

— У меня есть кое-какие связи. Люди, способные вывезти из страны все, что угодно. Вот я и сказал Менчу, что неплохо бы свистнуть ван Гюйса. Сначала она просто взбесилась: орала на меня, ругалась, все толковала, что вы с ней подруги, ну и так далее... Потом поняла, что тебе от этого вреда не будет. Страховка покрыла бы все, что надо, а что касается процента, который ты должна была получить от продажи картины... ну, тут мы что-нибудь придумали бы. Потом.

— Я всегда знала, что ты абсолютный сукин сын, Макс.

— Да. Возможно. Но это не имеет никакого значения... Главное то, что Менчу приняла мой план. Она должна была сделать так, чтобы ты привезла ее к себе. Пьяную, накачанную... ну, в общем, ты знаешь. Правда, я и не предполагал, что она так здорово справится с этой ролью... На следующее утро, когда ты уйдешь, я должен был позвонить — узнать, все ли в порядке. Так я и сделал, а потом поехал к тебе. Мы упаковали доску таким образом, чтобы не было заметно, что это она. Менчу дала мне ключи, я взял их... Я должен был поставить машину внизу, на улице, и вернуться за ван Гюйсом. А после того, как я уйду с картиной, Менчу должна была задержаться, чтобы устроить пожар.

— Какой пожар?

— У тебя дома. — Макс нехотя усмехнулся. — Это входило в программу. Мне жаль...

— Что?!.. — Хулия, возмущенная, потрясенная, ударила кулаком по столу. — И ты еще смеешь... Ах, Боже мой, какое благородство!.. — Усилием воли взяв себя в руки, она обвела глазами стены, чтобы немного успокоиться, затем снова посмотрела на Макса. — Вы оба, наверное, просто с ума сошли: нормальным такого не придумать.

— Мы были в здравом уме и продумали все до мелочей. Менчу инсценировала бы какой-нибудь несчастный случай: ну, скажем, не очень хорошо загасила окурок — с кем не бывает? А при таком количестве растворителей и красок, как у тебя там... Мы решили, что она постарается выдержать у тебя в доме как можно дольше, а потом выскочит, задыхаясь, вся в дыму и в истерике, и начнет звать на помощь. Как бы скоро ни приехали пожарные, полдома успело бы выгореть дотла... — Он как-то виновато пожал плечами, словно извиняясь за то, что все вышло не так, как было запланировано. — И никто на свете не сумел бы доказать, что ван Гюйс не сгорел вместе со всем остальным. Ну а потом — сама можешь догадаться... Я собирался продать картину в Португалии владельцу одной частной коллекции, с которым у меня уже бывали дела... Помнишь, как мы встретились с тобой на рынке? Так вот, как раз перед этим мы с Менчу переговорили с посредником... Конечно, Менчу пришлось бы отвечать за пожар, устроенный в твоем доме, но, поскольку это считалось бы несчастным случаем, да к тому же вы с ней подруги, вряд ли ей бы сильно досталось. Ну, был бы крупный разговор с домовладельцами, ну, заплатила бы сколько-нибудь — вот и все. А с другой стороны, она говорила, что просто мечтает увидеть, какую рожу состроит Пако Монтегрифо.

Хулия недоверчиво покачала головой.

— Менчу была неспособна на такое.

— Менчу была способна на все, — возразил Макс. — Так же, как и мы с тобой.

— Ты просто сволочь, Макс.

— Теперь уже это не имеет никакого значения. — Макс прикрыл глаза, опустил плечи. — Важно вот что: у меня ушло примерно полчаса на то, чтобы пригнать машину и поставить ее на твоей улице. Помню, туман был густой, я никак не мог найти, где припарковаться, и все время смотрел на часы: а вдруг тебе взбредет в голову вернуться пораньше... Было, наверное, около четверти первого, когда я снова поднялся к тебе. На этот раз не звонил: открыл сам, твоими ключами. Менчу лежала в прихожей — лицом вверх, глаза открыты. Сначала я подумал: наверное, просто сдали нервишки, вот и хлопнулась в обморок. А потом, когда наклонился, увидел этот кровоподтек на горле... Она была мертва, Хулия. Мертва... еще совсем теплая... Я чуть не рехнулся от страха. Я понял, что, если позвоню в полицию, мне потом придется долго объясняться... Так что я швырнул ключи на пол, закрыл дверь и бросился вниз по лестнице, перепрыгивая через четыре ступеньки. Думать о чем-то я был просто неспособен. Ночь проторчал в какой-то гостинице: от ужаса глаз не сомкнул, только ворочался с боку на бок. Утром рванул в аэропорт... Что было дальше, ты знаешь.

— Когда ты видел Менчу мертвой, картина была еще там?

— Да. Это было единственное, на что я взглянул, кроме... кроме нее... Доска лежала на диване, завернутая в газеты и обмотанная клейкой лентой, я сам ее туда положил. — Макс с горечью усмехнулся. — Но забрать ее мне не хватило смелости. И без нее, подумал, проблем достаточно.

— Но ты говоришь, что Менчу лежала в прихожей, а мы-то нашли ее в спальне... Ты видел платок у нее на шее?

Королева, конь, слон

— Не было у нее никакого платка. Просто голая шея и кровоподтек. Ее убили ударом по горлу, по самому кадыку.

— А бутылка?

Макс раздраженно дернул плечом.

— И ты туда же... Легавые только и делают, что допытываются, зачем я ей засунул туда бутылку. А я знать не знаю ни о какой чертовой бутылке, клянусь тебе. — Он поднес к губам окурок и жадно затянулся, а глаза его поверх сигареты смотрели на Хулию тревожно и подозрительно. — Менчу была мертва, вот и все. Ее убили ударом по горлу. Я к ней вообще не прикасался, тем более никуда не перетаскивал. Да и пробыл-то я у тебя, наверное, меньше минуты... Похоже, это сделал кто-то другой, потом.

— Когда «потом»? Ты же говорил, что убийца к тому времени уже ушел.

Макс наморщил лоб, силясь припомнить.

— Не знаю. — Он явно недоумевал. — Может, он вернулся после моего ухода. — И тут он побледнел, словно внезапно поняв что-то. — Или, может быть... — Хулия заметила, как дрожат его скованные руки, — может быть, он все это время находился там... Спрятался где-нибудь... И поджидал тебя.

Они решили разделиться, чтобы действовать скорее и эффективнее. Пока Хулия ходила к Максу и затем пересказывала услышанное от него главному инспектору (который при этом даже не попытался скрыть своего скептицизма), Сесар и Муньос всю вторую половину дня посвятили расспросам соседей. Уже под вечер все трое собрались в старом кафе на улице Прадо, за круглым мраморным столиком. История, поведанная Максом, была, что называется, разобрана по косточкам и детально обсуждена во всех подробностях. Чашки давно опустели, в пепельнице, стоящей посредине стола, росла гора окурков. Собеседники, окутанные дымом, наклонялись друг к другу и говорили шепотом, едва слыша один другого сквозь гул голосов, доносившийся с соседних столиков. Они выглядели как трое заговорщиков.

— Я верю Максу, — заключил наконец Сесар. — В том, что он говорит, есть смысл. В общем-то, вся эта история с похищением картины вполне в его духе, но я не могу себе представить, чтобы он оказался способен на все остальное... Бутылка джина — это уж слишком, дорогие мои. Даже для такого типа, как он. С другой стороны, теперь мы знаем, что там появлялась и женщина в плаще. Лола Бельмонте, Немезида или черт ее знает кто.

— А почему не Беатриса Остенбургская? — спросила Хулия.

Антиквар укоризненно посмотрел на нее.

— Такого рода шутки в данном случае, по-моему, абсолютно неуместны. — Он беспокойно поерзал на стуле, взглянул на все еще бесстрастного Муньоса и — то ли в шутку, то ли всерьез — скрестил пальцы, чтобы отогнать любой призрак, могущий вертеться поблизости. — Женщина, бродившая вокруг твоего дома, была из плоти и крови... Во всяком случае, я надеюсь, что это так.

Он пришел на встречу сразу же после разговора с консьержем из дома, соседнего с домом Хулии. Консьерж знал Сесара в лицо, поэтому рассказал все, что мог. Например, то, что между двенадцатью и половиной первого, заканчивая подметать тротуар перед своим подъездом, он видел, как высокий молодой человек с длинными волосами, заплетенными в ко-

Королева, конь, слон

сичку, вышел из подъезда дома Хулии и направился вверх по улице к припаркованной у края тротуара машине. Однако немного позже — тут в голосе антиквара прорвалось сдерживаемое волнение, как если бы он рассказывал какую-нибудь захватывающую светскую историю, — возможно, через четверть часа, забирая с улицы пустой мусорный бак, консьерж чуть не столкнулся с блондинкой в плаще и темных очках... Повествуя об этом, Сесар понизил голос, предварительно окинув настороженным взглядом соседние столики, как будто таинственная женщина могла сидеть за одним из них. Консьерж, по его собственным словам, не рассмотрел ее как следует, потому что она прошла дальше по улице, в том же направлении, что и молодой человек с косичкой... Не мог он с уверенностью утверждать и то, что женщина вышла именно из подъезда Хулии. Просто, подняв бак и повернувшись к дому, он оказался с ней лицом к лицу. Нет, полицейским, допрашивавшим его утром, он не рассказывал об этом, потому что его ни о чем таком не спрашивали. Да, в общем-то, добавил консьерж, почесывая висок, он и сам-то даже не вспомнил бы ни о молодом человеке, ни о блондинке в очках, не спроси его об этом дон Сесар. Нет, насчет того, был ли у нее в руках пакет или сверток, он тоже затрудняется ответить. Он просто видел светловолосую женщину, которая шла по улице. Больше ничего.

— На улице, — заметил Муньос, — полным-полно светловолосых женщин.

— В плащах и темных очках? — возразила Хулия. — Это могла быть Лола Бельмонте. Я в это время была у дона Мануэля, и ни ее, ни ее мужа дома не было.

— Нет-нет, — почти перебил ее Муньос. — В полдень вы уже были у меня, в шахматном клубе. Мы бродили по улицам около часа, а к вам пришли в час или чуть позже. — Он посмотрел на Сесара, и тот ответил ему понимающим взглядом, что не укрылось от внимания Хулии. — Если убийца ждал вас, то, видя, что вы не возвращаетесь, он был вынужден изменить свой план. Так что он взял картину и ушел. Может быть, это спасло вам жизнь.

— Почему он убил Менчу?

— Возможно, он не ожидал встретить ее там и просто убрал нежелательную свидетельницу. Может, он и не собирался съедать ладью черной королевой... Не исключено, что это просто блестящая импровизация.

Сесар негодующе поднял бровь.

— Ну знаете ли, дорогой мой, по-моему, «блестящая» — это уж слишком.

— Называйте, как вам угодно. Изменить тактику прямо по ходу дела, применить вариант, более соответствующий ситуации, и оставить рядом с телом карточку с записью предлагаемых ходов... — Шахматист помедлил, обдумывая сказанное. — Я успел взглянуть на нее. Надпись сделана не от руки, а напечатана на пишущей машинке — на «Оливетти» Хулии, как сказал Фейхоо. И никаких отпечатков пальцев. Тот, кто сделал это, действовал спокойно, но быстро и четко. Как часы. На мгновение девушке вспомнилось, каким был Муньос несколько часов назад, когда они ожидали прихода полиции. Ни к чему не прикасаясь, ничего не говоря, он опустился на колени возле тела Менчу и принялся рассматривать визитную карточку убийцы так же внимательно и бесстрастно, как смотрел на шахматную доску в своем клубе имени Капабланки.

— Все-таки не понимаю, зачем Менчу открыла дверь...

Королева, конь, слон

— Она подумала, что это Макс, — предположил Сесар.

— Нет, — возразил Муньос. — У Макса был ключ — тот самый, который мы нашли на полу, войдя в квартиру. Она знала, что это не Макс.

Сесар вздохнул, вертя на пальце перстень с топазом.

— Меня не удивляет, что полиция так вцепилась в Макса, — сказал он, хмурясь. — Просто больше уже некого подозревать. Если так пойдет и дальше, скоро некого будет и убивать... А если сеньор Муньос будет продолжать строго руководствоваться своими дедуктивными системами, знаете, что получится?.. Вы представляете себе? Вы, дражайший мой, стоите в окружении трупов, как в последнем действии «Гамлета», и приходите к неизбежному выводу: «Я — единственный, кто остался в живых, следовательно, по логике вещей, если исключить невозможное, то есть всех этих покойников, то убийца — это я...» И сдаетесь полиции.

— Это еще не аксиома, — заметил Муньос.

Сесар неодобрительно взглянул на него.

— Что убийца — это вы?.. Прошу прощения, дорогой друг, но этот разговор приобретает опасное сходство с диалогом двух пациентов сумасшедшего дома. У меня и в мыслях не было возводить на вас...

— Я не это имел в виду. — Шахматист рассматривал свои руки, лежавшие на столе по обе стороны пустой чашечки из-под кофе. — Я говорю о том, о чем вы упомянули минуту назад: что больше уже некого подозревать.

— Только не говорите мне, — недоверчиво пробормотала Хулия, — что у вас есть свои соображения на этот счет.

Муньос поднял глаза и взглянул прямо в глаза Хулии. Потом негромко прищелкнул языком и склонил голову набок.

— Возможно, — ответил он.

Хулия горячо принялась выпытывать у него, в чем дело, но ни ей, ни Сесару не удалось вытянуть из шахматиста ни слова. Он сидел с отсутствующим видом, уставившись на поверхность стола между неподвижными кистями лежащих на нем рук, как будто видя в разводах мрамора таинственные движения воображаемых фигур. Временами по его губам пробегала, как тень, смутная улыбка, за которой он всегда скрывался, когда не желал выходить на контакт с внешним миром.

————————

XIII

Седьмая печать

*... В огненном просвете
он увидел что-то нестерпимо страшное,
он понял ужас шахматных бездн...*

В. Набоков

— Разумеется, — сказал Пако Монтегрифо, — это прискорбное событие никоим образом не повлияет на нашу договоренность с вами.

— Благодарю вас.

— Совершенно не за что. Мы знаем, что вы не имеете никакого отношения к случившемуся.

Директор «Клэймора» нанес визит Хулии в ее мастерской в музее Прадо, воспользовавшись — как он пояснил, неожиданно появившись там, — назначенной встречей с директором музея по поводу приобретения картины Сурбарана, предложенной его фирме. Он застал девушку за работой: Хулия как раз вводила порцию клеящего состава, приготовленного на основе костного клея и меда, под пузырь отслоившейся краски на триптихе Дуччо ди Буонинсеньи. Оторваться от дела в этот момент она не могла, поэтому лишь торопливо кивнула Монтегрифо в знак приветствия и продолжала плавным нажимом пальца выдавливать содержимое шприца. Аукционист, казалось, был весьма рад тому, что застал ее врасплох, — как выразился он сам, сопровождая свои слова ослепительнейшей улыбкой; он присел на один из столов, закурил сигарету и принялся наблюдать за девушкой.

Хулия, чувствуя себя неловко под его внимательным взглядом, постаралась закончить поскорее. Прикрыв обработанный участок куском вощеной бумаги, она положила сверху мешочек с песком, следя за тем, чтобы он плотно прилегал к поверхности картины. Потом, вытерев руки об испачканный разноцветными пятнами краски халат, взяла из пепельницы еще дымившуюся сигарету, успевшую наполовину обратиться в пепел.

— Просто чудо, — сказал Монтегрифо, кивком указывая на картину. — Начало четырнадцатого века, не так ли? Маэстро ди Буонинсеньи, если не ошибаюсь.

— Да. Музей приобрел этот триптих несколько месяцев назад. — Хулия критическим взглядом окинула свою работу. — У меня были кое-какие проблемы с золотой стружкой, которой отделан плащ Богородицы: местами она отлетела.

Монтегрифо наклонился над триптихом, изучая его с пристальным вниманием профессионала.

— В любом случае вы великолепно справились с работой, — заключил он, закончив осмотр. — Впрочем, как всегда.

— Спасибо.

Аукционист бросил на Хулию взгляд, исполненный грустной симпатии.

— Хотя, конечно, — проговорил он, — его не сравнить с нашей дорогой фламандской доской...

— Да, разумеется. При всем моем уважении к Дуччо.

Они обменялись улыбкой. Монтегрифо коснулся

Седьмая печать

кончиками пальцев прямо-таки сияющих белизной манжет рубашки, удостоверяясь, что они выступают из-под рукавов темно-синего двубортного пиджака ровно на три сантиметра: именно на столько, сколько необходимо, чтобы должным образом просматривались золотые запонки с инициалами владельца. Остальное его облачение составляли серые, безукоризненно заутюженные брюки и начищенные до зеркального блеска — несмотря на дождливую погоду — черные итальянские ботинки.

— Есть что-нибудь новое о ван Гюйсе? — спросила девушка.

Монтегрифо придал своему лицу выражение изящной печали.

— К великому сожалению, нет. — Хотя пол мастерской был усыпан опилками, обрывками бумаги и заляпан пятнами краски, он аккуратно стряхнул пепел с сигареты в пепельницу. — Но мы поддерживаем связь с полицией... Семья Бельмонте передала мне все дела, связанные с этим. — Теперь на его лице нарисовалось одобрение подобной рассудительности и одновременно сожаление, что владельцы картины не проявили ее раньше. — А самое парадоксальное во всей этой истории, Хулия, знаете, что? Если удастся разыскать «Игру в шахматы», вследствие всех известных вам прискорбных событий ее цена взлетит до космических высот...

— В этом я не сомневаюсь. Но вы же сами сказали: если ее удастся разыскать.

— Я вижу, вы не слишком-то оптимистично настроены.

— После всего того, что произошло за последние дни, у меня нет причин для оптимизма.

— Я вас понимаю. Но я надеюсь на полицию... Или

на удачу. А если нам посчастливится вернуть картину и выставить ее на аукцион, это будет Событие с большой буквы, уверяю вас. — Он улыбнулся так, словно в кармане у него лежал какой-то чудесный подарок. — Вы читали «Искусство и антиквариат»? Он посвятил этой истории пять полос с цветными фотографиями. Нам без конца звонят журналисты, пишущие об искусстве. А «Файнэншл таймс» на следующей неделе опубликует большой репортаж... Разумеется, некоторые из журналистов просят устроить им встречу с вами.

— Я не хочу никаких интервью.

— И очень жаль, если вы позволите мне высказать свое мнение. Ваши заработки зависят от того, насколько высок ваш престиж. А реклама способствует повышению профессионального престижа...

— Но только не такая. В конце концов, картина-то была похищена из моего дома.

— Мы стараемся не обращать внимания на эту маленькую деталь. Вы никоим образом не несете ответственности за происшедшее, да и отчет полиции не оставляет на этот счет никаких сомнений. Судя по всему, приятель вашей подруги передал картину кому-то неизвестному нам сообщнику, и расследование идет по этому пути. Я уверен, что фламандская доска будет найдена. Нелегально вывезти из страны такую знаменитую картину, как эта, не так-то легко. В принципе.

— Что ж, я рада, что вы так уверены. Это называется: уметь проигрывать. Со спортивным духом — так, кажется, говорят? Я думала, что для вашей фирмы эта кража явилась ужасным ударом...

Лицо Монтегрифо выразило боль и печаль. Сомнение ранит, ясно читалось в его глазах.

Седьмая печать

— Это действительно тяжелый удар, — ответил он, глядя на Хулию так, словно она несправедливо обвинила его в одном из смертных грехов. — Знаете, мне пришлось долго и пространно объясняться с головным предприятием в Лондоне. Но в нашем деле приходится сталкиваться с подобными проблемами... Хотя косвенным образом исчезновение фламандской доски принесло и положительные плоды: наш филиал в Нью-Йорке обнаружил еще одного ван Гюйса — «Ловенского менялу».

— Ну, «обнаружил» — это уж слишком... «Ловенский меняла» — картина известная, занесена в каталоги. Она находится в одной частной коллекции.

— Вижу, вы прекрасно информированы. Я имел в виду, что мы теперь состоим в контакте с ее владельцем: похоже, он считает, что сейчас подходящий момент, чтобы получить хорошие деньги за свою картину. На сей раз мои нью-йоркские коллеги опередили вас.

— Что ж, дай им Бог.

— И я подумал, что мы с вами могли бы отметить это событие. — Он взглянул на «ролекс» на левом запястье. — Уже почти семь, так что я приглашаю вас поужинать. Нам нужно обсудить кое-что относительно вашего предстоящего сотрудничества с «Клэймором»... У нас есть деревянная раскрашенная статуя святого Михаила, индо-португальская школа, семнадцатый век. Мне хотелось бы, чтобы вы взглянули на нее.

— Большое спасибо, но я сейчас не в том настроении. Знаете, гибель моей подруги, исчезновение картины... Вряд ли сегодня я смогу быть приятной собеседницей.

— Как вам будет угодно. — Монтегрифо принял ее

отказ покорно и с изяществом, не погасив улыбки. —
Если хотите, я позвоню вам в начале следующей недели... Как насчет понедельника?

— Хорошо. — Хулия протянула ему руку, и аукционист нежно пожал ее. — Спасибо, что навестили меня.

— Видеть вас — для меня всегда огромное удовольствие, Хулия. А если вам что-нибудь понадобится, —
он заглянул ей в глаза взглядом, исполненным мно-
гозначительности, понять который девушке так и не
удалось,— я имею в виду — *все, что угодно,* что бы это
ни было, звоните мне. Без всяких колебаний.

Он вышел, послав ей с порога последнюю ослепительную улыбку, и Хулия осталась одна. Она пора-
ботала над триптихом Буонинсеньи еще с полчаса,
потом начала собираться. Муньос и Сесар настаивали, чтобы она несколько дней пожила не у себя. Антиквар — в который уж раз — предложил ей в качестве временного убежища свой дом, но Хулия не под-
давалась на уговоры и ограничилась тем, что сменила
замки. «Упрямства у тебя на двоих»,— сердито сказал
ей по телефону Сесар, звонивший буквально каждые
полчаса, чтобы узнать, все ли у нее в порядке. Что же
до Муньоса, то Хулии было известно (случайно про-
болтался Сесар), что он вдвоем с антикваром в ночь
после убийства до самого утра пробродил дозором
возле ее дома, леденея от холода, проникавшего даже
под пальто и теплые шарфы, и спасаясь только горячим кофе из термоса и коньяком из плоской фляги,
которые Сесар предусмотрительно захватил с собой.
Эти долгие часы ночного бдения скрепили ту странную дружбу, что зародилась между этими столь разными людьми в результате происшедших драмати-
ческих событий и взросла на почве общей заботы о
безопасности Хулии. Узнав об этой ночной прогул-

ке, девушка строго-настрого запретила своим друзьям делать подобные вещи, пообещав взамен никому не открывать дверь и, ложась спать, класть под подушку «дерринджер».

Теперь, собирая свою сумку, она увидела пистолет и кончиками пальцев потрогала его холодный хромированный бок. Прошло четыре дня после гибели Менчу, за это время не было ни новых карточек, ни телефонных звонков. Может быть, сказала она себе без особой убежденности, весь этот кошмар уже кончился. Она накрыла триптих Буонинсеньи куском холста, повесила халат в шкаф и надела плащ. Циферблат часов на внутренней стороне ее левого запястья показывал без четверти восемь.

Она как раз протянула руку, чтобы выключить свет, когда зазвонил телефон.

Хулия опустила трубку на рычаг и застыла неподвижно, сдерживая дыхание и одновременно желание убежать как можно дальше от этого места. Словно ледяным ветром дохнуло на нее, и она вздрогнула так сильно, что ей пришлось опереться о стол, чтобы ощущение опоры помогло ей взять себя в руки. Ее расширенные от страха глаза не отрывались от телефона. Голос, который она только что слышала, был совершенно неузнаваем: ни мужской, ни женский, похожий на те странные голоса, какими говорят куклы в руках чревовещателей. От прорывавшихся в нем визгливых ноток Хулия почувствовала, как в ней волной поднимается дикий, слепой, животный ужас.

«*Зал номер двенадцать, Хулия…*» Затем молчание и шорох дыхания, приглушенный, может быть, носовым платком, прижатым к микрофону трубки. «*…Зал* *номер двенадцать»,* — повторил голос. *«Брейгель-старший»,* — добавил он после небольшой паузы. Затем последовал короткий, сухой, зловещий смешок и щелчок, означающий разъединение.

Хулия попыталась привести в порядок свои бешено мечущиеся мысли, изо всех сил стараясь не дать панике овладеть собой. На охоте, сказал ей однажды Сесар, под дулом ружья первыми жертвами становятся те утки, которые всполошатся и ринутся очертя голову сами не зная куда... Сесар. Хулия сняла трубку и набрала номер магазина, потом домашний номер антиквара, но ей никто не ответил. Не застала она нигде и Муньоса. Таким образом, какое-то время, подумала она, леденея от беспредельности этого понятия, ей придется справляться своими силами. Она вынула из сумки «дерринджер» и удостоверилась, что он заряжен. По крайней мере, с ним в руках она и сама может стать не менее опасным противником, чем кто угодно другой. И опять ей припомнились слова Сесара, которые она частенько слышала в детстве. В темноте — это был еще один из его уроков, когда она делилась с ним своими детскими страхами, — все вокруг тебя остается точно таким же, как и при свете, просто ты этого не видишь.

Она вышла в коридор, сжимая в руке пистолет. В такой час здание музея уже было безлюдно, по нему ходили только охранники ночной смены, но Хулия не знала, где именно сейчас искать их. В конце коридора находилась лестница, ведущая вниз: три пролета, расположенных под прямым углом один к другому, с обширными площадками между ними. Лампочки охранной сигнализации рассеивали темноту до состояния синеватого полумрака, позволявшего различить на стенах потемневшие от возраста кар-

Седьмая печать

тины, мраморную балюстраду лестницы и бюсты римских патрициев, застывшие, как сторожа, в своих нишах.

Хулия сняла туфли и засунула их в сумку. Ее ноги сквозь чулки ощутили холод пола, который тут же начал растекаться по всему телу, поднимаясь все выше. В самом лучшем случае приключение этой ночи сулило ей сильную простуду. Так, босиком, Хулия спустилась по лестнице, останавливаясь через каждые несколько шагов, чтобы прислушаться и осмотреться, пригнувшись к перилам, однако не увидела и не услышала ничего подозрительного. Наконец она добралась до нижней площадки, и тут ей пришлось задержаться, чтобы решить, как поступить дальше. Отсюда, через несколько залов, отведенных под реставрационные мастерские, она могла дойти до автоматической двери и, воспользовавшись своей электронной карточкой, выйти из музея неподалеку от ворот Мурильо. Другой путь — узкий коридорчик, в конце которого находилась еще одна дверь, ведущая в залы музея. Обычно она была закрыта, но на ключ ее запирали не раньше десяти часов — времени последнего обхода охранников.

Хулия обдумывала ситуацию, стоя у подножия лестницы босиком, с пистолетом в руке. Мраморный пол под ногами казался ледяным, кровь стремительно неслась по венам, отдаваясь толчками в висках и горле. Я слишком много курю, совершенно некстати подумала она, прикладывая к сердцу руку с зажатым в ней «дерринджером». Убежать сломя голову или отправиться в зал номер двенадцать — посмотреть, что там происходит... Второй вариант означал, что ей придется в течение шести-семи минут пробираться одной через пустынные залы. Разве что ей повезет и она встретит по пути охранника, отвечающего за это крыло. Это был молодой парень, который, застав Хулию за работой в мастерской, всегда приносил ей стаканчик кофе из автомата и шутил по поводу ее красивых ног, уверяя, что они являются самым привлекательным экспонатом музея.

Черт побери, мысленно воскликнула она в конце концов. Ей, Хулии, не раз приходилось расправляться с пиратами. Если убийца находится здесь, в здании музея, это подходящий — а может, и единственный — случай встретиться с ним лицом к лицу, потому что должно же у него быть лицо. Ведь это ему придется передвигаться, а она, осторожная утка, будет сидеть тихонько, пошире раскрыв глаза и держа в правой руке пятьсот граммов хромированного металла, перламутра и свинца, которые, если ими воспользоваться с небольшого расстояния, вполне способны диаметрально изменить расстановку сил в этой необычной охоте.

Хулия была охотницей хороших кровей и, что еще более важно, знала об этом. В полумраке ее ноздри расширились, словно вынюхивая, с какой стороны придет опасность; она стиснула зубы и призвала на помощь всю свою ярость, дотоле сдерживаемую воспоминаниями об Альваро и Менчу, всю свою решимость быть не перепуганной насмерть марионеткой на шахматной доске, а опасным противником, готовым при первом же удобном случае рассчитаться оком за око и зубом за зуб. Кто бы он ни был, если хочет встретиться с ней, то получит эту встречу. В зале номер двенадцать или в аду. Бог свидетель, он ее получит.

Она дошла до внутренней двери и, как и ожидала, нашла ее незапертой. Охранник, наверное, находил-

Седьмая печать

ся где-то далеко, потому что тишина была абсолютной. Хулия миновала арку, пересекая тени мраморных статуй, бесстрастно взиравших на нее пустыми неподвижными глазами. Потом она прошла через зал средневековых икон, различая в темноте лишь приглушенные отблески позолоты и золотой фольги, образующей фон некоторых из них. В конце этого длинного зала, слева, находилась маленькая лестница, ведущая в помещения с картинами старых фламандских мастеров. В зал номер двенадцать.

На первой ступеньке Хулия задержалась на секунду, чтобы пристальнее вглядеться в темную глубину зала. В этой части здания потолки были ниже, поэтому лампочки охранной сигнализации освещали помещение немного ярче. В голубоватом полумраке можно было даже различить изображения на картинах. Хулия увидела почти неузнаваемое под покровом теней «Снятие с креста» ван дер Вейдена: в этом нереальном освещении, придававшем картине некое зловещее величие, на ней выделялись только наиболее светлые участки: фигура Христа, бледное лицо его матери, лишившейся чувств, и ее рука, бессильно упавшая рядом с мертвой рукой сына.

Здесь не было никого, кроме персонажей картин, большинство из которых, окутанные темнотой, казалось, спали долгим сном. Не доверяя этому обманчивому покою, Хулия, впечатленная присутствием стольких образов, созданных руками умерших художников сотни лет назад (они словно следили за ней из своих старинных рам), добралась наконец до порога зала номер двенадцать. Она безуспешно попыталась сглотнуть слюну, чтобы смочить пересохшее горло, еще раз оглянулась — ничего подозрительного не было — и, чувствуя, как сводит от напряжения челюстные мышцы, глубоко вздохнула, прежде чем войти в зал, так, как делают это полицейские в детективных фильмах: держа палец на курке, пистолет — в обеих вытянутых перед собой руках и целясь в темноту.

Здесь тоже никого не было, и Хулия испытала бесконечное опьяняющее облегчение. Первым, что она разглядела в полумраке, был гениальный кошмар — «Сад наслаждений», занимавший большую часть стены. Хулия прислонилась к противоположной стене, и ее дыхание затуманило стекло дюреровского автопортрета. Тыльной стороной руки Хулия вытерла пот со лба и сделала шаг к третьей, дальней стене. По мере того как она продвигалась вперед, ей навстречу выступали из мрака сначала очертания, затем наиболее светлые тона картины Брейгеля. Это творение, которое она также узнала, несмотря на окутывавшие его тени, всегда производило на нее особое впечатление. Трагизм, которым дышал каждый мазок, выразительность бесконечных фигур, словно взметенных дыханием неизбежного, многочисленные сцены, в перспективе составляющие ужасное целое, многие годы волновали ее воображение. Слабый голубой свет, падающий с потолка, выхватывал из темноты скелеты, толпами поднимающиеся из недр земли, чтобы залить ее своим смертельным потоком. Далекие пожары, охватившие горизонт, и черные руины на их фоне, танталовы колеса, вращающиеся на своих шестах, скелет, занесший меч, чтобы обрушить его на голову преступника, стоящего на коленях, с завязанными глазами и отчаянно возносящего последнюю молитву... А на переднем плане — монарх, застигнутый в разгар пира, любовники, не ведающие, что уже пробил последний час, хохочущий скелет, бьющий в литавры

Седьмая печать

Страшного Суда, рыцарь, хотя и охваченный ужасом, но все же сохранивший достаточно храбрости, чтобы в последнем мятежном порыве выхватить меч из ножен, стремясь подороже продать свою жизнь в этой последней, безнадежной схватке...

Карточка была там, засунутая между холстом и нижней частью рамы. Как раз над золоченой табличкой, на которой Хулия не столько прочла, сколько угадала два зловещих слова, составляющих название картины: «Триумф смерти».

Когда она вышла на улицу, дождь лил как из ведра. Свет фонарей эпохи королевы Изабеллы выхватывал из темноты сплошные потоки воды, низвергающиеся сверху, чтобы со стуком разбиться о булыжную мостовую. Лужи взрывались, разбрасывая бесчисленное множество крупных капель, и огни вечернего города, преломляясь в них, дрожали и колыхались, словно мучимые болью.

Хулия подняла голову, и струи воды беспрепятственно захлестали по ее щекам и волосам. От холода у нее стыли скулы и губы, мокрые волосы прилипали к лицу. Она застегнула воротник плаща и зашагала между кустов и каменных скамеек, не заботясь о том, что дождь поливает ее с головы до ног и что туфли полны воды. Образы Брейгеля еще стояли перед ней, впечатанные в сетчатку глаз, ослепленных огнями машин, сновавших туда-сюда по проспекту. Свет фар прорезал в сплошной стене дождя золотые конусы и то и дело струями хлестал по фигуре девушки, распластывая ее длинными колеблющимися тенями по залитому водой асфальту. И среди этого мелькания разноцветных огней, тьмы и брызг перед мысленным взором Хулии еще дрожало видение средневековой трагедии. И в ней, в этих мужчинах и женщинах, захлестываемых извергающейся из земных недр лавиной скелетов, исполненных жаждой мщения, она явственно узнавала персонажей *другой* картины: Роже Аррасского, Фердинанда Альтенхоффена, Беатрису Бургундскую... И даже, где-то на втором плане, старого Питера ван Гюйса с покорно склоненной головой. Все смешалось в этой ужасной, все завершающей сцене, независимо от того, сколько очков выпало на последнем кубике судьбы, брошенном на зеленое сукно Земли: красота и уродство, любовь и ненависть, добро и зло, порыв и бездействие. И самое себя узнала Хулия в зеркале, беспощадно, с фотографической четкостью отразившем момент преломления Седьмой печати Апокалипсиса. Это она была той девушкой, грезящей под звуки лютни, не видя, что на ней играет улыбающийся скелет, и не ведая, что происходит за ее спиной. В этом царстве ужаса больше не было места ни для пиратов, ни для спрятанных сокровищ: толпы скелетов тащили за собой отчаянно бьющихся Вэнди, Золушку и Белоснежку, с расширенными от страха глазами, вдыхали запах серы, а оловянный солдатик, или святой Георгий, позабывший о своем змее, или Роже Аррасский, успевший наполовину вытащить меч из ножен, уже ничего не могли сделать, чтобы спасти их. Самое большее, что они еще могли — просто ради спасения собственной чести, — это нанести два-три бесполезных удара пустоте, а потом, как и все остальные, сплести свои руки с костлявыми, лишенными плоти руками Смерти и понестись вслед за ней в ее адской пляске.

Лучи фар проезжавшей мимо машины высветили телефонную кабину. Хулия вошла в нее, порылась в сумке, ища монеты. Она двигалась, будто в полусне. Она механически набрала номера Сесара и Муньоса и долго, бесплодно ждала ответа, а капли воды с ее мокрых волос стекали на телефонную трубку. Повесив ее, девушка прислонилась головой к стеклу кабины и сунула в рот отсыревшую сигарету, едва сумев сжать ее затвердевшими и нечувствительными от холода губами. Она курила с закрытыми глазами, глубоко затягиваясь до тех пор, пока ей не начало жечь пальцы, тогда она уронила окурок. Дождь монотонно стучал по алюминиевой крыше кабины, но даже здесь Хулия не чувствовала себя в безопасности. То была — она поняла это с ощущением отчаяния и бесконечной усталости — всего лишь краткая передышка, ненадежное убежище, не защищавшее ее ни от холода, ни от мелькавших вокруг огней и теней.

Хулия не знала, сколько времени простояла в кабине. Но в какой-то момент она снова сунула монету в щель автомата и набрала номер — номер Муньоса. Услышав в трубке голос шахматиста, она словно бы медленно начала приходить в себя — как будто вернулась из дальних странствий, да, собственно, так оно и было. Она вернулась из странствий во времени и в своем внутреннем мире. Постепенно успокаиваясь, рассказала ему, что произошло. Муньос спросил, что было написано на карточке, и она ответила: С:п, слон берет пешку. На другом конце провода воцарилось молчание. Потом Муньос каким-то странным тоном, какого она никогда не слышала у него, спросил, где она находится. Получив ответ, шахматист попросил, чтобы девушка оставалась там, и пообещал приехать так скоро, как сумеет.

Через четверть часа возле телефонной кабины остановилось такси, и Муньос, открыв дверцу, махнул рукой Хулии. Торопливо пробежав под дождем, она укрылась в темной глубине машины. Такси тронулось, шахматист помог ей снять насквозь промокший плащ и набросил ей на плечи свой.

— Что происходит? — спросила девушка, дрожа от холода.

— Очень скоро вы это узнаете.

— Что значит: слон берет пешку?

Скользящие по машине отсветы уличных огней на секунду озарили хмурое лицо шахматиста.

— Это значит, — ответил он, — что черная королева собирается съесть еще одну фигуру.

Хулия моргнула, не понимая. Потом, взяв руку Муньоса в свои ледяные ладони, взглянула на него с тревогой.

— Нужно сообщить Сесару.

— У нас еще есть время, — отозвался шахматист.

— Куда мы едем?

— В Шурландию. На тачке без колес.

Дождь все еще продолжал лить, когда такси остановилось перед шахматным клубом. Муньос открыл дверцу и вылез, не выпуская руки Хулии из своей.

— Пойдемте, — сказал он.

Хулия покорно последовала за ним. Они поднялись по лестнице, вошли в вестибюль. В зале за столами еще сидели несколько шахматистов, но директора Сифуэнтеса не было видно. Муньос провел Хулию прямо в библиотеку. Там, среди наград и дипломов, на застекленных полках стояло сотни две книг. Муньос, отпустив наконец руку девушки, открыл одну из полок и достал толстый том в матерчатом переплете. На его корешке недоумевающая Хулия прочла название, вытисненное золотыми,

Седьмая печать

потемневшими от времени и стертыми от долгого пользования буквами: «Шахматный еженедельник. Четвертый квартал». Разобрать год ей не удалось.

Муньос положил том на стол и перелистал несколько желтоватых, отпечатанных на плохой бумаге страниц. Шахматные задачи, разбор партий, информация о турнирах, старые фотографии улыбающихся победителей: белые рубашки, галстуки, костюмы и прически соответственно моде тех лет. Наконец он открыл разворот со множеством снимков.

— Посмотрите внимательно, — сказал он Хулии.

Девушка склонилась над снимками. Они были неважного качества, и на всех были изображены группы шахматистов, позирующих перед фотоаппаратом. Некоторые держали в руках кубки и дипломы. Вверху страницы она прочла заголовок: «Второй тур чемпионата на национальный приз имени Хосе Рауля Капабланки» и, недоумевая, взглянула на Муньоса.

— Не понимаю, — пробормотала она.

Шахматист указал пальцем на одну из фотографий. На ней была представлена группа молодых людей, двое из них — с небольшими кубками в руках. Остальные четверо торжественно смотрели в объектив. Подпись под снимком гласила: «Финалисты в юношеском разряде».

— Вы узнаете кого-нибудь? — спросил Муньос.

Хулия внимательно вгляделась в лица, одно за другим. Но только в облике того, что стоял справа, ей почудилось нечто знакомое. Это был юноша лет пятнадцати-шестнадцати, с гладко зачесанными назад волосами, в пиджаке и галстуке, с траурной повязкой на левом рукаве. Он смотрел в аппарат спокойными умными глазами, в которых Хулия, казалось, уловила выражение вызова. И тут она узнала. Ее рука дрожала, когда она указала на него пальцем, а подняв взгляд на шахматиста, увидела, что тот кивает.

— Да, — сказал Муньос. — Это он — невидимый игрок.

XIV

Салонные разговоры

— Если я обнаружил его,
это потому, что я его искал.
— Как?.. Разве вы надеялись найти его?
— Я решил, что это не столь уж невероятно.
А. Конан Дойль

Свет на лестнице не горел, так что им пришлось подниматься в темноте. Муньос шел впереди, ведя рукой по перилам, чтобы не сбиться с пути. Добравшись до площадки, они остановились и прислушались. Из-за двери не доносилось никакого шума, но под ней, очерчивая порог, тонкой, как нитка, полоской пробивался свет. Хулия не видела в темноте выражения лица своего спутника, но почувствовала, что он смотрит на нее.

— Пути назад у нас нет, — сказала она, отвечая на незаданный вопрос. Единственным ответом ей было спокойное дыхание шахматиста. Тогда она нашла на ощупь кнопку звонка и нажала один раз. Звонок прозвучал и замер, как далекое эхо, в другом конце длинного коридора.

Не сразу, но скоро послышались медленно приближающиеся шаги. Их шум вдруг ненадолго прервался, затем возобновился — все медленнее, все ближе, пока не смолк у самой двери. Замок отпирали бесконечно долго. Наконец дверь открылась, бросив на пришедших прямоугольник света, на мгновение ослепившего их. Потом Хулия увидела знакомый силуэт, мягко обрисовывающийся против света, и подумала: я вправду не хочу этой победы.

Он отступил на шаг, пропуская их в квартиру. Похоже, неожиданный визит не встревожил его: он только слегка, светски вежливо удивился, выразив это лишь несколько недоуменной улыбкой, которую Хулия уловила на его губах, когда он закрывал дверь за вошедшими. На вешалке — тяжелом сооружении из орехового дерева и бронзы времен короля Эдуарда — висели еще мокрые плащ, шляпа и зонт, с которых каплями стекала вода.

Он повел их в салон по длинному коридору с высоким, дивной красоты лепным потолком и стенами, представлявшими собой небольшую галерею севильской пейзажной живописи девятнадцатого века. Когда он шел впереди них по коридору, временами оборачиваясь и делая приглашающий жест внимательного хозяина, Хулия попыталась — безуспешно — отыскать в нем хоть какую-нибудь черту, выдающую присутствие того, другого, который (теперь она знала) прятался где-то и незримо витал между ними, как призрак, и существование которого, что бы ни случилось в дальнейшем, невозможно было дольше игнорировать. И все-таки, несмотря ни на что, хотя свет понимания проникал все глубже в самые сокровенные уголки ее сомнения, хотя факты, как идеально подогнанные кусочки мозаики, уже складывались в общую картину, проецирующую на образы «Игры в шахматы» тени и свет другой трагедии, других трагедий, накладывающихся на ту, что была запечатлена в символах фламандской доски... Несмотря на все это, несмотря на

Салонные разговоры

острую боль, понемногу вытесняющую из ее чувств первоначальное состояние оцепенения, Хулия еще не могла, еще была неспособна ненавидеть человека, шедшего впереди нее по коридору, полуобернув к ней учтиво и доброжелательно улыбающееся лицо, элегантного даже дома, наедине с самим собой: халат из синего шелка, брюки безупречного покроя, изящно завязанный платок под расстегнутым воротом рубашки, серебряные волосы, слегка вьющиеся на затылке и на висках, приподнятые брови, придающие лицу выражение надменности, смягченное, как всегда в присутствии Хулии, мягкой грустноватой улыбкой, таящейся в уголках тонких бледных губ.

Никто из троих не произнес ни слова, пока они не дошли до салона — просторной комнаты с высоким потолком, украшенным классическими сценами (Хулия всегда — до сегодняшнего вечера — особенно любила ту, где Гектор в сверкающем шлеме прощался с Андромахой и их сыном). Здесь, среди этих стен, увешанных коврами и картинами, хранились самые драгоценные сокровища антиквара: те, которые он подбирал для себя на протяжении всей жизни, никогда не выставляя их на продажу, сколь бы велика ни была предлагаемая за них цена. Хулия знала их все, как свои собственные, даже лучше, чем вещи родительского дома, где прошло все ее детство, или те, что находились в ее квартире: обтянутый шелком диван в стиле ампир, на который Муньос, стоявший с каменным лицом, засунув руки в карманы плаща, не решался сесть, несмотря на приглашающий жест Сесара; бронзовую статуэтку работы Штайнера — фехтовальщика, гордо и бесстрашно, с высокомерно вздернутым подбородком озирающего комнату со своего высокого пьедестала (он стоял на письменном столе Сесара голландской работы конца восемнадцатого века; сколько Хулия помнила себя, антиквар всегда за этим столом писал письма и просматривал полученную корреспонденцию); угловой застекленный шкафчик эпохи Георга IV с великолепной коллекцией чеканного серебра, которое Сесар собственноручно начищал раз в месяц; его любимые картины мастеров, отмеченных печатью Божией: «Портрет молодой дамы», предположительно кисти Лоренцо Лотто, очаровательное «Благовещение» Хуана де Сореды, мощного «Марса» Луки Джордано, меланхолический «Вечер» Томаса Гейнсборо... И коллекцию английского фарфора, и ковры — настенные и напольные, и веера: вещи, заботливо и тщательно подобранные Сесаром, различных стилей, эпох и происхождения, но составляющие изумительную, совершенную коллекцию, отражающую личность, характер и эстетические вкусы владельца до такой степени, что, казалось, частичка его самого жила в каждом из этих предметов. Здесь не хватало только маленького фарфорового трио работы Бустелли — Лусинды, Октавио и Скарамуччи, персонажей комедии дель арте, — стоявшего в антикварном магазине Сесара, на первом этаже, в своей стеклянной витрине.

Муньос так и остался стоять, молчаливый и внешне спокойный, но что-то в нем — может быть, то, как он стоял на ковре, чуть расставив ноги, или немного отведенные в стороны локти рук, по-прежнему лежащих в карманах плаща, — указывало, что он настороже, что готов встретить неожиданное лицом к лицу. Сесар, в свою очередь, смотрел на него с бесстрастным вежливым интересом, лишь временами на мгновение переводя взгляд на Хулию, как будто она нахо-

Салонные разговоры

дилась у себя дома, а Муньос — в общем-то, единственный чужак в этих стенах — должен был объяснить причину своего появления в этот поздний, уже ночной, час. Хулия, знавшая Сесара, как саму себя (она тут же мысленно поправилась: до этого вечера она *думала*, что знает его, как саму себя), чувствовала, что антиквар в первую же минуту, едва открыв им дверь, понял, что они не просто пришли к своему третьему товарищу по приключениям. За его дружеской снисходительностью, за его улыбкой, за невинным выражением его чистых голубых глаз девушка угадывала чуткое внимание, окрашенное любопытством и чуть насмешливым ожиданием: такое же, с каким много лет назад, держа ее на коленях, он ждал, когда она произнесет волшебные слова — ответы на детские загадки, которые она так любила и которые он с явным удовольствием загадывал ей: «Золота блеск и серебряный звон...» или «Сперва ходил на четырех, потом на двух, потом на трех...». И самую прекрасную из всех: «Трубадур влюбленный ведает секрет: имя дамы и ее наряда цвет...»

И все-таки Сесар смотрел на Муньоса. В этот странный вечер, в этой комнате, освещенной мягким светом английской лампы с пергаментным экраном, размывающим четкость контуров и теней, он лишь изредка оборачивался к девушке. Не потому, что избегал ее взгляда: когда их глаза встречались — пусть ненадолго, — он смотрел на нее прямо и открыто, как будто между ними не было никаких тайн. Как будто, как только Муньос скажет то, что собирался сказать, и уйдет, на все, что накопилось между ними двумя — Сесаром и Хулией, — он был готов дать четкий, убедительный, логичный и окончательный ответ. Может быть, то был бы великий ответ на все

вопросы, которыми задавалась Хулия за все годы
своей жизни. Но было слишком поздно, и впервые
Хулия не испытывала ни малейшего желания слушать. Все ее любопытство было удовлетворено там,
перед «Триумфом смерти» Брейгеля-старшего. И
больше ей не был нужен никто — даже он. Все это
произошло до того, как Муньос открыл перед ней
старую подшивку шахматного еженедельника и указал на один из снимков, поэтому оно не имело никакого отношения к ее появлению в этот вечер в доме
Сесара. Ее привело сюда любопытство сугубо формального свойства. Эстетического, как выразился бы
сам Сесар. Она должна была присутствовать здесь:
она, одновременно героиня, хор, актриса и зритель
самой захватывающей из классических трагедий —
все были тут: Эдип, Орест, Медея и остальные старые
друзья, — которую никто никогда не играл перед ней.
В конце концов, представление давалось в ее честь.

Все это выходило за рамки реального до такой
степени, что Хулия, закурив сигарету, уселась на диван, закинув ногу на ногу, а руку — на спинку. Перед
ней стояли двое мужчин, занимая относительно окружающей обстановки и друг друга примерно такое
же положение, как персонажи исчезнувшей фламандской доски. Слева — Муньос, стоящий на самом краешке старинного пакистанского ковра, неяркость
поблекших от времени рыжевато-охряных тонов
которого лишь подчеркивала его красоту. Шахматист —
теперь их *обоих* можно называть так, подумала девушка с каким-то странным удовлетворением, — так
и не снявший плаща, смотрел на антиквара, чуть
склонив голову к плечу, с тем своим шерлок-холмсовским видом, который придавал ему некое особое,
своеобразное достоинство и в котором столь важ-

Салонные разговоры

ную роль играло выражение его усталых глаз, сосредоточенных на созерцании противника. Однако во взгляде Муньоса не было самодовольства, свойственного победителям. Не было и неприязни, не было даже опасливости, вполне оправданной при данных обстоятельствах. Было напряжение — в глазах и в том, как резко очертились желваки по бокам его костлявой нижней челюсти, но это, рассудила Хулия, было связано скорее с тем, что сейчас он изучал *физический облик* своего соперника после того, как столько времени ему приходилось иметь с ним дело лишь *мысленно*. Несомненно, сейчас он перебирал в памяти прежние ошибки, восстанавливал сделанные ходы, сопоставлял предполагаемые и реализованные намерения. На лице шахматиста было упрямое и отсутствующее выражение игрока, который, доведя партию до конца с помощью блестящих маневров, по-настоящему заинтересован только в одном: понять, каким образом противник ухитрился отыграть у него ничтожную пешку, находившуюся на какой-то забытой, не имевшей никакого значения клетке.

Сесар стоял справа. Со своими серебряными волосами, в шелковом халате, он напоминал кого-то из элегантных персонажей комедий начала века: спокойный, исполненный достоинства, уверенный в себе, сознающий, что ковер, на котором стоит его собеседник, был соткан двести лет назад и что он принадлежит ему. Хулия увидела, как он опускает руку в карман халата, достает пачку сигарет с позолоченным фильтром и вставляет одну из них в резной мундштук слоновой кости. Эта сцена была слишком необычной, чтобы не запомнить ее на долгие годы: старинные произведения искусства, потемневшие от времени или тускло поблескивающие,

потолок с изображениями стройных фигур классических героев, старый денди, изящный, подчеркнуто элегантный, и худой, бедно одетый человек в мя-
том плаще, лицом к лицу, молча глядящие друг на
друга, точно в ожидании, что кто-нибудь — возможно, суфлер, спрятанный в каком-то из старинных
предметов обстановки, — подаст первые слова реп-
лики, чтобы можно было начать последний акт. С
того момента, как Хулия разглядела знакомые черты в лице юноши, смотревшего в объектив фото-
аппарата со всей серьезностью своих пятнадцати
или шестнадцати лет, она предвидела, что эта часть
представления будет более или менее такой. Все это
напоминало то любопытное ощущение, которое
именуют *deja vu*[1]. Ей уже был известен финал, и не
хватало только мажордома в полосатом жилете,
объявляющего, что ужин подан, для того чтобы все
приобрело характер откровенного гротеска. Она
взглянула на обоих своих любимых персонажей и
поднесла к губам сигарету, стараясь вспомнить. Какой, однако, удобный диван у Сесара, мелькнуло па-
раллельно у нее в голове: мягкий, располагающий к
лени, приглашающий расслабиться; никакое теат-
ральное кресло и в подметки ему не годится. Да. Воспоминание снова вернулось — на этот раз с легкостью, и оказалось совсем недавним. Она уже успела
заглянуть в этот сценарий. Это было всего несколько
часов назад, в зале номер двенадцать музея Прадо.
Полотно Брейгеля, этот грохот литавр, под который
смертоносное дыхание неизбежного сметает на своем пути все до последней растущей на Земле травин-
ки, превращаясь в один, единый, гигантский заключи-

---

1   Буквально: уже виденное *(фр.)*.

Салонные разговоры

тельный смерч, в раскатистый хохот какого-то пьяного бога, давящегося своей олимпийской отрыжкой там, за почерневшими холмами, дымящимися руинами и пламенем пожаров. Другой фламандец — Питер ван Гюйс, старый живописец Остенбургского двора, тоже объяснил это: по-своему, возможно, более тонко и мягко, более косвенно, чем грубый и прямой Брейгель, но с тем же намерением; в конце концов, все на свете картины — это всего лишь картины одной и той же картины, так же, как все на свете зеркала — это всего лишь отражения одного и того же отражения, и все на свете смерти — это смерти одной и той же Смерти:

Все сущее — это шахматная доска, составленная из клеток дней и ночей, на которой Судьба играет людьми, как фигурами.

Хулия прошептала эту фразу про себя, не вслух, глядя на Сесара и Муньоса. Все было в порядке, так что можно было начинать. Слушайте, слушайте, слушайте. Желтоватый свет английской лампы охватывал обоих персонажей золотистым конусом. Антиквар наклонил голову и зажег сигарету, а Хулия как раз в этот момент отняла от губ свою. Как будто это было сигналом к началу диалога, Муньос медленно кивнул, хотя никто еще не произнес ни слова. Затем он сказал:

— Надеюсь, Сесар, что у вас в доме найдется шахматная доска.

Отнюдь не блестяще, признала про себя девушка. Даже совсем не то, что нужно. Воображаемый сценарист наверняка вложил бы в уста Муньоса более подходящие слова; но, огорченно сказала она себе, автор этой трагикомедии, в конце концов, такая же посредственность, как и созданный им самим мир. Нельзя требовать, чтобы фарс превосходил по талантливости, глупости или развращенности своего собственного автора.

— Не думаю, чтобы нам была нужна доска, — ответил Сесар, и это несколько улучшило диалог. Благодаря не словам, которые также не представляли собой ничего выдающегося, а тону, каким они были сказаны. Тон оказался верным — в особенности тот оттенок досады или скуки, каким антиквар сумел окрасить свою реплику: нечто весьма характерное для него, как будто он наблюдал все происходящее, сидя на садовой скамейке— такой железной, словно кружевной, выкрашенной белой краской, — со стаканом очень сухого мартини в руке, предаваясь отстраненному созерцанию. Сесар был столь же утонченным в своих декадентских позах, сколь мог быть в своем гомосексуализме или в своей порочности, и Хулия, любившая его также и за это, сумела оценить по достоинству его поведение в данных обстоятельствах — верное, точное, настолько совершенное во всех своих оттенках, что она, восхищенная, откинулась на спинку дивана, глядя на антиквара сквозь завитки сигаретного дыма. Потому что самым очаровательным было то, что этот человек обманывал ее в течение двадцати лет. Однако, чтобы оставаться до конца справедливой, ей следовало признать, что, в конце-то концов, виновником этого обмана был не он, а она сама. В Сесаре ничто не изменилось: сознавала это Хулия или нет, он всегда был — не мог не быть — самим собой. И вот теперь он стоял тут, спокойно куря сигарету и — Хулия отчетливо поняла это — не испытывая абсолютно никаких угрызений совести или беспокойства из-за того, что он сделал. Он стоял — позировал, — внешне такой же изысканный и корректный, как если бы Хулия слушала из его уст прелестные истории о влюбленных или воинах. Казалось, он в любой момент может заговорить о долговязом Джоне Сильвере, Вэнди, Лагардере или сэре Кеннете — Победителе леопардов, и девушка нисколько не удивилась бы этому. Однако все же именно он оставил Альваро под струей душа, это он засунул Менчу между ног бутылку джина... Хулия медленно вдохнула сигаретный дым и прикрыла глаза, смакуя собственную горечь. Если он тот же самый, что и всегда, сказала она себе, а совершенно очевидно, что это так, значит, это изменилась я. Поэтому сегодня я вижу его иначе, другими глазами, вижу негодяя, комедианта и убийцу. И все-таки я сижу здесь, зачарованная, и опять жду его слов. Через несколько секунд, вместо какого-нибудь приключения в Карибском море, он начнет рассказывать мне, что все это он сделал ради меня, или что-нибудь в том же роде. И я буду слушать его, потому что, помимо всего прочего, эта история превосходит любую из прежних историй Сесара. Превосходит по воображению и ужасу.

Сняв руку со спинки дивана, она подалась вперед и даже рот приоткрыла, поглощенная тем, что происходило перед ее глазами; она не собиралась упускать ни малейшей подробности. И это ее движение, казалось, послужило сигналом к возобновлению диалога. Муньос, с засунутыми в карманы плаща руками и свешенной набок головой, смотрел на Сесара.

— Избавьте меня от одного сомнения, — сказал он. — После того, как черный слон съедает белую пешку на a6, белые решают двинуть своего короля с d4 на e5, обнаруживая угрозу шаха черному королю со стороны белой королевы... Как сейчас следует ходить черным?

В глазах антиквара искрой мелькнула усмешка,

казалось, они улыбались сами по себе, независимо от невозмутимого выражения всего лица.

— Не знаю, — ответил он после секундной запинки. — Ведь это вы у нас гроссмейстер, дорогой мой. Вам виднее.

Муньос сделал неопределенный жест, точно отстраняя от себя титул гроссмейстера, титул, которым Сесар впервые назвал его.

— И все-таки, — произнес он медленно, растягивая слова, — я настоятельно прошу вас высказать свое авторитетное мнение.

Усмешка, которая до этого поблескивала только в глазах антиквара, добралась наконец и до его губ.

— В таком случае я прикрыл бы черного короля, переведя слона на c4... — Он учтиво наклонил голову в сторону шахматиста. — Как вам кажется, это подходящий ход при данных обстоятельствах?

— Я съем вашего слона, — почти грубо ответил Муньос. — Моим белым слоном, стоящим на d3. После чего вы мне поставите шах конем на d7.

— Я ничего не собираюсь вам устраивать, друг мой. — Антиквар спокойно выдержал его взгляд. — Не знаю, о чем это вы. А кроме того, сейчас немного поздновато для того, чтобы заниматься загадыванием и разгадыванием загадок.

Муньос упрямо сдвинул брови.

— Вы мне поставите шах на d7, — настойчиво повторил он. — Бросьте эти ваши истории и вдумайтесь получше в то, что у вас на доске.

— Чего ради?

— Да ради того, что у вас остается очень мало вариантов... Я уйду от этого шаха, уведя белого короля на d6.

Услышав это, Сесар вздохнул, и его голубые глаза, казавшиеся в этот момент, в неярком освещении ком-

Салонные разговоры

наты, поразительно светлыми, почти бесцветными, остановились на Хулии. Потом, сунув в зубы мундштук, антиквар дважды кивнул с видом легкого огорчения.

— Тогда, как мне это ни неприятно, — произнес он, и, похоже, его огорчение было искренним, — я буду вынужден съесть второго белого коня — того, что стоит на b1. — Слегка разведя руками, он взглянул на собеседника: — Жаль, не правда ли?

— Да. Особенно с точки зрения коня... — Муньос, прикусив нижнюю губу, вонзил в него вопрошающий взгляд. — А чем вы собираетесь съесть его: ладьей или ферзем?

— Конечно, ферзем. — Сесар выглядел обиженным. — Ведь существуют определенные правила... — Не договорив, он закончил фразу жестом правой руки. Тонкой, бледной руки, на тыльной стороне которой просвечивали голубоватые выпуклости вен и которая — Хулия теперь знала это — с такой же естественностью могла убить; может быть, ее смертоносный размах начинался с того же изящного движения, какое сейчас Сесар проделал ею в воздухе.

И тут — впервые за все время, что они находились в доме Сесара, — по губам Муньоса скользнула та далекая, неопределенная улыбка, которая никогда ничего не означала и была связана скорее с его странными математическими размышлениями, нежели с окружавшей действительностью.

— Я бы на вашем месте пошел ферзем на c2, но сейчас это уже не имеет значения... — тихо сказал он. — Мне только хотелось бы знать, каким образом вы собирались убить меня.

— Не говорите чепухи, — с искренним возмущением в голосе возразил антиквар. Потом, будто взывая к корректности шахматиста, повел рукой в сто-

рону дивана, где сидела Хулия, однако не взглянув на
нее. — Сеньорита...

— На данном этапе, — ответил Муньос все с той же
смутной улыбкой в уголках рта, — сеньорита, полагаю, испытывает не меньшее любопытство, чем я. Но
вы не ответили на мой вопрос... Вы собирались при-
бегнуть к своей прежней тактике — удару по горлу
или в затылок — или же приберегали для меня развяз-
ку более классического характера? Я имею в виду яд,
кинжал или что-нибудь другое в том же роде... Как вы
назвали бы это? — Он на мгновение поднял глаза к
расписному потолку, ища там подходящее слово. —
Ах, да. Что-нибудь в *венецианском* стиле.

— Я бы сказал: во *флорентийском,* — поправил
любивший точность во всем Сесар, не скрывая, однако, известной доли восхищения. — Но я не знал, что
вы способны иронизировать над подобными вещами.

— А я и не способен,— ответил шахматист.— Абсолютно не способен... — Он перевел взгляд на Хулию,
затем снова на Сесара и вытянул вперед указательный палец. — Вот оно, все тут: слон, занимающий до-
веренное место рядом с королем и королевой. Или,
выражаясь более романтично и по-английски, *bishop,*
епископ-интриган. Великий визирь-предатель, пле-
тущий в тени свои интриги, потому что на самом деле
это переодетая Черная королева...

— Что за прелестная история, — насмешливо заметил Сесар, медленно и беззвучно аплодируя своими
изящными ладонями. — Однако вы так и не сказали
мне, как поведут себя белые после потери коня... Честно говоря, дорогой мой, мне не терпится узнать это.

— Слон на d3, шах, и черные проигрывают партию.

— Так просто? Я беспокоюсь за вас, друг мой.

— Да, так просто.

Салонные разговоры

Сесар немного подумал, затем, вынув из мундштука то, что оставалось от сигареты, положил окурок в пепельницу, предварительно аккуратно стряхнув еще тлеющий пепел.

— Это интересно, — проговорил он, поднимая вверх мундштук, как поднимают указательный палец, прося небольшого перерыва. Потом медленно, чтобы не встревожить понапрасну Муньоса, приблизился к английскому ломберному столику, стоявшему возле дивана, справа от Хулии, и, повернув серебряный ключик в замке ящика, отделанного лимонным деревом, достал желтоватые, потемневшие от времени и употребления старинные шахматные фигуры из слоновой кости, которых Хулия никогда не видела прежде.

— Это интересно, — повторил он, извлекая вслед за ними доску и своими тонкими пальцами с тщательно отполированными ногтями расставляя на ней фигуры. — Значит, ситуация у нас такая:

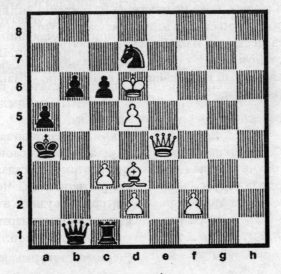

— Точно, — подтвердил Муньос, смотревший на доску издали, не подходя ближе. — Белый слон, уйдя с c4 на d3, делает возможным двойной шах: белой королевой черному королю и этим самым слоном — черной королеве. Королю ничего не остается, кроме как сбежать с a4 на b3 и предоставить черную королеву ее участи... Белая же королева устроит ему еще один шах — на c4, заставляя вражеского короля отступить еще ниже, прежде чем белый слон прикончит черную королеву.

— Этого слона съест черная ладья.

— Да. Но это уже не важно. Без королевы песенка черных спета. А кроме того, после исчезновения с доски этой фигуры партия теряет смысл.

— Пожалуй, вы правы.

— Да, прав. Исход партии — вернее, того, что от нее осталось, — теперь решает белая пешка, стоящая на d5: взяв черную пешку на c6, она будет продолжать идти вперед, пока не окажется на восьмой линии, и никто не сумеет ей в этом помешать... Это случится через шесть или максимум через девять ходов. — Муньос сунул руку в карман и вытащил листок бумаги, испещренный карандашными пометками. — Например, вот таких:

d5 : c6	Kd7 — f6
Фc4 — e6	a5 — a4
Фe6 : f6	a4 — a3
c3 — c4+	Крb2 — c1
Фf6 — c3+	Крc1 — d1
Фc3 : a3	Лb1 — c1
Фc3 — b3+	Крd1 : d2
C6 — c7	b6 — b5
C7 — c8	(Черные проигрывают)

XIV

Салонные разговоры

Антиквар взял листок с записями, затем спокойно — очень спокойно — перевел глаза на доску, продолжая сжимать в зубах пустой мундштук. Его улыбка была улыбкой человека, принимающего свое поражение, задолго до того предсказанное звездами. Он начал одну за другой передвигать фигуры, пока на доске не сложилась финальная ситуация:

— Должен признать, что выхода действительно нет,— произнес он наконец.— Черные проигрывают.

Взгляд Мунъоса поднялся от доски на лицо Сесара.

— Брать второго коня, — заметил шахматист, как всегда, без эмоций, — было ошибкой.

Антиквар, все с той же улыбкой, пожал плечами.

— Начиная с определенного момента у черных уже не было возможности выбора... Скажем так: они стали пленниками своего собственного движения, своей собственной естественной динамики. Этот конь как бы блокировал развитие игры. — На какое-то мгновение Хулия уловила в глазах Сесара отблеск гордости. — В общем-то, она была почти совершенной.

— Но не в шахматном плане, — сухо отозвался Муньос.

— Не в шахматном?.. Мой дражайший друг,— антиквар сделал исполненный презрения жест в сторону фигур, — я имел в виду нечто большее, чем простую шахматную доску. — Его голубые глаза вдруг сделались глубокими, словно окна в некий тайный, скрытый мир. — Я имел в виду саму жизнь — эти шестьдесят четыре клетки черных ночей и белых дней, о которых говорил поэт... А может быть, наоборот: белых ночей и черных дней. Все зависит от того, с какой стороны от игрока поместить изображение... Или зеркало, если уж мы используем символику.

Хулия заметила, что Сесар не смотрит на нее, хотя, ведя диалог с Муньосом, он, казалось, все время обращался именно к ней.

— Как вы узнали, что это он? — спросила она шахматиста, и тут Сесар, похоже, впервые дрогнул. Что-то в его поведении вдруг изменилось, как будто Хулия, поддержав вслух обвинение Муньоса, нарушила некий пакт молчания. Антиквар больше не уклонялся от прямого ответа, и улыбка на его губах превратилась в насмешливо-горькую гримасу.

— Да, — сказал он шахматисту, и это было его первое формальное признание своей вины. — Расскажите ей, как вы узнали, что это я.

Муньос слегка наклонил голову в сторону Хулии.

— Ваш друг допустил пару-тройку ошибок...— Он остановился, точно задумавшись на миг над смыслом

своих слов, потом сделал в сторону антиквара короткий, как бы извиняющийся жест. — Хотя «ошибки» —
неподходящее слово, потому что он все время ведал,
что творит, и сознавал, чем при этом рискует... Как ни
парадоксально, вы сами вынудили его выдать себя.

— Я? Но я не имела ни малейшего представления
до того момента, как...

Сесар покачал головой. Почти с нежностью, подумала девушка, испуганная чувствами, которые вызывало у нее выражение его лица.

— Наш друг Муньос выразился фигурально, принцесса.

— Не называй меня принцессой, прошу тебя. —
Хулия не узнала собственного голоса: даже ей самой
он показался необычно суровым. — Сегодня — нет.

Антиквар несколько секунд смотрел на нее, потом
наклонил голову в знак согласия.

— Хорошо, — сказал он и, казалось, с трудом
вспомнил, о чем шла речь до этого. — Муньос пытается объяснить тебе, что твое присутствие в этой
партии помогало следить за намерениями его противника: по принципу контраста. Наш друг — отлич-
ный шахматист, но, кроме того, он оказался и отличной ищейкой — гораздо лучшей, чем я предполагал...
Не то что этот кретин Фейхоо, который, увидев в пепельнице окурок, в лучшем случае сделает вывод, что
здесь кто-то курил. — Он взглянул на Муньоса. — Ведь
это ход, где слон, а не ферзь берет пешку d5, насторо-
жил вас, не правда ли?

— Да. Во всяком случае, это был один из моментов, которые вызвали подозрение. На четвертом ходу
тот, кто играл черными, не воспользовался возможностью съесть белую королеву, что решило бы исход
партии в его пользу... Вначале я подумал, что это про-

сто игра кошки с мышью или что Хулия, то есть белая королева, до такой степени необходима для игры, что ее нельзя съесть — то есть убить — прямо сейчас. Но когда наш враг — то есть вы — использовал для взятия пешки d5 слона, а не королеву (а это неизбежно привело бы к размену ферзей), до меня дошло, что этот таинственный игрок вообще не собирался съедать белую королеву. Что он готов скорее проиграть партию, чем пойти на это. А связь между этим ходом и тем баллончиком, оставленным на капоте машины Хулии на рынке Растро, этот высокомерный подтекст — *я могу убить тебя, но не делаю этого* — был настолько очевиден, что у меня уже не оставалось ни малейшего сомнения: угрозы белой королеве — не более чем видимость. — Он посмотрел на Хулию. — Потому что на самом деле вы находились в полной безопасности.

Сесар согласно кивал в такт словам шахматиста, как будто речь шла о деяниях некоего третьего лица, чья участь была ему совершенно безразлична.

— И вы поняли также, — сказал он, — что главный враг — не король, а черная королева...

Муньос кивнул, не вынимая рук из карманов.

— Это было нетрудно. Связь с обоими убийствами была очевидной: только эти фигуры, съеденные черной королевой, явились символами подлинных смертей. Тогда я взялся изучать ходы черной королевы и пришел к интересным выводам. Например, насчет вашей покровительственной роли по отношению к игре черных вообще, а кроме того, еще и по отношению к белой королеве: она была вашей главной противницей, а вы оберегали ее, как святыню... Пространственная близость с белым конем, то есть со мной: обе фигуры на соседних клетках, чуть ли не как добрые друзья, и черная королева не осмеливается вонзить в коня свою отравленную шпору, откладывая это на потом, когда не будет другого выхода... — Он тусклыми глазами смотрел на Сесара. — Во всяком случае, меня утешает то, что вы убили бы меня без ненависти, даже с некоторой любезностью и симпатией: все-таки мы были товарищами и единомышленниками. Вы сделали бы это с готовностью попросить прощения и с просьбой понять вас, из чисто шахматных соображений.

Сесар сделал рукой театральный жест, сильно отдающий восемнадцатым веком, и склонил голову в знак благодарности за это определение, видимо оказавшееся точным.

— Вы совершенно правы, — подтвердил он. — Однако скажите мне... Каким образом вы догадались, что вы — конь, а не слон?

— Благодаря целому ряду признаков. Какие-то из них были более важными, какие-то — менее. Решающей оказалась символическая роль слона как доверенной фигуры, стоящей рядом с королем и королевой, я уже говорил об этом раньше. Вы, Сесар, играли во всем этом необычную роль: белого слона, переодетого черной королевой и действующего то по одну, то по другую сторону доски... Что и явилось причиной вашего поражения в данной партии, которую любопытным образом вы и начали играть именно для этого: чтобы оказаться побежденным. И последний, милосердный, удар вы получаете от своей собственной руки: белый слон съедает черную королеву, антиквар, друг Хулии, собственной игрой выдает невидимого игрока, скорпион вонзает свой ядовитый хвост в самого себя... Уверяю вас, мне впервые в жизни приходится наблюдать самоубийство, совершаемое на шахматной доске, да еще так мастерски...

— Блестяще, — произнес Сесар, и Хулия не поняла, к чему относится этот комментарий: к его собственной игре или к анализу, сделанному Муньосом. — Но скажите мне... В чем заключается, по-вашему, моя идентичность с черной королевой и белым слоном?

— Думаю, не стоит пускаться в подробности: это заняло бы целую ночь, а на детальное обсуждение этой темы ушли бы недели... Сейчас я только могу сказать о том, что увидел на доске. А увидел я двойственную личность: зло, мрачное и черное, Сесар. Ваше женское качество, помните?.. Вы сами однажды попросили меня проанализировать: личность, ущемленная, задавленная своим окружением, вызов существующей над ней власти, сочетание враждебных и гомосексуальных импульсов... Все это скрыто под черными одеждами Беатрисы Бургундской или, что то же самое, шахматной королевы. А с другой стороны этому противостоит, как дневной свет противостоит ночи, ваша любовь к Хулии... Вот другое качество, равно тяжкое для вас: мужское, со всеми соответствующими ему оттенками, эстетика вашего рыцарского поведения, то, чем вы хотели быть, но так и не стали. Роже Аррасский, воплощенный не в коне и не в рыцаре, а в изящном белом офицере, епископе, слоне... Как вам кажется?

Сесар стоял бледный и неподвижный, и в первый раз в жизни Хулия увидела его буквально парализованным удивлением. Потом, спустя несколько мгновений, показавшихся ей бесконечными, заполненными только тиканьем стенных часов, отсчитывающих ритм этого молчания, на лице антиквара проступила слабая улыбка, обозначившаяся в уголках его бескровных губ. Однако на сей раз это было просто машинальное сокращение лицевых мышц, чисто формальная реакция на тот анализ, который Муньос бросил ему в лицо, как бросают перчатку.

— Расскажите мне об этом слоне, — хрипло произнес он.

— Расскажу, раз просите. — Теперь глаза Муньоса оживлял несколько лихорадочный блеск, порожденный воспоминанием о сделанных решающих шагах. Теперь он сквитался с противником за свои сомнения и неуверенность, на которые тот обрек его во время их странного матча. Это был его профессиональный реванш. И, осознав это, Хулия поняла также, что в определенный момент этой партии шахматист поверил в собственное поражение. — Слон, — продолжал Муньос, — фигура, которая более всех других приближается к понятию гомосексуализма: вспомните ее глубокие диагональные ходы... Да. Вы также взяли на себя замечательную роль в облике этого слона, который защищает беспомощную белую королеву и который в конце концов, в порыве возвышенной решимости, запланированном с самого начала, наносит смертельный удар своей собственной темной ипостаси, а кроме того, преподносит своей обожаемой белой королеве поучительный и кошмарный урок... Все это открывалось мне постепенно, по мере того как я сопоставлял и сопрягал возникающие у меня догадки. Но я считал, что вы не играете в шахматы. Поэтому сначала я никоим образом не подозревал вас. А позже, когда начало вырисовываться нечто более определенное, меня охватило недоумение. Вы развивали партию по пути, слишком совершенному для обыкновенного шахматиста и вовсе уж немыслимому для простого любителя... Собственно говоря, я до сих пор недоумеваю.

— Всему есть свое объяснение, — ответил Сесар. —

Но я предпочитаю не прерывать вас, дорогой мой. Продолжайте.

— Да осталось, в общем-то, совсем немного. Во всяком случае, сегодня и здесь. Альваро Ортегу убил кто-то, кто знал его, но мне мало что было известно на этот счет. Однако Менчу Роч никогда не открыла бы дверь чужому, да еще при обстоятельствах, о которых поведал Макс. Вы сказали тогда, в кафе, что уже почти некого подозревать; так оно и было. Я попытался разобраться в этом путем применения последовательных фаз аналитического подхода. Моим противником была не Лола Бельмонте, я понял это, когда встретился с ней. И не ее муж. Что же касается дона Мануэля Бельмонте, то должен сказать, что его любопытные музыкальные парадоксы дали мне немало пищи для размышлений... Но на роль подозреваемого он не годился. Его шахматные... как бы это выразиться... качества явно ниже остальных. Кроме того, он инвалид, что исключало его как виновника гибели Альваро и Менчу. Возможность тандема «дядя — племянница» — с учетом существования блондинки в плаще и темных очках — также не выдержала детального анализа: чего ради им понадобилось красть то, что и так принадлежало им?.. А относительно этого Монтегрифо я кое-что разведал и знаю, что он никогда даже как любитель не занимался шахматами. Кроме всего прочего, Менчу Роч в то утро ни за что не открыла бы ему дверь.

— Следовательно, оставался только я.

— Вы же знаете: после того, как исключено все невозможное, то, что осталось, сколь бы невероятным оно ни казалось, не может не быть правдой.

— Я помню это, дорогой мой. И поздравляю вас. Я рад, что не ошибся в вас.

Салонные разговоры

— Поэтому вы и выбрали меня, правда?.. Вы знали, что я выиграю партию. Вы хотели быть побежденным.

Легким презрительным изгибом губ Сесар дал понять, что это не имеет никакого значения.

— Действительно, я ожидал этого. Я прибег к вашим ценнейшим услугам, потому что Хулии нужен был кто-то, кто направлял бы ее в сошествии в ад... Потому что на этот раз мне приходилось ограничиться тем, чтобы исполнить как можно лучше роль дьявола. Спутника даю тебе... Что я и сделал.

При этих словах глаза девушки сверкнули, голос зазвенел металлом:

— Нет, ты не в дьявола играл, а в Бога. В Бога, определяющего, где добро, где зло, кому жить, а кому умереть.

— Это была твоя игра, Хулия.

— Лжешь. Это была твоя игра. Я стала только предлогом, вот и все.

Антиквар неодобрительно поджал губы.

— Ты ничего не понимаешь, дражайшая моя. Но это теперь не так уж и важно... Посмотрись в любое зеркало и, может быть, ты скажешь, что я прав.

— Знаешь что, Сесар? Иди-ка ты подальше со своими зеркалами.

В его глазах, когда он взглянул на нее, была откровенная боль: так смотрят собаки или дети, которых несправедливо обидели. Но постепенно немой укор, смешанный с абсурдной преданностью, угас в этих голубых глазах, взгляд сделался пустым, отсутствующим и странно влажным. Антиквар медленно повернул голову и снова посмотрел на Муньоса.

— Вы, — проговорил он, и, казалось, ему стоило большого труда снова попасть в тон, которым он вел весь диалог с шахматистом, — еще не сказали мне, каким узлом связали свои индуктивные теории с фактами... Почему вы с Хулией пришли ко мне именно сегодня, а, например, не вчера?

— Потому что вчера вы еще не отказались вторично от взятия белой королевы... А еще потому, что только сегодня вечером я нашел то, что искал: подшивку шахматного еженедельника за четвертый квартал тысяча девятьсот сорок пятого года. В нем есть групповой снимок финалистов одного молодежного шахматного турнира. А на этом снимке среди них и вы, Сесар. На одной странице фотография, а на следующей — все имена и фамилии. Меня лишь удивляет, что не вы выиграли тот турнир... И еще я не совсем понимаю, почему с того момента ваш след как шахматиста затерялся. Вы больше не сыграли официально ни одной партии.

— И я не понимаю кое-чего, — заговорила Хулия. — Или, чтобы быть более точной, я не понимаю очень многих вещей во всем этом безумии... Сколько я помню себя, столько знаю и тебя, Сесар. Я выросла рядом с тобой и думала, что мне известно все о тебе и о твоей жизни, — все, до последних мелочей. Но ты никогда даже не заговаривал о шахматах. Никогда. Почему?

— Это долго объяснять.

— У нас есть время, — сказал Муньос.

Шла последняя партия турнира. На доске оставалось уже немного фигур, борьба велась между пешками и слонами. Возле помоста, на котором сражались финалисты, стояли несколько зрителей, следивших за ходами, которые один из арбитров отмечал на панели, висевшей на стене между портретом каудильо

Франко и календарем, на котором стояло: 12 октября 1945 года. Под панелью, на специальном столике, сиял полированным серебром кубок, предназначенный победителю.

Юноша в сером пиджаке машинально потрогал узел галстука и устремил взгляд на свои — черные — фигуры. Взгляд, исполненный безнадежности. Методичная, беспощадная игра соперника постепенно загнала черных в тупик, выхода из которого не было. В том, как белые развивали эту игру, не было особого блеска: скорее, медленное, но верное движение вперед с помощью прочной исходной защиты — индийской королевской, и преимущества они достигали главным образом тем, что терпеливо выжидали и использовали каждую ошибку противника — одну за другой. То была игра, лишенная воображения, в которой белые не рисковали ничем, но именно поэтому сводили к нулю все попытки черных атаковать белого короля. И вот теперь от черных оставалась лишь горстка разбросанных на доске фигур, не способных ни помочь друг другу, ни даже воспрепятствовать продвижению двух белых пешек, напористо прокладывавших себе путь к восьмой линии.

У юноши в сером пиджаке мутилось в глазах от усталости и стыда. Уверенности в том, что он мог выиграть эту партию, что его игра превосходит игру противника по уровню, смелости и блеску, не хватало для того, чтобы утешить себя перед лицом неизбежного поражения. Его буйное и горячее пятнадцатилетнее воображение, тонкость души, ясность мысли, даже то почти физическое удовольствие, какое он испытывал от прикосновения к деревянным, покрытым лаком фигурам, изящно двигая их по доске, сплетая на черных и белых клетках изысканную ткань игры, казавшейся ему прекрасной и гармоничной, почти совершенной, пропали втуне. Теперь они были унижены и запятнаны тем грубым удовлетворением и презрением, которые так недвусмысленно выражало лицо его счастливого соперника: смуглое лицо мужлана с маленькими глазками и вульгарными чертами. Единственное, благодаря чему тот добился победы, — это осторожное выжидание паука, затаившегося в центре своей паутины, и трусость, не имевшая достойного имени.

Значит, в шахматах тоже так, подумал юноша, игравший черными. А особенно это унижение от незаслуженного проигрыша, от того, что награда достается тем, кто ничем не рискует... Такие ощущения испытывал он в тот момент, сидя перед доской, являвшей собой не просто арену абсурдных стычек между деревянными фигурами, а зеркало самой жизни, состоящей из плоти и крови, из рождения и смерти, героизма и самопожертвования. Как некогда надменные французские рыцари, сраженные при Креси в зените своей громкой, оказавшейся бесполезной славы уэльскими лучниками английского короля, так и этот юноша увидел, как смелые, глубокие атаки его коней и слонов, их прекрасные, сверкающие, точно разящий меч, рывки вперед один за другим разбиваются, подобно тому, как разбиваются о скалу самые мощные и стремительные волны, об упрямую неподвижность его противника. А белый король, ненавистный белый король, защищенный непробиваемой стеной плебеев-пешек, издалека, из своей безопасности, с тем же презрением, что было написано на лице владевшего им игрока, созерцал растерянность и бессилие одинокого черного короля, не способного прийти на помощь своим последним пешкам, которые, разбросанные по полю битвы, но вер-

Салонные разговоры

ные своему долгу, вели отчаянный, безнадежный, похожий на агонию бой.

На этом безжалостном поле брани, составленном из холодных белых и черных клеток, не оставалось места даже для того, чтобы с честью принять свое поражение. Этот разгром уничтожал все: не только самого побежденного, но и его воображение, его мечты, его уважение к себе. Юноша в сером пиджаке оперся локтем на стол, прижал ладонь ко лбу и на миг закрыл глаза, слушая, как звон оружия медленно затихает в долине, заполненной тенями. Никогда больше, сказал он себе. Как галлы, побежденные Римом, которые навеки зарекались произносить имя своего победителя, так и он зарекается на всю оставшуюся жизнь вспоминать о том, что открыло его глазам всю пустоту и суетность славы. Никогда больше он не сядет за шахматную доску. И дай Бог, чтобы он сумел вообще вычеркнуть шахматы из своей памяти, подобно тому, как по смерти фараонов их имена сбивали с обелисков.

Противник, арбитр и зрители ожидали следующего хода с плохо скрываемой скукой: слишком уж затянулся этот финал. Юноша в последний раз взглянул на своего осажденного короля и с печальным ощущением одиночества, видящего другое одиночество, решил, что ему остается только одно: собственной рукой нанести ему последний, милосердный, удар, чтобы избавить от унижения погибнуть, как бродячая собака, загнанным в дальний угол доски. И тогда, жестом бесконечной нежности прикоснувшись своими длинными тонкими пальцами к побежденному королю, он медленно поднял его и осторожно положил на гладкую поверхность доски.

XV

Финал с королевой

*...Моя же породила многочисленные грехи,
а также страсти, несогласие, празднословие —
когда только не ложь — во мне, моем противнике
или в нас обоих. Шахматы понудили меня
забыть о своем долге перед Богом
и перед людьми.*
Харлианский сборник

Закончив, Сесар, рассказывавший тихо, без эмоций, со взглядом, устремленным в какую-то неопределенную точку комнатного пространства, улыбнулся с отсутствующим видом и медленно повернулся, пока глаза его не нашли доску с шахматами из слоновой кости, разложенную на ломберном столике. И тут он пожал плечами, как бы давая понять, что никому не дано выбирать свое прошлое.

— Ты никогда не рассказывал мне об этом, — проговорила Хулия, и звук собственного голоса показался ей неуместным, бессмысленным вторжением в это молчание.

Сесар ответил не сразу. Свет лампы, проходя через пергаментный экран, освещал только часть его лица, оставляя другую в тени, отчего резче выделялись морщины вокруг глаз и рта антиквара, четче очерчивался его аристократический профиль, напоминавший чеканку на старинных медалях.

— Вряд ли я сумел бы рассказать тебе о том, чего не существовало, — тихо, мягко произнес он, и его глаза, а может быть, лишь их блеск, приглушенный полу-

Финал с королевой

мраком, наконец встретились с глазами девушки. — В течение сорока лет я старательно выполнял поставленную себе задачу: думать, что это именно так... — Его улыбка приобрела оттенок насмешки, адресованной, несомненно, себе самому. — Я больше никогда не играл в шахматы, даже без свидетелей. Никогда.

Хулия с удивлением покачала головой. Ей стоило труда поверить во все, что она только что услышала.

— Ты просто болен.

Он хохотнул коротко и сухо. Теперь свет отражался в его глазах, и они казались ледяными.

— Ты меня разочаровываешь, принцесса. Я ожидал, что уж ты-то окажешь мне честь не хвататься за легкие решения. — Он задумчиво взглянул на свой мундштук слоновой кости. — Уверяю тебя, я нахожусь в абсолютно здравом уме. А будь это не так, разве мне удалось бы столь тщательно продумать все подробности этой прелестной истории?

— Прелестной? — Она ошеломленно уставилась на него. — Мы ведь говорили об Альваро, о Менчу... Ты сказал: прелестная история? — Она содрогнулась от ужаса и презрения. — Ради Бога, Сесар! О чем ты говоришь?

Антиквар невозмутимо выдержал ее взгляд, потом повернулся к Муньосу, словно ища поддержки.

— Существуют аспекты... эстетического порядка, — сказал он. — Исключительно своеобразные факторы, которые мы не можем упрощать весьма поверхностным образом. Ведь доска не только белая и черная. Существуют высшие планы, в которых следует рассматривать факты. Объективные планы. — Он взглянул на обоих с неожиданно подавленным выражением, которое казалось искренним. — Я надеялся, что вы поймете.

— Я знаю, что вы хотите сказать, — ответил Муньос, и Хулия удивленно обернулась к нему. Шахматист продолжал стоять посреди салона неподвижно, с руками, засунутыми в карманы мятого плаща. В уголке его рта обрисовывалось самое начало его всегдашней неопределенной, отсутствующей улыбки.

— Знаете? — воскликнула Хулия. — Какого черта можете знать вы?

Она сжала кулаки, возмущенная, сдерживая дыхание, отдававшееся у нее в ушах, как дыхание животного после долгого бега. Но Муньос остался невозмутим, и Хулия заметила, что Сесар бросил на него спокойный благодарный взгляд.

— Я не ошибся, остановив свой выбор на вас, — проговорил антиквар. — И я рад этому.

Муньос не счел нужным отвечать. Он ограничился тем, что обвел глазами комнату — картины, мебель и все, что было в ней, — медленно кивнул, как будто этот осмотр дал ему пищу для неких таинственных выводов. Через пару секунд движением подбородка он указал на Хулию.

— Думаю, она-то имеет право узнать все.

— И вы тоже, дорогой мой, — уточнил Сесар.

— И я тоже. Хотя я здесь выступаю лишь в роли свидетеля.

В его словах не прозвучало ни укора, ни угрозы, словно шахматист предпочитал сохранять какой-то абсурдный нейтралитет. Невозможный нейтралитет, подумала Хулия, потому что рано или поздно наступит момент, когда слова исчерпают себя и нужно будет принять какое-то решение. Однако, заключила она, с трудом стряхивая с себя ощущение нереальности происходящего, до этого момента, похоже, еще слишком далеко.

XV

Финал с королевой

— Тогда начнем, — сказала она и, услышав свой голос, с неожиданным для самой облегчением поняла, что понемногу вновь обретает утраченное спокойствие. Она жестко взглянула на Сесара. — Расскажи нам об Альваро.

Антиквар кивнул в знак согласия.

— Альваро, — тихо повторил он. — Но прежде я должен кое-что сказать о картине... — Лицо его вдруг приняло раздосадованное выражение, как будто он внезапно вспомнил о том, что нарушил какое-то из правил элементарной вежливости.— Я до сих пор ничего не предложил вам, и это совершенно непростительно. Выпьете чего-нибудь?

Никто не ответил. Тогда Сесар направился к большому старинному ларю, который использовал как бар.

— Я впервые увидел эту картину однажды вечером у тебя дома, Хулия. Помнишь?.. Ее привезли всего несколько часов назад, и ты радовалась, как ребенок. Я целый час наблюдал за тобой, пока ты изучала ее во всех подробностях и объясняла мне, какую технику собираешься применить для того, чтобы — цитирую дословно — фламандская доска стала самой прекрасной из твоих работ. — Говоря, Сесар достал узкий высокий стакан из дорогого резного стекла и наполнил его льдом, джином и лимонным соком. — Это было так чудесно, принцесса, — видеть тебя счастливой. И я, честно говоря, тоже был счастлив. — Он повернулся к собеседникам со стаканом в руке и, осторожно попробовав смесь, похоже, остался доволен. — Но я не сказал тебе тогда... Ну... В общем-то, мне и сейчас трудно выразить это словами... Ты восхищалась красотой изображения, совершенством композиции, колорита и света. Я тоже восхищался, но по иным причинам. Эта шахматная доска, эти игроки, склонившиеся над фигурами, эта дама, читающая у окна, пробудили во мне уснувшее эхо старой страсти. Представь себе мое удивление: я считал ее забытой, и вдруг — бабах! — она вернулась, словно прозвучал пушечный выстрел. Я ощутил лихорадочное возбуждение и одновременно ужас, словно бы меня коснулось дыхание безумия.

Антиквар на мгновение замолк, и освещенная половина его рта изогнулась в лукавой улыбке, как будто ему доставляло особое удовольствие смаковать это воспоминание.

— Речь шла не просто о шахматах,— продолжал он, — а о некоем личном, глубинном ощущении, об этой игре как связи между жизнью и смертью, между действительностью и мечтой. И пока ты, Хулия, говорила о пигментах и лаках, я едва слушал: я был поражен тем трепетом наслаждения и какой-то дивной, утонченной муки, что пробегал по моему телу при взгляде на эту фламандскую доску. Однако смотрел я не на то, что Питер ван Гюйс изобразил на ней, а на то, что было в голове у этого человека, этого гениального мастера, когда он писал эту картину.

— И ты решил, что она должна быть твоей... Сесар иронически-укоризненно посмотрел на девушку.

— Не надо так упрощать, принцесса. — Он отпил из стакана небольшой глоток и улыбнулся, словно прося о снисхождении. — Я решил — сразу, вдруг, — что мне просто *необходимо* исчерпать эту страсть до конца. Такая долгая жизнь, как моя, не проходит даром. Несомненно поэтому я тут же уловил — нет, не послание, содержавшееся в картине (которое, как впоследствии выяснилось, являлось ключом к ней), а тот бесспорный факт, что она таит в себе какую-то захватывающую, ужасную загадку. Загадку, которая, возможно, — представь себе, какая мысль! — наконец докажет мою правоту.

— Правоту?

— Да. Мир не так прост, как нас пытаются заставить думать. Очертания нечетки, оттенки имеют огромное значение. Ничто не бывает только черным или только белым, зло может оказаться переодетым добром, безобразие — замаскированной красотой, и наоборот. Одно никогда не исключает другого. Человеческое существо может любить и предавать любимое существо, и его чувство от этого не становится менее реальным. Можно быть одновременно отцом, братом, сыном, любовником, палачом и жертвой... Ты сама можешь привести какие угодно примеры. Жизнь — это неясное приключение на фоне размытого пейзажа, пределы и контуры которого постоянно изменяются, движутся, где границы — это нечто искусственное, где все может завершиться и начаться в любой момент, или может вдруг кончиться — внезапно, как неожиданный удар топора, кончиться навсегда, на никогда. Где единственная реальность — абсолютная, осязаемая, бесспорная и окончательная — это смерть. Где мы сами — не более чем крохотная молния между двумя вечными ночами и где, принцесса, у нас очень мало времени.

— А какое отношение имеет все это к смерти Альваро? Какая тут связь?

— Все на свете имеет отношение ко всему на свете, все связано со всем. — Сесар поднял руку, прося немного терпения. — Кроме того, жизнь — это последовательность фактов, сцепленных друг с другом, иногда без всякого участия чьей бы то ни было воли... — Он посмотрел свой стакан на просвет, как будто в его содержимом плавало продолжение его рассуждений. — И тогда — я имею в виду тот день, когда я был у тебя, Хулия, — я решил выяснить все, что связано с этой картиной. И так же, как и тебе, первым делом мне пришла в голову мысль об Альваро... Я никогда не любил его: ни когда вы были вместе, ни потом. Но между первым периодом и вторым имелась одна существенная разница: я так и не простил это ничтожество за те страдания, которые он причинил тебе...

Хулия, достававшая другую сигарету, задержала движение руки на полпути, с удивлением глядя на Сесара.

— Это было мое дело, — сказала она. — Мое, а не твое.

— Ошибаешься. Это было мое дело. Альваро занял то место, которое никогда не было суждено занять мне. В определенном смысле, — антиквар чуть запнулся, затем улыбнулся с горечью, — он был моим соперником. Единственным мужчиной, которому удалось встать между нами.

— Между мной и Альваро все было кончено... Просто абсурдно связывать одно с другим.

— Не так уж абсурдно, но давай больше не будем об этом. Я ненавидел его, и все тут. Конечно, это не повод для того, чтобы убивать кого бы то ни было. Иначе, уверяю тебя, я не стал бы ждать столько времени... Наш с тобой мир — мир искусства и антикваров — очень тесен. Мне приходилось временами иметь профессиональные дела с Альваро: это было неизбежно. Разумеется, наши отношения нельзя было назвать особенно теплыми, но иногда деньги и заинтересованность сводят людей ближе, чем чувства, создавая весьма странные союзы. Вот тебе доказательство: ты сама, когда возникла проблема с этим ван Гюйсом, обратилась к нему... В общем, я поехал к Альваро и попросил дать мне всю возможную информацию о картине. Разумеется, он работал не из одной любви к искусству. Я предложил ему достаточно солидную сумму. Твой бывший — мир праху его — всегда был дорогим парнем. Весьма дорогим.

— Почему ты ничего не сказал мне об этом?

— По нескольким причинам. Во-первых, я не желал возобновления ваших отношений, даже в профессиональном плане. Никогда нельзя быть уверенным в том, что под пеплом не тлеет уголек... Но было и еще кое-что. Для меня эта картина была связана со слишком сокровенными чувствами. — Он сделал жест в сторону столика, на котором стояли шахматы. — С частью меня самого, от которой, как думалось, я отрекся навсегда. В этот уголок я никому, даже тебе, принцесса, не мог позволить войти. Это означало бы распахнуть дверь для вопросов, обсуждать которые с тобой мне никогда не хватило бы смелости. — Он взглянул на Муньоса, слушавшего молча, не вмешиваясь в разговор.— Думаю, наш друг сумел бы лучше меня просветить тебя на эту тему. Не правда ли? Шахматы как проекция своего «я», поражение как крах разгоревшегося, но так и не реализованного желания, ну и прочие очаровательные гадости в том же духе... Эти длинные, глубокие диагональные движения слонов, скользящих по доске... — Он провел кончиком языка по краю своего стакана и слегка вздрогнул. — Вот так. Старик Зигмунд мог бы многое рассказать тебе про это.

Он вздохнул, словно прощаясь с призраками, населявшими его мир. Потом медленно поднял стакан по направлению к Муньосу, опустился в кресло и развязно закинул ногу на ногу.

— Я не понимаю, — настойчиво проговорила девушка. — Какое отношение все это имеет к Альваро?

— Поначалу не имело почти никакого, — признал антиквар. — Я всего лишь хотел получить от него достаточно простую историческую информацию. И, как я уже сказал, собирался хорошо заплатить за нее. Но все осложнилось, когда и ты решила обратиться к нему... В принципе, в этом не было ничего страшного. Но Альваро, в порыве профессионального благоразумия, достойного всяческих похвал, ни словом не обмолвился тебе о моем интересе к фламандской доске, поскольку я потребовал держать все в строжайшей тайне...

— И ему не показалось странным, что ты занялся этой картиной за моей спиной?

— Нет, абсолютно. А если и да, то вслух он ничего об этом не говорил. Может быть, он подумал, что я хочу преподнести тебе сюрприз, сообщив неизвестные данные... А может — что я собираюсь обойти тебя. — Сесар несколько мгновений с серьезным видом размышлял над этим вариантом. — Вот сейчас, когда я хорошенько подумал... честное слово, за одно это стоило его убить.

— Он пытался предостеречь меня. Он сказал: что-то в последнее время ван Гюйс вошел в моду.

— Подлец до конца, — безапелляционно заключил Сесар. — Этим ничего не значащим предупреждением он вроде бы выполнял свой джентльменский долг по отношению к тебе, но оставался чист и по отношению ко мне. Он всем делал хорошо, получал свои денежки, а кроме того, еще и оставлял двери открытыми на случай, если захотелось бы воскресить в памяти нежные сцены из прошлого... — Он поднял бровь, сопроводив это движение коротким смеш-

Финал с королевой

ком. — Но я ведь рассказывал тебе, что произошло между мной и Альваро. — Он заглянул в свой стакан. — Через два дня после моего визита к нему ты сказала, что на картине имеется скрытая надпись. Я постарался ничем не выдать себя, но на самом деле это сообщение подействовало на меня, как удар тока: оно подтверждало то, что уже подсказала мне интуиция. С фламандской доской действительно связана какая-то тайна... А еще я тут же понял, что это означает большие деньги, поскольку цена на ван Гюйса наверняка взлетит до небес, и, насколько помнится, так я тебе и сказал. Это, вместе с историей картины и ее персонажей, открывало перспективы, которые в тот момент показались мне чудесными: мы с тобой вместе займемся исследованием, углубимся в эту загадку, будем искать решение... Это было бы как в прежние времена, понимаешь? Поиски сокровища, но на сей раз сокровища *реального,* настоящего. Ты, Хулия, стала бы знаменитостью. Твое имя появилось бы в специализированных изданиях, в книгах по искусству. Я... Ради одного того, что я сейчас перечислил, уже стоило бы заняться этим делом. Но, кроме того, для меня погружение в эту игру означало... не знаю, как тебе объяснить, это сложно... означало некий вызов — личного порядка. В одном могу тебя уверить: амбиции здесь ни при чем. Ты веришь мне?

— Верю.

— Я рад. Потому что лишь при этом условии ты сможешь понять то, что случилось потом. — Сесар позвенел льдом в стакане, и этот звук как будто помог ему выстроить свои воспоминания в нужном порядке. — Когда ты ушла, я позвонил Альваро, и мы договорились, что я заеду к нему около полудня. Я поехал — без каких бы то ни было плохих намерений.

Должен сознаться, что я весь дрожал, но это только от возбуждения. Альваро рассказал мне то, что ему удалось выяснить. Я с удовольствием убедился, что ему ничего не известно о существовании скрытой надписи, а уж сам, естественно, не стал вводить его в курс дела. Все шло прекрасно до тех пор, пока он не заговорил о тебе. И вот тут-то, принцесса, все резко изменилось...

— В каком смысле?

— Во всех.

— Я имею в виду — что сказал обо мне Альваро?

Сесар поерзал в кресле, делая вид, что ему вдруг стало неудобно сидеть, и ответил — не сразу, нехотя:

— Твой визит произвел на него весьма сильное впечатление... Или, по крайней мере, он дал мне это понять. И я понял, что ты опасным образом разбередила прежние чувства и что Альваро был бы совсем не против, если бы все вернулось на круги своя. — Он нахмурился, помолчал. — Должен признать, Хулия, все это взбесило меня до такой степени, ты не можешь себе представить. Альваро испортил два года твоей жизни, а мне приходилось сидеть и слушать, как он нагло строит планы снова ворваться в нее... Я прямо сказал ему, чтобы он оставил тебя в покое. Он посмотрел на меня, как на старого нахального педераста, сующего свой нос туда, куда не следует. Мы начали ругаться. Не буду вдаваться в подробности — скажу только, что все это было крайне неприятно. Он обвинил меня в том, что я лезу не в свое дело.

— И он был прав.

— Нет. Ты — это мое дело. Ты — самое важное мое дело на этом свете.

— Не говори глупостей. Я никогда не вернулась бы к Альваро.

Финал с королевой

— А вот я в этом не уверен. Мне отлично известно, как много значил для тебя этот мерзавец... — Он издевательски усмехнулся в пустоту, как будто призрак Альваро, уже бессильный и безобидный, находился тут же, смотря на них. — И тогда, пока мы ругались, я почувствовал, как во мне просыпается моя прежняя ненависть, она так и ударила мне в голову, как стакан твоей подогретой водки. То была, моя девочка, такая ненависть, какой, насколько я помню, я никогда ни к кому не испытывал: хорошая, крепкая, восхитительная *латинская* ненависть. Так что я встал и, думаю, немного изменил хорошему тону, поскольку адресовал ему изысканнейшую порцию отборных оскорблений, которые обычно приберегаю для особых случаев... Сначала моя вспышка удивила его. Потом он зажег трубку и рассмеялся мне в лицо. Он сказал, что ваши отношения рухнули по моей вине. Что это я виноват в том, что ты так и не повзрослела. Что мое присутствие в твоей жизни — он назвал его нездоровым и навязчивым — всегда мешало тебе жить своим умом. «А хуже всего то, — добавил он с оскорбительной улыбкой, — что в глубине души Хулия всегда была влюблена в тебя — именно в тебя, символизирующего для нее отца, которого она почти не знала... И так всю жизнь, по сей день». Сказав это, Альваро сунул руку в карман брюк, пососал свою трубку и взглянул на меня, сощурив глаза, сквозь клубы дыма. «Ваши отношения, — заключил он, — это просто не доведенное до конца кровосмесительство... К счастью, ты гомосексуалист».

Хулия закрыла глаза. Сесар произнес последнюю фразу так, что она осталась как бы незаконченной, и погрузился в молчание, которое девушка, пристыженная, смущенная, не осмеливалась прервать. Когда она наконец собралась с духом, чтобы снова посмотреть на него, антиквар пожал плечами, точно ответственность за то, что ему еще оставалось рассказать, лежала уже не на нем, а на другом.

— Этими словами, принцесса, Альваро подписал себе смертный приговор... Он продолжал сидеть передо мной, спокойно покуривая, но, в сущности, был уже мертв. Не из-за того, что он сказал — в конце концов, это было его личное мнение, заслуживающее уважения не менее, чем любое другое, — а потому, что его суждение открыло мне меня самого, словно он отдернул занавес, на протяжении долгих лет отделявший меня от действительности. Может быть, это суждение просто подтвердило те мысли, которые я всегда старался загнать подальше, в самый темный уголок мозга, не желая озарить их светом разума и логики...

Он остановился, будто потеряв нить своих рассуждений, и нерешительно взглянул сперва на Хулию, затем на Муньоса. Потом улыбнулся как-то странно — робко и в то же время двусмысленно — и, снова поднеся к губам стакан, отпил небольшой глоток.

— И тогда я ощутил внезапный прилив вдохновения.

Хулия заметила, что движение, которое он сделал, чтобы отхлебнуть глоток, стерло с его губ эту непонятную улыбку.

— И перед моими глазами — о чудо! — как в волшебных сказках, вдруг выстроился законченный план. Каждая деталь, бывшая до этого момента сама по себе, отдельно от других, точно и четко встала на свое место. Альваро, ты, я, картина... И этот план охватывал также самую темную часть моего существа, дальние отзвуки, забытые ощущения, уснувшие до поры

Финал с королевой

до времени страсти... Все сложилось в считанные секунды, как гигантская шахматная доска, на которой каждый человек, каждая мысль, каждая ситуация имели соответствующий ей символ — фигуру, свое место в пространстве и времени... То была Партия с большой буквы, великая игра всей моей жизни. И твоей тоже. Потому там было все, принцесса: шахматы, приключение, любовь, жизнь и смерть. А в конце всего гордо стояла ты — свободная от всего и от всех, прекрасная и совершенная, отраженная в чистейшем из зеркал — зеркале зрелости. Ты должна была сыграть в шахматы, Хулия, это было неизбежно. Ты должна была убить нас всех, чтобы наконец стать свободной...

— О Господи...

Антиквар отрицательно покачал головой:

— Господь здесь ни при чем... Клянусь тебе, когда я подошел к Альваро и ударил его в затылок обсидиановой пепельницей, которая стояла у него на столе, я уже не ненавидел его. Это была просто неприятная формальность. Неприятная, но необходимая.

Он внимательно, с любопытством посмотрел на свою правую руку. Казалось, он оценивал, насколько способны стать причиной смерти эти длинные белые пальцы с тщательно ухоженными ногтями, с таким небрежным изяществом державшие сейчас стакан с джином.

— Он свалился, как мешок, — тоном комментатора снова заговорил он, окончив этот осмотр.— Просто рухнул — без единого стона, все еще с трубкой в зубах... Потом, когда он уже лежал на полу... В общем, я удостоверился в том, что он действительно мертв. С помощью еще одного удара, лучше рассчитанного, чем первый. В конце концов, если уж делаешь что-то, так делай как следует, а иначе не стоит и браться... Остальное тебе уже известно: душ и все прочее — это просто были штрихи художественной ретуши. *Brouittez les pistes*[1], говаривал Арсен Люпен... Хотя Менчу — мир праху ее — наверняка приписала бы эти слова Коко Шанель. Бедняга... — Сесар отпил маленький глоток в память Менчу и снова застыл, глядя в пустоту. — Потом я стер свои отпечатки пальцев носовым платком и на всякий случай прихватил с собой пепельницу: ее я выбросил в мусорный бак — совсем в другом месте, далеко оттуда... Нехорошо говорить такое, принцесса, но для первого раза, для такого новичка в области преступлений, каким был я, моя голова сработала тогда просто великолепно. Прежде чем уйти, я забрал информацию о картине, которую Альваро собирался переслать тебе, и на его машинке напечатал твой адрес на конверте.

— А еще взял пачку его белых картонных карточек...

— Нет. Это была остроумная деталь, но она пришла мне в голову позже. Не стоило опять возвращаться за карточками, поэтому я зашел в магазин канцелярских товаров и купил другие, такие же. Но это было несколько дней спустя. Прежде мне нужно было спланировать партию, чтобы сделать каждый ход совершенным. Однако, поскольку ты назначила мне встречу у себя вечером следующего дня, я решил убедиться, что ты получила все документы по картине. Было необходимо, чтобы ты знала все, что касается ее.

— И тогда ты прибег к услугам женщины в плаще...

— Да. И тут мне следует кое в чем признаться тебе. Я никогда не пробовал себя в качестве трансвестита,

---

1   Запутывайте следы *(фр.)*.

да меня это и не привлекает... Пару раз, еще в юности, мне случалось переодеваться женщиной — так просто, для забавы, как будто собираясь на карнавал или маскарад. Всегда без свидетелей — только я и зеркало... — Сесар усмехнулся при этом воспоминании: удовлетворенно, лукаво и снисходительно. — И вот, когда понадобилось переслать тебе конверт, мне показалось забавным повторить этот опыт. Это было нечто вроде старого каприза, понимаешь? Нечто вроде вызова, если тебе угодно рассматривать его с более... более героической точки зрения. Посмотреть, способен ли я обмануть людей, в порядке игры говоря им — определенным образом — правду или часть ее... Так что я отправился за покупками. Достойного вида кабальеро, покупающий женский плащ, сумочку, туфли на низком каблуке, белокурый парик, чулки и платье, не вызывает подозрений, если делает это с самым естественным видом, да еще в большом магазине, где всегда много народу. Любой скажет: это для жены. А все остальное сделали хорошее бритье и макияж — грим у меня в доме водился, и теперь мне ничуть не стыдно в этом признаться. Ничего слишком — ты же знаешь меня. Только самую малость. В почтовом бюро никто ничего не заподозрил. Признаюсь, это был довольно забавный опыт... и поучительный.

Антиквар испустил долгий, подчеркнуто меланхолический вздох, потом нахмурился.

— В общем-то, — снова заговорил он, на этот раз гораздо менее легкомысленным тоном, — это была та часть дела, которую мы можем считать игровой... — Он взглянул на Хулию пристально, сосредоточенно, как будто подбирал слова, находясь перед невидимой, более многочисленной и солидной аудиторией, на которую считал нужным произвести хорошее впечатление. — А дальше начались *настоящие* трудности. Я должен был сориентировать тебя надлежащим образом как в первой части игры — разгадке тайны, так и во второй, гораздо более опасной и сложной... Проблема заключалась в том, что, так сказать, официально я не умел играть в шахматы; мы с тобой вместе должны были заниматься исследованием картины, но у меня оказались связаны руки, я не мог помочь тебе. Это было ужасно. Кроме того, я не мог играть против самого себя: мне нужен был противник. Шахматист высокого класса. Так что не оставалось ничего другого, кроме как найти Вергилия, способного вести тебя по пути этого приключения. Это была последняя фигура, которую мне нужно было поставить на доску.

Он допил стакан и поставил его на стол. Потом, достав из рукава халата шелковый платок, тщательно вытер губы, после чего с дружеской улыбкой взглянул на Муньоса:

— Вот тогда-то, после консультации с моим соседом сеньором Сифуэнтесом, директором клуба имени Капабланки, я и остановился на вашей кандидатуре, друг мой.

Муньос сделал утвердительное движение головой — сверху вниз. Возможно, он размышлял о сомнительном характере подобной чести, но вслух не стал давать никаких комментариев. Его глаза, казавшиеся еще более запавшими в полной теней, слабо освещенной комнате, с любопытством взирали на антиквара.

— Вы никогда не сомневались в том, что выиграю я, — тихо произнес он.

Сесар чуть поклонился в его сторону, ироническим жестом снимая с головы невидимую шляпу.

Финал с королевой

— Действительно никогда, — подтвердил он.— Ваш шахматный талант стал очевиден для меня, как только я увидел, как вы смотрите на ван Гюйса. А кроме того, дражайший мой, я был готов предоставить вам целый ряд отличных подсказок, которые, будучи верно истолкованы, должны были привести вас ко второй загадке — загадке таинственного игрока. — Он удовлетворенно причмокнул, будто смакуя какое-то изысканное кушанье. — Должен признаться, вы произвели на меня огромное впечатление. И, откровенно говоря, продолжаете делать это до сих пор. Вы так восхитительно своеобразно анализируете каждый ход, так последовательно подбираетесь к истине путем исключения всех невероятных гипотез, что заслуживаете единственного титула: мастера высочайшего класса.

— Вы смущаете меня, — отозвался Муньос бесцветным голосом, и Хулия не смогла понять, были эти слова сказаны искренне или с иронией. Сесар, запрокинув голову, безмолвно изобразил довольный смех.

— Должен сказать вам, — уточнил он с двусмысленной, почти кокетливой усмешкой, — что чувствовать, как вы медленно, но верно загоняете меня в угол, постепенно превратилось для меня в источник подлинного возбуждения. Даю вам честное слово. Такого, знаете ли... почти физического, если вы позволите мне употребить это слово. Хотя, в общем-то, вы не совсем в моем вкусе. — Он задумался на некоторое время, как будто решая, к какой категории следует отнести Муньоса, потом, видимо, решил отказаться от этого намерения. — Уже на последних ходах я понял, что вы превращаете меня в единственного возможного подозреваемого. И вы знали, что я это знал...

Думаю, не ошибусь, если скажу, что именно с этого времени мы с вами начали ощущать какую-то близость, не правда ли?.. В ту ночь, что мы просидели на скамейке против дома Хулии, оттоняя сон с помощью моей фляжки с коньяком, мы вели долгую беседу относительно психологических черт убийцы. Вы уже были почти уверены, что я являюсь вашим противником. Я с огромным вниманием слушал вас, когда в ответ на мой вопрос вы изложили все известные гипотезы о патологии в шахматах... Все, кроме одной — правильной. Той, о которой вы ни разу не упоминали до сегодняшнего вечера, но которая, тем не менее, была вам отлично известна. Вы знаете, что я имею в виду.

Муньос сделал еще одно движение головой сверху вниз — утвердительное, спокойное. Сесар указал на Хулию:

— Вы знаете, я знаю, а она не знает. Или, по крайней мере, не знает всего. Следовало бы объяснить ей.

Девушка посмотрела на шахматиста.

— Да, — сказала она, чувствуя усталость и раздражение, относившееся также и к Муньосу. — Пожалуй, вам следовало бы объяснить мне, о чем вы говорите, потому что мне уже начинают надоедать эти ваши взаимные изъявления дружеских чувств.

Шахматист не отрывал глаз от Сесара.

— Математическая природа шахмат, — ответил он, никак не реагируя на раздраженный тон Хулии, — придает этой игре особый характер. Наверное, специалисты определили бы его как садоанальный... Вы знаете, что я имею в виду: шахматы как борьбу между двумя мужчинами, борьбу, что называется, вплотную, в которой возникают такие слова, как агрессия, нарциссизм, мастурбация... Гомосексуальность. Выиг-

Финал с королевой

рать — означает победить отца или мать, то есть того, кто занимает господствующее положение, и самому оказаться сверху. Проиграть — означает быть разбитым, подчиниться.

Сесар поднял палец, прося внимания.

— А победа, — вежливо уточнил он, — предполагает именно это.

— Да, — согласился Муньос. — Победа состоит именно в том, чтобы доказать парадокс, нанеся поражение самому себе. — Он метнул быстрый взгляд на Хулию. — В общем-то, Бельмонте был прав. Эта партия, так же как и картина, подтверждала самое себя.

Антиквар посмотрел на него с восхищенным, почти счастливым выражением.

— Браво, — сказал он. — Обессмертить себя в своем собственном поражении, не так ли?.. Как старик Сократ, когда выпил свой настой цикуты. — Он с торжествующим видом повернулся к Хулии.— Наш дорогой Муньос, принцесса, уже давно знал все это, но не сказал ни единого слова никому: ни тебе, ни мне. А я, уловив в этом молчании намек, относящийся к моей скромной персоне, понял, что мой противник идет по верному пути. И правда, когда он встретился с семейством Бельмонте и смог наконец исключить их из числа подозреваемых, у него больше не осталось сомнений относительно личности его врага. Я ошибаюсь?

— Нет, не ошибаетесь.

— Вы позволите мне один вопрос несколько личного характера?

— Задайте его и увидите, отвечу я или нет.

— Что вы почувствовали, когда нашли правильный ход?.. Когда поняли, что это я?

Муньос мгновение подумал.

— Облегчение, — ответил он. — Я был бы разочарован, окажись на вашем месте другой.

— Разочарованы тем, что ошиблись насчет личности таинственного игрока?.. Мне не хотелось бы преувеличивать свои заслуги, но ведь это было не настолько очевидно, мой дорогой друг. Это было весьма трудно даже для вас. Некоторых из действующих лиц этой истории вы вообще не знали, а мы с вами были знакомы всего лишь пару недель. В качестве рабочего инструмента вы располагали только своей шахматной доской...

— Вы не поняли меня, — возразил Муньос. — Я хотел, чтобы это оказались вы. Вы были симпатичны мне.

Лицо Хулии, переводившей взгляд с одного на другого, выражало растерянность и недоверие.

— Я рада, что вы до такой степени сошлись характерами, — саркастически произнесла она. — Потом, если вам будет угодно, мы можем сходить куда-нибудь выпить по рюмочке и, похлопывая друг друга по плечу, поговорить о том, какой смешной оказалась вся эта история. — Она резко тряхнула головой, чтобы вернуть себе ощущение реальности.— Это невероятно, но у меня ощущение, что я здесь лишняя.

Сесар взглянул на нее с нежностью и отчаянием.

— Есть вещи, которых ты не можешь понять, принцесса.

— Не называй меня принцессой!.. И ты очень ошибаешься. Я все прекрасно понимаю. И теперь я хочу задать тебе вопрос: как бы ты поступил тогда, на рынке Растро, если бы я села в машину и включила зажигание, не обращая внимания на баллончик и карточку, с этой бомбой вместо шины?

— Это просто смешно. — Сесар казался обиженным. — Я никогда не позволил бы тебе...

— Даже рискуя выдать себя?

— Ты знаешь, что да. Муньос говорил об этом несколько минут назад: в действительности тебе не угрожала никакая опасность... В то утро все было рассчитано: в небольшой каморке с двумя выходами, которую я снимаю под магазинчик, была приготовлена женская одежда, а перед этим я и правда встречался с поставщиком, но на это ушло всего несколько минут... Я быстро переоделся, дошел до переулка, проделал все, что надо, с шиной и оставил на капоте пустой баллон и карточку.

Потом задержался на минутку возле торговки образками, чтобы она запомнила меня, вернулся в свою лавочку, снял женское платье и грим и тут же отправился в кафе, где ты назначила мне встречу... Согласись, что все было задумано и выполнено безукоризненно.

— Действительно, до отвращения безукоризненно.

Антиквар неодобрительно поморщился.

— Не будь вульгарной, принцесса. — Его взгляд был исполнен искренней и потому необычной наивности. — Эти ужасные определения не приведут ни к чему.

— Ты столько потрудился только ради того, чтобы запугать меня... Зачем?

— Ведь речь шла о приключении, не так ли? Поэтому было необходимо, чтобы существовала и угроза. Ты можешь представить себе приключение, в котором отсутствовал бы страх?.. Я больше не мог кормить тебя историями, которые так волновали тебя в детстве. Так что мне пришлось придумать для тебя самую необыкновенную историю, какую только я мог изобрести. Приключение, которое ты не забудешь до конца своих дней.

— В этом можешь не сомневаться.

— Тогда моя миссия выполнена. Единоборство разума и тайны, разрушение призраков, окружавших тебя... Тебе этого кажется мало? И прибавь к этому открытие того факта, что Добро и Зло не разграничены, как белые и черные клетки шахматной доски. — Он взглянул на Муньоса и улыбнулся углом рта, как будто только что выдал секрет, известный им обоим. — На самом деле все клетки серые, принцесса; им придает оттенки осознание Зла как результата опыта, знание того, насколько бесплодным и зачастую пассивно несправедливым может оказаться то, что мы именуем Добром. Помнишь моего обожаемого Сеттембрини из «Волшебной горы»?.. Зло, говорил он, это сверкающее оружие разума против могущества мрака и безобразия.

Хулия внимательно вглядывалась в лицо антиквара, наполовину освещенное лампой. В какие-то минуты ей казалось, что говорит только одна из его половин, та, что на виду, или та, что в тени, в то время как другая лишь присутствует при этом. И она спросила себя, какая из них более реальна.

— В то утро, когда мы напали на синий «форд», я любила тебя, Сесар.

Она произнесла эти слова, инстинктивно обращаясь к освещенной половине его лица, но ответила ей другая, скрытая тенью:

— Я знаю. И этого достаточно, чтобы оправдать все... Я не знал, что делает там эта машина; ее появление заинтриговало меня не меньше, чем тебя. Даже гораздо больше — по вполне очевидным причинам: ведь я ее туда не приглашал... Прости мне эту сомнительную шутку, дорогая. — Он тихо покачал головой, вспоминая. — Должен признать, что эти несколько

Финал с королевой

метров, которые мы прошли вместе — ты с пистолетом в руке, я с моей патетического вида кочергой, — и нападение на этих двух идиотов, когда мы еще не знали, что это люди главного инспектора Фейхоо... — Он помахал руками в воздухе, как будто ему не хватало слов. — Это было по-настоящему чудесно. Я смотрел, как ты шла на врага — по прямой, со сдвинутыми бровями и сжатыми зубами, отважная и ужасная, как фурия, жаждущая мщения, — и испытывал, клянусь тебе, вместе с моим собственным возбуждением, надменную гордость. «Вот женщина, которую не сокрушить никому», — подумал я, восхищенный... Будь твой характер иным, неустойчивым или хрупким, я ни за что не подверг бы тебя этому испытанию. Но я был рядом с тобой с самого твоего рождения, и я знаю тебя. Я был уверен, что ты выйдешь из него обновленной: более твердой, более сильной.

— Но слишком уж дорогой ценой, тебе не кажется? Альваро, Менчу... Ты сам.

— Ах да, Менчу. — Алтиквар как будто с трудом соображал, о ком говорит Хулия. — Бедняга Менчу, она вмешалась в игру, которая была слишком сложна для нее...— Наконец он вроде бы вспомнил и нахмурился. — В определенном смысле это была блестящая импровизация — хотя, возможно, это звучит нескромно. Я позвонил тебе утром, довольно рано, чтобы узнать, чем все кончилось накануне. К телефону подошла Менчу, сказала, что тебя нет дома. Мне показалось, что ей не терпится положить трубку — теперь нам уже известно почему. Она ждала Макса, чтобы привести в исполнение этот нелепый план похищения картины. Я, естественно, этого не знал. Но, едва я положил трубку, моему мысленному взору предстал мой собственный ход: Менчу, картина, твой дом... полчаса спустя я уже звонил в твою дверь под видом блондинки в плаще.

Дойдя до этого момента, Сесар усмехнулся, словно приглашая Хулию найти юмористические стороны в его повествовании.

— Я всегда говорил тебе, принцесса,— продолжал он, подняв бровь, как будто рассказывал неудачный анекдот без особой надежды на успех,— что тебе следовало бы установить на двери угловой глазок: они очень полезны, когда требуется узнать, кто в нее звонит. Может быть, Менчу не открыла бы дверь блондинке в темных очках. Но она услышала голос Сесара, объясняющего, что он пришел со срочным поручением от тебя. Она не могла не открыть дверь, и она сделала это. — Он развел руки ладонями вверх, точно посмертно извиняя Менчу за ее ошибку. — Полагаю, в тот момент она подумала, что я могу испортить всю запланированную ею с Максом операцию, но ее тревога обратилась в удивление при виде незнакомой женщины, стоящей на пороге. Я успел заметить выражение ее глаз, удивленных и широко раскрытых, прежде чем нанес ей удар по трахее. Уверен, что она умерла, так и не поняв, кто ее убийца... Я закрыл дверь и принялся было подготавливать все, что нужно, но вдруг услышал, как кто-то поворачивает ключ в замке. Этого я никак не ожидал.

— Это был Макс,— сказала Хулия, сама не зная зачем.

— Да. Это был тот смазливый альфонс, который явился во второй раз — я понял это позже, когда он рассказал тебе обо всем в полицейском участке, — чтобы унести картину и подготовить пожар в твоем доме. Весь план, повторяю, был просто смешон, но, с другой стороны, вполне в духе Менчу и этого кретина.

— А вдруг бы это я отпирала дверь? Ты подумал о такой возможности?

— Сознаюсь, что, услышав звук поворачиваемого ключа, я подумал, что это ты, а не Макс.

— И как ты собирался поступить? Тоже перебить мне трахею ударом кулака?

Антиквар снова взглянул на нее с горечью, как человек, которого незаслуженно обидели.

— Этот вопрос, — он поискал подходящее слово, — абсурден и жесток.

— Да что ты!

— Да, именно так. Не знаю точно, какой была бы моя реакция, потому что на какой-то миг меня охватило чувство обреченности, и у меня в голове билась только одна мысль: убежать, спрятаться... Я укрылся в ванной и даже старался не дышать, лихорадочно обдумывая, как бы выбраться оттуда. Но тебе в любом случае ничто не грозило. Партия закончилась бы досрочно, на полпути. Вот и все.

Хулия недоверчиво выпятила нижнюю губу. Слова так и жгли ей рот.

— Я не могу верить тебе, Сесар. Больше не могу.

— Тот факт, веришь ты мне или нет, дражайшая моя, ничего не меняет. — Он пожал плечами, как бы смиряясь со своей судьбой; казалось, разговор начинал утомлять его.— Сейчас уже все равно... Главное то, что это была не ты, а Макс. Из-за двери я слышал, как он бормочет: «Менчу, Менчу», охваченный ужасом, но закричать он так и не осмелился, негодяй. К этому моменту я уже обрел спокойствие. У меня в кармане лежал известный тебе стилет — тот, работы Челлини. Сунься Макс шарить по комнатам, он самым дурацким образом заполучил бы его себе в сердце: раз — и все. Если бы он открыл дверь ванной, то и пикнуть бы не успел. К счастью для него, а также и для меня, ему не хватило храбрости начать разнюхивать, и он предпочел удрать — так и скатился кубарем по лестнице. Мой герой.

Он остановился, чтобы вздохнуть, на сей раз безо всякой рисовки.

— Этому он и обязан тем, что еще жив, остолоп этакий, — прибавил Сесар, поднимаясь с кресла; казалось, он сожалеет о том, что Макс пребывает в столь добром здравии. Встав, Сесар взглянул на Хулию, затем на Муньоса, которые продолжали молча смотреть на него, сделал по комнате несколько шагов, заглушаемых мягким ковром. — Мне следовало бы поступить, как Макс: скорее унести ноги, поскольку неизвестно было, не появится ли с минуты на минуту полиция. Но мне помешало то, что можно было бы назвать вопросом моей чести художника, так что я оттащил Менчу в спальню и... Ну, в общем, ты знаешь: немного подправил декорации, потому что был уверен, что счет за все отправят Максу. На эти дела у меня ушло минут пять.

— Зачем тебе такое понадобилось проделывать... ну, с этой бутылкой? Это ведь не было необходимо. А просто отвратительно и ужасно.

Антиквар прищелкнул языком. Остановившись перед одной из висящих на стене картин — «Марс» Луки Джордано, он смотрел на него с таким выражением, как будто не он сам, а этот бог, закованный в блестящие пластины своих средневековых лат, должен был дать ответ на вопрос Хулии.

— Бутылка, — пробормотал он, не оборачиваясь, — это был дополнительный штрих... Порыв вдохновения, осенившего меня в последнюю минуту.

— Который ничего общего не имел с шахмата-

Финал с королевой

ми, — уточнила Хулия звенящим и резким, как лезвие бритвы, голосом. — Скорее это было сведение счетов. Со всем женским полом.

Антиквар, не отвечая, продолжал безмолвно созерцать картину.

— Я не слышу твоего ответа, Сесар. А ведь ты обычно отвечал на любые вопросы.

Он медленно повернулся к ней. На сей раз его взгляд не просил о снисхождении и не поблескивал иронией: он был далеким, непроницаемым.

— Потом, — произнес наконец антиквар каким-то отсутствующим тоном, точно и не слышал слов Хулии, — я напечатал на твоей пишущей машинке следующий ход, завернул в газету картину, уже упакованную Максом, и вышел с ней под мышкой. Вот и все.

Он проговорил это нейтральным, лишенным всяких интонаций голосом, как будто этот разговор уже не представлял для него ни малейшего интереса. Но Хулия отнюдь не считала вопрос исчерпанным.

— Зачем было убивать Менчу?.. Ты ведь приходил ко мне, как к себе домой, мог в любое время войти и выйти. У тебя был миллион других способов украсть картину.

Эти слова снова вызвали искру оживления в глазах антиквара.

— Мне кажется, принцесса, ты стараешься придать краже фламандской доски слишком уж большое значение. А на самом деле это была просто одна из деталей, потому что во всей этой истории одно дополняет другое. — Он задумался, ища подходящие слова. — Менчу должна была умереть по нескольким соображениям: некоторые из них сейчас называть не стоит, а некоторые — просто необходимо. Скажем так: одни из них чисто эстетического порядка —

вспомни, как наш друг Муньос с удивительной проницательностью обнаружил связь между фамилией Менчу и ладьей, съеденной на доске, другие более глубоки... Я организовал все это, чтобы освободить тебя от всех ненужных влияний, от всего того, что связывало тебя, приковывало к прошлому. Менчу, к своему несчастью, со своей врожденной глупостью и вульгарностью, была одной из этих цепей — так же, как и Альваро.

— А кто дал тебе право распоряжаться жизнями и смертями?

Антиквар усмехнулся: так, наверное, мог усмехнуться Мефистофель.

— Я сам дал себе это право. Я сам. И прости, если это звучит чересчур дерзко... — Тут, казалось, он вспомнил о присутствии шахматиста. — Что касается остальной части партии, у меня было мало времени... Муньос шел по моему следу — как говорится, дышал мне в затылок. Еще пара ходов — и он просто указал бы на меня пальцем. Но я был уверен, что наш дорогой друг не станет вмешиваться, пока не будет абсолютно убежден в своей правоте. С другой стороны, он уже точно знал, что тебе не грозит никакая опасность... Ведь он тоже художник в своем роде. Поэтому он позволил мне продолжать действовать, пока сам искал доказательства, которые подтвердили бы его аналитические выводы... Верно я говорю, друг мой Муньос?

Шахматист вместо ответа медленно кивнул. Сесар тем временем, приблизившись к столику, на котором стояли шахматы, несколько секунд разглядывал их, потом осторожно, как будто она была стеклянной, взял белую королеву и долго смотрел на нее.

— Сегодня вечером, — наконец заговорил он, — когда ты работала в мастерской музея Прадо, я явился туда за десять минут до закрытия. Немного походил по залам первого этажа и сунул карточку за раму картины Брейгеля. Потом зашел в кафе выпить кофе, некоторое время подождал и позвонил тебе. Больше ничего. Единственное, чего я не мог предвидеть — это что Муньос разыщет в пыли клубной библиотеки этот старый шахматный журнал. Я и сам-то забыл о его существовании.

— Кое-что не сходится, — проговорил вдруг Муньос, и Хулия удивленно обернулась к нему. Шахматист, склонив голову к плечу, пристально смотрел на Сесара, и в глазах его горел огонь требовательного интереса, как когда он сосредоточенно разглядывал доску, просчитывая возможные последствия оказавшегося не слишком убедительным для него хода. — Вы блестящий игрок; в этом я с вами согласен. Или, по крайней мере, вы обладаете всеми качествами, чтобы быть таковым. Но все же я не верю, чтобы вы сами смогли сыграть эту партию так, как сыграли... Ваши комбинации были слишком совершенны, просто немыслимы для человека, сорок лет не прикасавшегося к шахматам. В этой игре важны практика, опыт; поэтому я уверен, что вы солгали нам. Или вы много играли за эти годы, или теперь кто-то помогал вам. Я сожалею, что мне теперь приходится ранить ваше тщеславие, Сесар. Но у вас есть сообщник.

Никогда еще между ними не возникало такого длительного плотного молчания, как то, что воцарилось вслед за этими словами. Хулия растерянно смотрела на обоих, не в силах поверить тому, что сказал Муньос. Но когда она уже почти открыла рот, чтобы крикнуть, что все это — гигантская чепуха, она увидела, как Сесар, чье лицо обратилось в непроницаемую маску, вдруг иронически поднял бровь. Улыбка, появившаяся затем на его губах, была улыбкой признательности и восхищения. Антиквар сложил руки на груди, глубоко вздохнул и сделал утвердительное движение головой.

— Друг мой, — проговорил он медленно, растягивая слова. — Вы заслуживаете гораздо большего, чем быть просто никому не известным шахматистом, который приходит по субботам и воскресеньям в клуб своего квартала, чтобы сыграть партию-другую. — Он повел правой рукой в сторону, будто указывая на присутствие кого-то, кто все время находился рядом с ними, скрытый тенями, окутывающими комнату. — Действительно, у меня есть сообщник. Есть, и я признаю это, хотя в данном случае он может считать себя в полной безопасности, вдали от карающей руки правосудия. Хотите знать, как его зовут?

— Надеюсь, вы мне это скажете.

— Разумеется, скажу, потому что не думаю, что это сильно повредит ему. — Он снова улыбнулся, на этот раз шире, чем раньше. — Надеюсь, вы не обидитесь, мой уважаемый друг, что я припас для себя это маленькое удовольствие. Поверьте, весьма приятно убедиться, что все-таки вы не сумели докопаться до всего. Вы не догадываетесь, о ком идет речь?

— Должен признаться, нет. Но я уверен, что не знаю его.

— И вы совершенно правы. Его зовут Альфа ПС-1212; это персональный компьютер, работающий со сложной шахматной программой, предусматривающей двадцать уровней игры... Я приобрел его на следующий день после того, как убил Альваро.

В первый раз за все то время, что она знала Муньоса, Хулия увидела, как его лицо выразило удивление. Огонек в его глазах погас, рот приоткрылся.

Финал с королевой

— Вы мне ничего не скажете? — спросил антиквар, с несколько ироническим любопытством глядя на него.

Муньос долго смотрел на Сесара, не отвечая, потом повернул лицо к Хулии.

— Дайте мне сигарету, — тусклым голосом попросил он.

Она протянула ему свою пачку, и шахматист некоторое время вертел ее в руках, прежде чем извлечь сигарету и сунуть ее в рот. Хулия поднесла ему зажигалку, и он медленно глубоко затянулся, наполнив дымом легкие. Казалось, он находился за тысячи километров от этой комнаты.

— Это нелегко, правда? — спросил Сесар, тихонько посмеиваясь. — Все это время вы играли против обыкновенного компьютера, лишенного чувств и эмоций... Согласитесь, речь идет о восхитительном парадоксе, весьма подходящем в качестве символа времени, в котором мы живем. По мнению Эдгара Аллана По, внутри знаменитого «игрока из Мелцела» находился спрятанный человек... Помните?.. Но все меняется, друг мой. Теперь за человеком прячется автомат. — Он поднял белую королеву, выточенную из пожелтевшей от времени слоновой кости, и с насмешливым видом показал ее Муньосу. — И весь ваш талант, ваше воображение, ваша необыкновенная способность к математическому анализу, дорогой сеньор Муньос, имеют свой эквивалент — как ироническое отражение в зеркале, возвращающем нам карикатурный образ того, что мы есть, — в виде простой пластмассовой дискеты, умещающейся на ладони... Я очень боюсь, что, так же как и Хулия, после всего этого вы уже не сможете оставаться таким, как прежде. Хотя в вашем случае, — его лицо приняло задумчивое выражение, — я сомневаюсь, что вы выиграете от этой перемены.

Муньос не ответил. Он продолжал стоять, снова засунув руки в карманы, зажав в зубах сигарету, дым которой заставлял его щурить опять ставшие пустыми глаза; он напоминал детектива из какого-нибудь выцветшего черно-белого фильма, изображающего пародию на самого себя.

— Мне жаль, — заключил Сесар, на сей раз, казалось, искренне. Потом, снова поставив белую королеву на доску с видом человека, завершающего приятный вечер, взглянул на Хулию. — Чтобы закончить, — сказал он, — я покажу вам кое-что.

Он подошел к бюро из красного дерева, открыл один из ящиков и вынул из него толстый запечатанный конверт, затем три фарфоровые фигурки работы Бустелли.

— Награда твоя, принцесса. — Он улыбнулся девушке с лукавым блеском в глазах. — Тебе снова удалось отыскать сокровище. Теперь можешь делать с ним что хочешь.

Хулия подозрительно взглянула на конверт и фарфоровые статуэтки.

— Не понимаю.

— Сейчас поймешь. Потому что в течение этих недель у меня было время для того, чтобы позаботиться о твоих интересах... В данный момент «Игра в шахматы» находится в самом подходящем для нее месте: в сейфе одного швейцарского банка, арендуемом неким акционерным обществом, которое существует только на бумаге и имеет свою штаб-квартиру в Панаме... Швейцарские адвокаты и банкиры — люди довольно скучные, но аккуратные, не задающие никаких вопросов до тех пор, пока ты уважаешь зако-

Финал с королевой

ны их страны и выплачиваешь им соответствующие гонорары. — Он положил конверт на столик рядом с Хулией. — В этом акционерном обществе, вся информация о котором тут, в конверте, тебе принадлежит семьдесят пять процентов акций; один швейцарский адвокат, чье имя ты наверняка хоть раз, да слышала от меня, Деметриус Циглер, мой старый друг, взял на себя все хлопоты по ведению дел. И никто, кроме нас и еще одного человека, о котором мы поговорим позже, не знает, что в этом сейфе какой-то период будет находиться картина ван Гюйса, хорошо и надежно упакованная... А тем временем история, связанная с «Игрой в шахматы», превратится в событие номер один в жизни мира искусства. Все средства массовой информации, все специализированные издания обсосут его до косточек. По предварительным прикидкам, международная цена фламандской доски может достигнуть нескольких миллионов... Долларов, разумеется.

Недоумевающе, недоверчиво Хулия взглянула сначала на конверт, затем на Сесара.

— Какая разница, сколько он будет стоить, — пробормотала Хулия, с трудом шевеля непослушными губами. — Украденную картину нельзя продать. Даже за границей.

— Это зависит от того, кому и как продать, — ответил антиквар. — Когда ситуация дозреет — скажем, месяца через два, — картина покинет свое нынешнее убежище и появится... не на аукционе, а на подпольном рынке произведений искусства. В конце концов она попадет на стену салона какого-нибудь коллекционера-миллионера — бразильского, греческого или японского; их сколько угодно, и все они набрасываются, как акулы, на ценные произведения, чтобы, в свою очередь, продать их дальше или удовлетворить свои личные страсти, связанные с роскошью, властью и красотой. Кроме того, это выгодное долгосрочное капиталовложение, поскольку в некоторых странах, согласно законодательству, срок давности для розыска похищенных произведений искусства истекает через двадцать лет... А ты еще восхитительно молода. Разве это не чудесно? В любом случае эти вещи уже не должны тебя беспокоить. Главное то, что сейчас, в течение ближайших месяцев, банковский счет твоего свежеиспеченного Панамского общества, открытый два дня назад в другом уважаемом банке Цюриха, увеличится на несколько миллионов долларов... Тебе ничем не придется заниматься, потому что другой человек возьмет на себя все обязанности, связанные с проведением этих сделок. Я все устроил, принцесса, и лично убедился, что ничто нигде не сорвется. Убедился также и в необходимой для дела надежности этого человека. Надежность эта, между прочим, хорошо оплачивается, но от этого она ничуть не хуже любой другой; даже, сказал бы я, лучше. Никогда не доверяй лояльности, не основанной на интересе.

— Кто это? Твой швейцарский друг?

— Нет. Циглер — методичный и дельный адвокат, но есть области, в которых его компетенция не столь высока. Поэтому я обратился к человеку, имеющему нужные связи, абсолютно, прямо-таки восхитительно нещепетильному и обладающему достаточным опытом, чтобы с легкостью ориентироваться в этом сложном подпольном мире: к Пако Монтегрифо.

— Ты шутишь.

— Я никогда не шучу, если речь идет о деньгах. Монтегрифо — весьма любопытный персонаж, который, между прочим, немного влюблен в тебя, хотя это и не имеет отношения к делу. Важно то, что этот человек, удивительно бессовестный и одновременно чрезвычайно ловкий, никогда не сыграет с тобой злой шутки.

— Не понимаю почему. Если картина у него, мы можем проститься с ней. Монтегрифо способен продать родную мать за какую-нибудь несчастную акварель.

— Да. Но тебя он продать *не может*. Во-первых, потому что мы с Деметриусом Циглером заставили его подписать целую кучу документов, которые, будь они предъявлены где бы то ни было, не имеют законной силы, поскольку все это дело — откровенное преступление, но которых достаточно, чтобы доказать, что ты не имеешь к этому абсолютно никакого отношения. А также чтобы максимально связать его самого — на случай, если проболтается или вздумает нечисто играть: до такой степени, что дело дойдет до объявления его в международный розыск и прочих прелестей, которые не позволят ему вздохнуть спокойно до последней минуты жизни... С другой стороны, я владею кое-какими секретами, обнародование которых сильно повредит его репутации и создаст ему весьма серьезные проблемы с правосудием. Между прочим, насколько мне известно, Монтегрифо, по меньшей мере дважды, занимался вывозом из страны и незаконной продажей предметов, включенных в Национальное художественное достояние, которые попали в мои руки, а я передал их ему: складень пятнадцатого века, предположительно работы Переса Ольеры, украденный из церкви Пресвятой Девы Марии в Каскальсе в тысяча девятьсот семьдесят восьмом году, и тот знаменитый Хуан де Фландес, исчезнувший четыре года назад из коллекции герцогов Оливарес, помнишь?

— Да. Но я никогда и представить себе не могла, что ты...

Сесар равнодушно пожал плечами.

— Такова жизнь, принцесса. В моем деле, так же как и в любом другом, кристальная честность — это самый верный путь к голодной смерти... Однако мы говорили не обо мне, а о Монтегрифо. Разумеется, он постарается прикарманить столько, сколько сможет: это уж неизбежно. Но он будет держаться в таких пределах, которые не нанесут ущерба минимальной прибыли, гарантированной для твоего Панамского общества, чьи интересы Циглер будет охранять, как доберман. Когда дело будет закончено, Циглер автоматически переведет деньги с банковского счета акционерного общества на другой счет, частный, номер которого тихо и скромно принадлежит тебе, и ликвидирует само общество, чтобы замести следы, а также уничтожит всю документацию, кроме той, что относится к темному прошлому Монтегрифо. Эту он сохранит, чтобы честность нашего друга-аукциониста была тебе гарантирована. Хотя я уверен, что эта мера предосторожности уже излишняя... Кстати, мой добрый Циглер получил четкие инструкции направить треть твоих прибылей на разного рода капиталовложения, надежные и рентабельные, которые отмоют эти деньги и гарантируют тебе — даже в случае, если ты примешься весело проматывать свое богатство, — солидный достаток до конца твоих дней. Следуй советам Циглера безо всяких сомнений, ибо он хороший человек, которого я знаю вот уже более двух десятков лет: честный, кальвинист и гомосексуалист. Разумеется, он будет скрупулезно вычитать из твоих денег свои комиссионные и необходимые суммы на покрытие расходов.

XV
Финал с королевой

Хулия, до сих пор слушавшая его, сидя неподвижно, содрогнулась. Все укладывалось в схему Сесара просто идеально, как части какой-то невероятной головоломки. Он не оставил ни одной ниточки за пределами клубка. Посмотрев на антиквара долгим взглядом, она встала и сделала несколько шагов по комнате, пытаясь осмыслить услышанное. Что-то многовато для одного вечера, подумала она, останавливаясь перед Муньосом, невозмутимо взиравшим на нее, все еще с почти погасшим окурком во рту. Может быть, этого многовато и для одной жизни.

— Я вижу, — сказала девушка, снова поворачиваясь к антиквару, — что ты предусмотрел все... или почти все. А ты подумал о доне Мануэле Бельмонте? Может быть, тебе это покажется маловажной деталью, но владелец картины все-таки он.

— Я подумал и об этом. Естественно, у тебя может случиться весьма похвальный кризис совести, и ты решишь, что отвергаешь мой план. В этом случае тебе стоит только слово сказать Циглеру, и фламандская доска объявится там, где тебе будет угодно. Монтегрифо, конечно, получит инфаркт, но ему придется смириться. В общем-то, все останется так, как прежде: скандал вокруг картины повысит ее цену, а «Клэймор», согласно имеющемуся у него праву, выставит ее на аукцион... Но в случае, если ты все-таки склонишься в пользу практического смысла жизни, вот тебе аргументы, чтобы успокоить твою совесть. Бельмонте отказывается от картины ради денег, значит, помимо сентиментальной ценности, она имеет еще и экономическую. А в этом смысле утрата ее покрывается страховкой. Кроме того, никто не мешает тебе анонимным образом передать Бельмонте в порядке возмещения убытков такую сумму, какую ты сочтешь нужной. Денег у тебя на это хватит с лихвой. Что же касается Муньоса...

— Да, кстати, — отозвался шахматист. — Честно говоря, мне весьма любопытно узнать, какова моя участь.

Сесар хитро взглянул на него.

— А вам, дорогой мой, выпал выигрышный билет.

— Что вы говорите!

— Именно то, что вы слышали. Предвидя, что второй белый конь может все-таки выйти живым из этой партии, я взял на себя смелость документально оформить его участие в упомянутом акционерном обществе, назначив ему в собственность двадцать пять процентов акций. Что, помимо прочего, позволит вам почаще покупать себе новые рубашки и предаваться игре в шахматы, скажем, на Багамских островах, если вас устраивает это место.

Муньос поднес руку ко рту, ухватил двумя пальцами погасший окурок, посмотрел на него и явно преднамеренно уронил на ковер.

— Я нахожу это весьма щедрым с вашей стороны, — проговорил он.

Сесар взглянул на окурок на полу, затем на шахматиста.

— Это самое меньшее из того, что я могу сделать. Нужно каким-то образом купить ваше молчание; а кроме того, вы это заслужили, даже с лихвой... Скажем так: это моя вам компенсация за эту шутку с компьютером.

— А вам не приходило в голову, что я могу отказаться участвовать во всем этом?

— Приходило. Честное слово, приходило. В общем-то, если хорошенько подумать, вы довольно странный тип. Но это уже не мое дело. Вы с Хулией

Финал с королевой

теперь партнеры, так что разбирайтесь сами. А мне нужно думать о других вещах.

— Еще остался ты сам, Сесар, — сказала Хулия.

— Я? — Антиквар улыбнулся, и в этой улыбке девушке почудилась боль. — Дорогая моя принцесса, у меня целая куча грехов, которые надо искупить, и очень мало времени. — Он указал на запечатанный конверт на столе. — Там также лежит подробная исповедь, повествующая обо всей этой истории от начала до конца, за исключением, разумеется, нашей швейцарской комбинации. Ты, Муньос и — пока что — Монтегрифо остаетесь чисты, как ангелы. Что касается картины, я там детально описываю, как уничтожил ее по личным и сентиментальным причинам. Уверен, что, досконально изучив мое признание, полицейские психиатры признают меня опасным шизофреником.

— Ты собираешься уехать за границу?

— Ни в коем случае. Если человек ищет место, куда уехать, то это лишь для того, чтобы совершить путешествие. Но я уже слишком стар. С другой стороны, тюрьма или сумасшедший дом меня тоже не привлекают. Думаю, это довольно неприятно, когда все эти симпатичные санитары с квадратными плечами тащат тебя под холодный душ или что-нибудь другое в том же роде. Боюсь, что нет, дорогая. Мне уже за пятьдесят, и подобные эмоции не для меня. Кроме того, есть еще одна небольшая деталь.

Хулия угрюмо взглянула на него.

— Что еще за деталь?

— Тебе приходилось слышать, — Сесар иронически усмехнулся, — о такой вещи, которая называется *синдромом приобретенного черт-его-знает-чего* и которая в последнее время, похоже, все больше входит в моду?.. Так вот, мой поезд приближается к конечной станции. Говорят.

— Врешь.

— Ни капельки. Знаешь, как в метро: конечная, просьба освободить вагоны.

Хулия закрыла глаза. Внезапно все, что окружало ее, словно бы растаяло, и в ее сознании остался только слабый глухой звук, похожий на тот, что производит камень, падая в середину пруда. Когда она разжала веки, они были мокры от слез.

— Ты врешь, Сесар. Только не ты. Скажи, что ты врешь.

— Хотел бы соврать, принцесса. Честное слово, я был бы просто счастлив, если бы мог сказать тебе, что все это — просто шутка весьма дурного вкуса. Но жизнь умеет и любит играть с нами подобные шутки.

— Когда ты узнал?

Антиквар томно и презрительно махнул рукой, как будто время перестало иметь для него значение:

— Месяца два назад. Все началось с появления маленькой опухоли в прямой кишке. Довольно неприятная вещь.

— И ты никогда ничего не говорил мне.

— Зачем?.. Прости, если я покажусь тебе неделикатным, принцесса, но моя прямая кишка всегда была моим сугубо личным делом.

— Сколько тебе осталось?

— Не так уж много: кажется, шесть или семь месяцев. И говорят, что при этом катастрофически худеют.

— Тогда тебя отправят в больницу. В больницу, а не в тюрьму. Даже не в сумасшедший дом. Сесар со спокойной улыбкой покачал головой.

— Меня не отправят ни в одно из этих мест, дражайшая моя. Ты представляешь, как это ужасно — уме-

Финал с королевой

реть от такой вульгарной причины?.. Нет, нет. Ни за
что. Теперь *все подряд* умирают от этого, так что я
имею право придать делу хоть немного личный характер... наверное, это просто кошмар — уносить с собой
в качестве последнего воспоминания образ капельни-
цы, болтающейся у тебя над головой, посетителей,
наступающих на твой кислородный шланг, и прочего
в том же духе... — Он обвел взглядом свою комнату:
мебель, ковры, картины. — Я предпочитаю финал во
флорентийском стиле, среди вещей, которые я люблю.
Такой выход из положения, разумный и более приятный, больше соответствует моим вкусам и характеру.

— Когда?

— Скоро. Как только вы будете настолько любез-
ны, что оставите меня одного.

Муньос ждал ее на улице, прислонившись к стене
и до самых ушей подняв воротник плаща. Казалось,
он был поглощен какими-то тайными размышлениями, и, когда Хулия, выйдя из подъезда, подошла к
нему, он не сразу поднял на нее глаза.

— Как он собирается сделать это? — спросил он.

— Синильная кислота. У него уже много лет при-
прятана ампула. — Хулия горько усмехнулась. — Он
говорит, что более героическим жестом было бы за-
стрелиться, но что в таких случаях на лице остается
неприятное испуганное выражение. Он предпочитает хорошо выглядеть.

— Понимаю.

Хулия зажгла сигарету. Медленно, нарочито затя-
гивая движения.

— Тут недалеко, за углом, есть телефонная каби-
на...— Она с отсутствующим выражением взглянула
на Муньоса. — Он попросил меня, чтобы мы дали ему
десять минут — прежде чем вызывать полицию.

Они побрели по тротуару, рядом, под желтоватым светом фонарей. В конце пустынной улицы светофор загорался попеременно зеленым, янтарно-желтым и красным. Его последний отсвет упал на лицо Хулии, очертив на нем нереальные глубокие тени.

— Что вы думаете делать теперь? — спросил Муньос. Он говорил, не смотря на нее, уперевшись взглядом в асфальт под ногами. Она пожала плечами.

— Это зависит от вас.

И тут впервые Хулия услышала, как Муньос смеется. Это был низкий, мягкий, несколько носовой смех, исходивший, казалось, из самых глубин его тела. На какую-то долю секунды девушке почудилось, что человек, смеющийся рядом с ней,— не шахматист Муньос, а один из персонажей фламандской доски.

— Ваш друг Сесар прав,— сказал Муньос.— Мне действительно нужны новые рубашки.

Хулия погладила кончиками пальцев три фарфоровые фигурки — Октавио, Лусинду и Скарамуччу,— лежавшие в кармане ее плаща вместе с запечатанным конвертом. От ночного холода губы ее стыли, слезы замерзали в глазах.

— Он сказал еще что-нибудь перед тем, как остаться одному? — спросил Муньос.

Хулия еще раз пожала плечами. «*Nec sum adeo informis... Я не настолько безобразен... Недавно на берегу я оказался, хоть море спокойно было...*» Это было вполне в духе Сесара — процитировать Вергилия, когда она обернулась в последний раз, чтобы охватить взглядом неярко освещенный салон, темные тона старых картин на стенах, смягченные пергаментным экраном отсветы лампы на столах и креслах, желтоватую слоновую кость, золотое тиснение на корешках книг. И Сесара, стоящего посреди салона, —

Финал с королевой

она смотрела на него против света, уже не различая черт лица: тонкий, четкий силуэт, как на старинной медали или древней камее, и его тень, простертую на рыжеватых и золотистых узорах ковра, почти касавшуюся ног Хулии. И часы, зазвонившие в тот самый миг, когда она закрывала дверь, словно могильную плиту, как будто все было предусмотрено заранее и каждый тщательно исполнил роль, предназначенную ему в пьесе, завершающейся на шахматной доске именно в назначенный час, пять веков спустя после первого акта, с математической точностью последнего хода черной королевы.

— Нет, — тихо прошептала она, ощущая, как образ медленно удаляется, погружаясь в глубины ее памяти. — В общем-то, он ничего не сказал.

Муньос поднял лицо, как тощий некрасивый пес, обнюхивающий небо над их головами, и улыбнулся с какой-то неуклюжей теплотой.

— Жаль, — сказал он. — Он мог бы стать великолепным шахматистом.

Эхо ее шагов отдается в пустом монастыре, под сводами, которые уже начинают заполнять тени. Последние лучи заходящего солнца падают почти горизонтально, дробясь на каменных выступах и окрашивая алыми отсветами стены обители, пустые ниши, уже успевшие пожелтеть листья плюща, вьющегося вокруг капителей — чудовищ, воинов, святых, мифологических животных — под строгими готическими сводами, окружающими заросший сорняками сад. Ветер, предвестник холодов, тянущихся с севера, откуда вскоре должна надвинуться зима, завывает снаружи, хлеща по склонам холма, треплет ветви деревьев, исторгает стоны у вековых черепиц кры-

ши и раскачивает тяжелую бронзу на колокольне, где ржавый скрипучий флюгер упорно указывает на юг — может быть, залитый светом, далекий и недоступный.

Женщина, облаченная в траур, останавливается возле фрески, облупившейся от времени и сырости. От сиявших на ней когда-то красок осталось немногое: голубое пятно на месте туники, золотисто-розовое — на месте лица и рук. Запястье без кисти, палец, указывающий на несуществующее небо, Христос, черты лица которого едва выделяются на выкрошившейся штукатурке стены; луч солнца или Божественного света, исходящий ниоткуда и уходящий в никуда, подвешенный между небом и землей, светло-желтый сегмент, нелепо застывший во времени и пространстве, который годы и ненастья стирают понемногу, пока не сотрут совсем, будто его никогда и не было там. И ангел без рта, но с сурово нахмуренным челом, как у судьи или палача: все, что сохранилось от него, — это едва угадывающиеся среди пятен краски крылья в известковых выбоинах, кусок туники и меч выщербленных временем очертаний.

Женщина, облаченная в траур, откидывает черную вуаль, закрывающую верхнюю часть лица, и долго смотрит в глаза ангелу. Уже восемнадцать лет, каждый день, в один и тот же час она останавливается здесь и наблюдает, как время уничтожает линии и цвета этой картины. Она видела, как постепенно, словно проказа, вырывающая куски плоти, разъедающая ее, оно стирало контуры ангела, смешивая их с грязной штукатуркой и пятнами сырости, как вздувало краску, крошило и осыпало лица и тела. Там, где она живет, нет зеркал; они запреще-

Финал с королевой

ны уставом ордена, в который она вступила, а может быть, ее принудили вступить: в ее памяти все больше белых пятен, так же как в этой фреске. Вот уже восемнадцать лет, как она не видит собственного лица, и для нее этот ангел, несомненно прекрасный когда-то, служит единственной внешней мерой того, как время изменяет ее собственные черты: облупившаяся краска на местах морщин, размытые штрихи вместо увядшей кожи. Иногда, в минуты ясности, которые набегают вдруг, как волны, лижущие песок морского берега, и за которые она отчаянно цепляется, силясь удержать их в своей смутной, измученной призраками памяти, кажется, она вспоминает, что ей пятьдесят четыре года.

Из церкви доносится приглушенный толщей стен хор голосов. Они поют славу Господу, прежде чем отправиться в трапезную. Женщина, облаченная в траур, должна обязательно присутствовать на некоторых службах, но в этот час ей дозволяется гулять одной по пустынному монастырю, подобно темной безмолвной тени. С ее пояса свисают длинные четки — почерневшие деревянные бусины, которые она уже давно не перебирает. Далекое пение, долетающее из церкви, сливается со свистом ветра.

Когда она возобновляет свою прогулку и доходит до окна, агонизирующее солнце — уже не более чем пятно красноватого света, пробивающегося вдали из-под свинцовых туч, которые надвигаются с севера. У подножия холма лежит широкое серое озеро, мерцающее отблесками стали. Женщина опирается сухими, костлявыми руками о подоконник окна — стрельчатого окна; снова, как каждый вечер, воспоминания безжалостно возвращаются — и чувствует, как холод камня поднимается по ее рукам и медленно, угрожающе приближается к изношенному сердцу. На нее нападает кашель, раздирающий грудь, сотрясающий ее хрупкое тело, ослабленное холодами стольких зим, измученное заключением, одиночеством и то уходящей, то приходящей памятью. Она уже не слышит ни пения, доносящегося из церкви, ни воя ветра. Теперь это монотонная, печальная музыка мандолины, возникающая из тумана времени, и холодный осенний пейзаж расплывается перед ее глазами, уступая место другому, похожему на картину: равнина, мягкими волнами раскинувшаяся до самого горизонта, и посреди нее четкий на фоне голубого неба, точно нарисованный тонкой кисточкой стройный силуэт колокольни. И вдруг женщине кажется, что она слышит тихий разговор двух мужчин, сидящих у стола, негромкий смех. И она думает, что если обернется и посмотрит назад, то увидит саму себя, сидящую у окна с книгой на коленях, а подняв глаза, различит блеск стального латного воротника и ордена Золотого руна. И седобородый старик улыбнется ей, на миг оторвав взгляд от дубовой доски, на которой неторопливо и мудро, как того требует его занятие, набрасывает длинной кистью вечный образ этой сцены.

На мгновение ветер разрывает слой туч, и последний отблеск солнца, отразившись в водах озера, озаряет увядшее лицо женщины, слепя ее светлые, холодные, почти угасшие глаза. Потом ветер завывает с новой силой и треплет черное покрывало, которое бьется, как крылья ворона. И тогда женщина вновь ощущает колющую боль, пронзающую ей грудь рядом с сердцем. Боль, парализующую половину тела, не смягчаемую никакими снадобьями. Боль, от которой стынут руки и ноги, останавливается дыхание.

Финал с королевой

Озеро уже превратилось в тусклое пятно, затянулось тенями. И женщина, облаченная в траур, которая в миру звалась Беатрисой Бургундской, знает, что зима, грядущая с севера, будет для нее последней. И она спрашивает себя, найдется ли в той темной неизвестности, куда она вскоре отправится, достаточно милосердия, чтобы стереть у нее последние обрывки памяти.

Ла-Навата
Апрель 1990 года

Содержание

Литературно-художественное издание

Артуро Перес-Реверте

ФЛАМАНДСКАЯ ДОСКА

ООО «Издательство «Эксмо».
127299, Москва, ул. Клары Цеткин, д. 18, корп. 5. Тел.: 411-68-86, 956-39-21.
Интернет/Home page — www.eksmo.ru
Электронная почта (E-mail) — info@ eksmo.ru
По вопросам размещения рекламы в книгах издательства «Эксмо»
обращаться в рекламное агентство «Эксмо». Тел. 234-38-00.

Оптовая торговля:
109472, Москва, ул. Академика Скрябина, д. 21, этаж 2.
Тел./факс: (095) 378-84-74, 378-82-61, 745-89-16.
Многоканальный тел. 411-50-74. E-mail: **reception@eksmo-sale.ru**

Мелкооптовая торговля:
117192, Москва, Мичуринский пр-т, д. 12/1. Тел./факс: (095) 411-50-76.

Книжные магазины издательства «Эксмо»:
Супермаркет «Книжная страна». Страстной бульвар, д. 8а. Тел. 783-47-96.
Москва, ул. Маршала Бирюзова, 17 (рядом с м. «Октябрьское Поле»). Тел. 194-97-86.
Москва, Пролетарский пр-т, 20 (м. «Кантемировская»). Тел. 325-47-29.
Москва, Комсомольский пр-т, 28 (в здании МДМ, м. «Фрунзенская»). Тел. 782-88-26.
Москва, ул. Сходненская, д. 52 (м. «Сходненская»). Тел. 492-97-85.
Москва, ул. Митинская, д. 48 (м. «Тушинская»). Тел. 751-70-54.
Москва, Волгоградский пр-т, 78 (м. «Кузьминки»). Тел. 177-22-11.

Северо-Западная Компания представляет весь ассортимент книг издательства «Эксмо».
Санкт-Петербург, пр-т Обуховской Обороны, д. 84Е.
Тел. отдела реализации (812) 265-44-80/81/82.

Сеть книжных магазинов «БУКВОЕД». Крупнейшие магазины сети:
Книжный супермаркет на Загородном, д. 35. Тел. (812) 312-67-34
и Магазин на Невском, д. 13. Тел. (812) 310-22-44.

Сеть магазинов «Книжный клуб «СНАРК» представляет самый широкий ассортимент книг
издательства «Эксмо». Информация о магазинах и книгах в Санкт-Петербурге по тел. 050.

Всегда в ассортименте новинки издательства «Эксмо»:
ТД «Библио-Глобус», ТД «Москва», ТД «Молодая гвардия»,
«Московский дом книги», «Дом книги в Медведково», «Дом книги на Соколе».

Весь ассортимент продукции издательства «Эксмо»
в Нижнем Новгороде и Челябинске:
ООО «Пароль НН», г. Н. Новгород, ул. Деревообделочная, д. 8. Тел. (8312) 77-87-95.
ООО «ИКЦ «ДИС», г. Челябинск, ул. Братская, д. 2а. Тел. (8512) 62-22-18.
ООО «ИнтерСервис ЛТД», г. Челябинск, Свердловский тракт, д. 14. Тел. (3512) 21-35-16.

Книги «Эксмо» в Европе — фирма «Атлант». Тел. + 49 (0) 721-1831212.

Подписано в печать с готовых монтажей 20.08.2003.
Формат 84x108 $^1/_{32}$. Гарнитура «Гарамонд». Печать офсетная.
Бум. писч. Усл. печ. л. 25,2.
Доп. тираж 7000 экз. Заказ 613.

ОАО «Тверской полиграфический комбинат».
170024, г. Тверь, пр-т Ленина, 5.

ISBN 5-699-02470-0

9 785699 024704